ro
ro
ro

rororo

Kann man erklären, warum Daniel Kehlmanns Roman «Die Vermessung der Welt» zu einem der erfolgreichsten Werke der deutschen Literatur nach 1945 wurde? Literaturkritiker und -wissenschaftler haben sich auf die Suche nach den Gründen für diesen Erfolg gemacht und das «auf schwerelose Art tiefgründige und intelligente» Buch («Frankfurter Allgemeine Zeitung») nach allen Regeln der Kunst vermessen. Ihre Ergebnisse versammelt dieser Band.

Gunther Nickel, geboren 1961, ist Lektor des Deutschen Literaturfonds in Darmstadt und lehrt als Privatdozent Neuere deutsche Literaturgeschichte an der Johannes-Gutenberg-Universität in Mainz. Er veröffentlichte als Autor und Herausgeber zahlreiche Bücher und Aufsätze zur deutschen Literatur vom 18. Jahrhundert bis zur Gegenwart.

Daniel Kehlmanns Roman «Die Vermessung der Welt» ist im Rowohlt Verlag erschienen und liegt dort auch als Taschenbuch vor (rororo 24100). Als Rowohlt Taschenbuch lieferbar sind außerdem sein Roman «Beerholms Vorstellung» (rororo 24549), seine Erzählungssammlung «Unter der Sonne» (rororo 24633) sowie sein Essayband «Wo ist Carlos Montúfar? Über Bücher» (rororo 24139).

Daniel Kehlmanns «Die Vermessung der Welt»

Materialien, Dokumente, Interpretationen

Herausgegeben von Gunther Nickel

Rowohlt Taschenbuch Verlag

Originalausgabe
Veröffentlicht im Rowohlt Taschenbuch Verlag,
Reinbek bei Hamburg, März 2008

Umschlaggestaltung any.way, Cathrin Günther
(Abbildung: akg-images, CORBIS)
Satz Minion PostScript (InDesign)
bei Pinkuin Satz und Datentechnik, Berlin
Druck und Bindung Druckerei C. H. Beck, Nördlingen
Printed in Germany
ISBN 978 3 499 24725 5

Inhalt

Vorwort

«Die Schriftstellerei», erklärte Friedrich Dürrenmatt, «wird erst durch den Erfolg als freier Beruf möglich; der Erfolg sagt jedoch nichts über den Wert einer Schriftstellerei aus, er deutet allein darauf hin, daß der Schriftsteller eine Ware herstellt, die sich verkaufen läßt.»[1] Daniel Kehlmann ist es zweifellos gelungen, mit seinem Roman *Die Vermessung der Welt* eine solche Ware zu liefern: 35 Wochen in Folge stand das Buch auf Platz 1 der *Spiegel*-Bestsellerliste, es wurde bislang weit über eine Million Mal im deutschsprachigen Raum verkauft und in über vierzig Sprachen übersetzt.

Doch nicht nur die Leser, auch die Literaturkritiker waren mehr als nur angetan. Bei Erscheinen landete das Buch auf dem ersten Platz der SWR-Bestenliste, die einmal im Monat von 31 Literaturkritikern zusammengestellt wird. In der *Frankfurter Allgemeinen Zeitung* lobte Hubert Spiegel, man werde «von diesem Roman auf eine so subtile, intelligente und witzige Weise unterhalten, wie man es in der deutschsprachigen Literatur kaum einmal erlebt».[2] Er sei, befand Martin Lüdke in der *Frankfurter Rundschau*, nicht nur «ein schönes, packendes und spannendes», sondern auch «ein großes Buch», «das Alterswerk eines jungen Schriftstellers, ein genialer Streich».[3] Kehlmann, so Martin Krumbholz in der *Neuen Zürcher Zeitung*, erweise sich «als ein früher Meister einer auf den ersten Blick konventionellen und dabei doch hoch artifiziellen Erzählkunst».[4] Ijoma Mangold bezeichnete ihn sogar als «die größte Begabung der jüngeren deutschen Literatur»; kein Einfall werde von ihm «breit ausgetreten, sondern jeweils aufs allerknappste zu seiner Pointe geführt».[5] Diese mehr als nur freundliche Aufnahme blieb nicht auf den deutschsprachigen Raum beschränkt, sondern setzte sich fort, als *Die Vermessung der Welt* nach und nach in anderen Ländern erschien, zuletzt in Litauen und Rumänien.

In Deutschland und Österreich regten sich bei einigen Kritikern – auffälligerweise erst bei zunehmendem Erfolg – auch Zweifel an der literarischen Bedeutung dieses Romans, an dem also, was Dürrenmatt als «Wert» bezeichnet hat. *Die Vermessung der Welt*, meinte Thomas Steinfeld in der *Süddeutschen Zeitung*, biete zwar Bildung, aber doch nur «in leichter Form», weil Kehlmann mit seinem Stoff umgehe «wie das ‹Klassik Radio› mit den symphonischen Werken des neunzehnten Jahrhunderts: Er spielt die schöne Melodie und den langsamen Satz, mit viel Vibrato und lustigen Einlagen, und eine Abneigung gegen alles Abstrakte ist dabei nicht zu übersehen».[6] Kehlmanns Romane, so ein weiterer Vorwurf, seien zu «einlässig geschrieben», würden nicht genug «verstören» und gehörten deshalb in die Kategorie «Exportable, Less Weighty German Novels».[7] Halten diese Einlassungen einer Überprüfung am Text stand? Oder schimmert unter dem schillernden Glanz feuilletonistischer Oberflächlichkeit nicht nur das Ressentiment literarischer Hohepriester, daß etwas, was massenhaft gefalle, unmöglich gut sein könne?

Diese Denkfigur ist so alt wie die Massengesellschaft selbst, von Beginn an auf das engste verbunden mit der Angst vor dem Untergang des Abendlandes und durch viele merkantil erfolgreiche Bücher von hohem literarischen Rang längst widerlegt. Die Vorstellung von der Unvereinbarkeit großer Auflagen und Qualität hält sich dennoch ebenso hartnäckig im literaturbetrieblichen Leben wie der Umkehrschluß, mangelnder Erfolg auf dem Buchmarkt sei zwar kein hinreichendes, aber doch ein notwendiges Indiz für wirklich Herausragendes. Der Literaturkritiker Friedrich Sieburg erkannte in dieser Art von Logik schon 1952 nur den Versuch, aus der Tatsache, daß bestimmte Bücher einfach niemand lesen wolle, «wenigstens ein Tröpfchen Martyrium zu pressen».[8] Genützt hat Sieburgs Einspruch indes nichts.

Wie aber bestimmt man statt dessen den literarischen Wert eines Textes? Da es kein normiertes Meßverfahren dafür gibt,[9] hält man sich am besten immer noch an eine Maxime Lessings: «Der wahre Kunstrichter folgert keine Regeln aus seinem Geschmakke, sondern hat seinen Geschmack nach den Regeln gebildet, welche die Natur der Sache erfordert.»[10] Wie es um die Natur der Sache beim Roman *Die Vermessung der Welt* bestellt ist, soll in diesem Band auf möglichst vielfältige Weise gezeigt werden. Am Anfang steht ein Essay von Daniel Kehlmann, in dem er selbst seine Arbeitsweise erläutert, es folgen zwei Interviews mit ihm, die zuerst in der *Frankfurter Allgemeinen Zeitung* und im *Spiegel* erschienen sind. Der Unterschied zwischen historischer und literarischer Wahrheit, der dort bereits zur Sprache kommt, gewinnt in den Beiträgen von Hubert Mania und Manfred Geier weitere Kontur: Sie porträtieren – gestützt auf überlieferte Quellen und mit Hinweisen auf weiterführende Literatur – Leben und Werke von Carl Friedrich Gauß und Alexander von Humboldt, die Kehlmann fabulierfreudig zu den Hauptfiguren seines Buchs gemacht hat. Klaus Zeyringers Anmerkungen zum Echo in der deutschsprachigen Literaturkritik werden durch jeweils ein Rezeptionsbeispiel aus den Jahren 2005 (von Ijoma Mangold), 2006 (von Uwe Wittstock) und 2007 (von Marius Meller) ergänzt. Julia Stein faßt dann die internationalen Reaktionen auf die zahlreichen Übersetzungen zusammen. Vier literaturwissenschaftliche Analysen und ein Anhang mit Literaturhinweisen beschließen den Band.

Bei der Zusammenstellung der Beiträge war es das Ziel, einen Überblick über die bisherige Wirkungsgeschichte der *Vermessung der Welt* mit weiterführenden Untersuchungen zu verbinden und so eine Basis für künftige Sondierungen zu schaffen. Vollständig vermessen ist Kehlmanns Roman damit natürlich lange nicht.

G. N.

Anmerkungen

1 Friedrich Dürrenmatt: Schriftstellerei als Beruf. In: Ders.: Gesammelte Werke, Bd. 7. Zürich 1996, S. 413–418, hier: S. 417.
2 Der Schrecken der Welt läßt sich messen, aber nicht bannen. In: Frankfurter Allgemeine Zeitung vom 22. Oktober 2005.
3 Doppelleben, einmal anders. In: Frankfurter Rundschau vom 28. September 2005.
4 Das Glück – ein Rechenfehler. In: Neue Zürcher Zeitung vom 18. Oktober 2005.
5 Da lacht der Preuße, und der Franzose staunt. In: Süddeutsche Zeitung vom 24. September 2005.
6 Teutonische Angst vor der Freiheit. Was hat das mit uns zu tun? Das Ausland liest Daniel Kehlmann. In: Süddeutsche Zeitung vom 29. Januar 2007.
7 Evelyne Polt-Heinzl: Symbolfigur der neuen Erzählergeneration. In: Die Furche (Wien) vom 23. November 2006.
8 Friedrich Sieburg: Literarischer Unfug. In: Die Gegenwart, Jg. 7, 1952, Nr. 19, S. 594–596, hier: S. 595.
9 Warum das so ist und auch in Zukunft nicht anders sein wird, haben Renate von Heydebrand und Sabine Winko in ihrer *Einführung in die Wertung von Literatur* gezeigt und begründet (Paderborn, München, Wien, Zürich 1996).
10 Gotthold Ephraim Lessing: Hamburgische Dramaturgie, Neunzehntes Stück, Den 3ten Julius, 1767.

Daniel Kehlmann

Wo ist Carlos Montúfar?

Als ich zum erstenmal die Göttinger Sternwarte betrat, war ich mit meinem Roman *Die Vermessung der Welt* fast fertig. Eine meiner Hauptfiguren hatte hier gelebt und gearbeitet, und ich war überrascht, wie beklommen es mich machte, ihr auf einmal so nahe zu sein. In meinem Buch war der Mann, der diese Räume bewohnt hatte, zwar ein Genie, aber auch ein passionierter Bordellbesucher, ein desinteressierter Familienvater und ein Monstrum an schlechter Laune. Wäre er noch am Leben gewesen, so hätte keine ausgefeilte ästhetische Theorie mich schützen können – nicht vor einer Verleumdungsklage, nicht vor seinem Zorn.

Die Sternwarte ist ein imposanter klassizistischer Wissenschaftstempel des frühen neunzehnten Jahrhunderts. Ihre Kuppel allerdings ist reine Verzierung und läßt sich nicht aufklappen, die Teleskope richtete man durch schießschartenartige Öffnungen neben dem Eingangstor auf den Himmel. Drinnen führt eine Treppe in des ehemaligen Direktors Wohnräume. Das berühmte Ölbild von Carl Friedrich Gauß mit seiner schwarzen Samtkappe hängt hier im Original und ist, aber das erscheint einem bei bekannten Gemälden oft so, erstaunlich klein. Daneben steht die legendäre Telegraphenanlage, die er erfunden hatte, um sich mit seinem in der Stadtmitte arbeitenden Kollegen zu unterhalten.

Ein Erzähler operiert mit Wirklichkeiten. Aus dem Wunsch heraus, die vorhandene nach seiner Vorstellung zu korrigieren, erfindet er eine zweite, private, die in einigen offensichtlichen Punkten und vielen gut versteckten von jener ersten abweicht. Der lange Traum, schrieb Schopenhauer, sei unterbrochen von kurzen, und das sei am Ende alles; für einen Erzähler ist die lange Geschichte unterbrochen von kurzen, und was ihn nervös macht, ist nicht deren substantielle Gleichartigkeit, sondern deren Vermischung, also jede Verletzung der Grenzen. Zum Beispiel die unerwartete Konfrontation mit einer sehr realen Maschine, entwickelt von jemandem, den er in manchen Augenblicken bereits für seine eigene Erfindung hielt.

In einer Szene gegen Ende meines Romans taucht diese Telegraphenanlage auf. Professor Gauß, alt geworden und gebrechlich, steht am Fenster und schickt Signale hinaus, halb mit seinem Mitarbeiter Weber sprechend, halb mit sich selbst, zugleich auch mit der im Lauf seines Lebens bestürzend angewachsenen Welt der Verstorbenen. Mit diesem Apparat jedoch, das zeigte mir in der Sternwarte ein einziger Blick, waren Gespräche unmöglich. Das Ausschlagen der Empfangsnadel war so schwach, daß man durch ein Fernrohr auf eine Skala starren mußte. Das wieder bedeutete, daß der Sendende zuvor einen Boten zum Empfänger zu schicken hatte, um anzukündigen, wann er mit der Übermittlung beginnen werde – fürwahr eine Monty-Python-Konstellation. Noch in Gauß' Zimmer, zwischen Empfangsgerät, Fenster und Ölbild, beschloß ich, bei meiner Version zu bleiben.

Vielleicht mißtrauen deshalb so viele Menschen, denen es bei Büchern auf Tatsachen ankommt, dem historischen Erzählen. Man liest und kann dabei nie den Verdacht loswerden, daß das Gelesene nicht *stimmt.* So in etwa hatte ich es schon im Studium gelernt, im Einführungsproseminar bei Dr. S. Historische Romane, hatte er im Brustton der Überzeugung gesagt, sollten wir Germanisten besser meiden, sie seien unzuverlässig und trivial.

Alle?

Alle, antwortete Dr. S. Man lebe im Heute, und wer sich anderen Zeiten zuwende, verfalle dem Eskapismus.

Dr. S. hatte hervorquellende Augen, schlechte Haut und ein Alkoholproblem. Bei den Prüfungen verließ er zwar den Raum, damit wir voneinander abschreiben konnten; allerdings nicht aus

Nettigkeit, wie wir später herausfanden, sondern weil er hoffte, bessere Ergebnisse seiner Studenten würden ihm eine Beförderung eintragen. Dr. S. war ein trauriger Mensch, er las ungern, und so besonders im Heute schien er nicht zu leben. Aber seine Überzeugungen waren unerschütterlich.

Und Tolstoi, fragte eine russische Studentin.

Ja wie, fragte Dr. S. Wieso Tolstoi?

Wegen *Krieg und Frieden.*

Aber das sei doch kein historischer Roman. Als Tolstoi den geschrieben habe … Dr. S. zögerte, auf diesem Gebiet fühlte er sich nicht daheim. Er war Experte für Wiener Nachkriegsliteratur: ernste neodadaistische Poesie, geschrieben von den Söhnen von Wehrmachtssoldaten. Als Tolstoi den geschrieben habe, sei ja noch neunzehntes Jahrhundert gewesen!

Tolstoi habe, sagte die Studentin schüchtern, *Krieg und Frieden* mehr als fünfzig Jahre nach den Napoleonischen Kriegen verfaßt.

Eben, sagte Dr. S., das sei lange her. Damals hätten die Dinge anders gelegen.

An dieses Verdikt erinnerte ich mich noch genau, als ich Jahre später selbst versuchte, einen in nicht mehr ganz naher Vergangenheit spielenden Roman zu schreiben. Vielleicht hätte ich es nie gewagt ohne das Vorbild einiger Werke, die Dr. S.' eherner Regel widersprachen: Thomas Manns *Lotte in Weimar* natürlich, John Fowles' *Die Geliebte des französischen Leutnants*, E. L. Doctorows *Ragtime*, John Barths *Der Tabakhändler* und Thomas Pynchons Epos über Aufklärung, Wissenschaft und Wahn, *Mason & Dixon.* Ein ganzer Seitenstrom der Moderne unternimmt es, Dogmen wie das von Dr. S. ad absurdum zu führen, also nicht bloß Geschichten, sondern Geschichte zu erzählen und das scheinbar Unseriöse dieses von der Trivialliteratur okkupierten Genres für Spiele mit Fakten und Fiktionen zu nützen. Immer schon hat die Gattung des Romans, wirksamer vielleicht als irgendeine andere, bestehende Meinungen untergraben – und eine der wirksamsten Arten, das zu tun, besteht darin, sich die Vergangenheit neu zu erzählen und von der offiziellen Version ins Reich erfundener Wahrheit abzuweichen.

Ein Beispiel für solch ein Erfinden von Wahrheit und zugleich eine der gelungensten Annäherungen an eine vergangene Epoche ist Stanley Kubricks Film *Barry Lyndon*, die minutiöse Rekonstruktion einer versunkenen Welt, nicht durch den Blick auf das, was von ihr geblieben ist, sondern auf das Vergänglichste an ihr, nicht durch das Herausstreichen dessen, was wir noch mit ihr gemeinsam haben, sondern durch strikte Betonung des Trennenden. Die Entscheidung für die größtmögliche Akkuratesse ist auch eine für die stärkste Künstlichkeit; denn natürlich (eine Erfahrung, die jeder Recherchierende macht) kommen auf jedes bekannte Detail mehrere Dutzend, über die man nicht genug wissen kann – und die man also erfinden muß, um sie zu kennen. Einem Filmemacher stellt sich dieses Problem noch drastischer als einem Romancier: Der Schriftsteller kann sich um vieles herummogeln, doch der filmische Blick auf jede Einzelheit ist total und vollständig, ohne eine Grauzone der Vagheit. Der in dieser Form vielleicht nie wieder erreichte Anschein von Authentizität rührt bei Kubrick daher, daß sein Film eben nicht das reale Leben des achtzehnten Jahrhunderts abzubilden versucht, sondern dessen Widerspiegelung in der Kunst. Wo er Alltagsbegebenheiten schildert, wirken sie wie zum Leben erwachte Kupferstich-Genreszenen, seine Landschaften sind Watteau-Gemälden nachempfunden, die Innenaufnahmen, gefilmt mit NASA-Spezialobjektiven bei Kerzenlicht, zeigen das Schattenspiel und die übersteigerten Hell-Dunkel-Kontraste der Interieurs von Wright of Derby, die Orgienszenen scheinen in ihrer schematischen Abstraktheit geradewegs auf Hogarths Bilderzyklus *The Rake's Progress* zurückzugehen. Hier ist nichts spontan und schon gar nichts realistisch; sogar die Buchvorlage Thackerays ist ja bereits ein historischer

Roman über eine Zeit, die sein Verfasser nicht selbst erlebt hatte. Jede Szene spricht aus, daß Kunst im wesentlichen Abstraktion und Stilisierung ist; und nie war sie das mehr als im achtzehnten Jahrhundert, und auf keine Weise nähert man sich diesem besser als durch den konsequenten Verzicht auf Unmittelbarkeit. Ein Ansatz, der seine Parallele in Thomas Pynchons eigens für *Mason & Dixon* erfundenem Englisch hat: ein Kunstidiom, das so weder 1750 noch sonst irgendwann gesprochen wurde, angereichert durch Anachronismen, burleske Neuprägungen und den über alle Stränge schlagenden Gestaltungswillen eines Sprachformers, der den Leser gerade durch die Unverschämtheit seiner Fälschungen näher an eine untergegangene Form des Sprechens, ja an das Phänomen der Historizität aller Sprache bringt, als philologische Akribie es je könnte.

Als ich begann, meinen Roman über Gauß, Humboldt und die quantifizierende Erfassung der Welt zu schreiben, über Aufklärer und Seeungeheuer, über Größe und Komik deutscher Kultur, wurde mir schnell klar, daß ich erfinden mußte. Erzählen, das bedeutet, einen Bogen spannen, wo zunächst keiner ist, den Entwicklungen Struktur und Folgerichtigkeit gerade dort verleihen, wo die Wirklichkeit nichts davon bietet – nicht um der Welt den Anschein von Ordnung, sondern um ihrer Abbildung jene Klarheit zu geben, die die Darstellung von Unordnung erst möglich werden läßt. Gerade wenn man darüber schreiben will, daß der Kosmos chaotisch ist und sich der Vermessung verweigert, muß man die Form wichtig nehmen. Man muß arrangieren, muß Licht und Schatten setzen. Besonders die Darstellung meiner zweiten Hauptfigur, des wunderlichen Barons Alexander von Humboldt, jener Kreuzung aus Don Quixote und Hindenburg, verlangte nach Übersteigerung, Verknappung und Zuspitzung. Hatte er in Wirklichkeit eine eher undramatische Rundreise von über sechs Jahren Dauer gemacht, so mußte ich, um davon erzählen zu können, nicht nur sehr viel weglassen, sondern Verbindungen schaffen und aus isolierten Begebenheiten zusammenhängende Geschichten bauen.

So verwandelte ich den Assistenten des Barons, den treuen und vermutlich eher unscheinbaren Botaniker Aimé Bonpland, in seinen aufmüpfigen Widerpart. In Wirklichkeit war Humboldt meist inmitten einer sich ständig verändernden Gruppe gereist: Adelige und Wissenschaftler gesellten sich dazu, solange sie Lust und Interesse hatten, von den Missionsstationen kam der eine oder andere Mönch eine Strecke mit. Nur sehr kleine Teile der ungeheuren Distanz legte Humboldt tatsächlich alleine mit Bonpland zurück. Mein Humboldt aber und mein Bonpland, das wußte ich von Anfang an, würden sehr viel Zeit zu zweit verbringen. Mein Bonpland würde lernen, was es hieß, sich in Gesellschaft eines uniformierten, unverwüstlichen, ständig begeisterten und an jeder Kopflaus, jedem Stein und jedem Erdloch interessierten Preußen durch den Dschungel zu kämpfen. Also mußte ich auf Carlos Montúfar verzichten.

Der Sohn des Gouverneurs von Quito hatte sich den beiden Anfang 1802 angeschlossen, ein Teenager, der die Gelegenheit zu einer Grand Tour ergriff, wie sie sich ihm nicht noch einmal bieten würde. Er war bei der Besteigung der Vulkane Pichincha und Chimborazo dabei, er kam mit zu Präsident Jefferson in die Vereinigten Staaten, er begleitete Humboldt nach Europa und wohnte sieben Jahre bei ihm in Paris. Dann ging er zurück ins neugegründete Ecuador, um sich am Freiheitskampf zu beteiligen, wurde nach wenigen Monaten von den Spaniern gefaßt und standrechtlich erschossen. Gerüchte besagten, daß Humboldt wegen Carlos den vierten Teil seines Reiseberichtes verbrannt habe. Aber was der Baron auch zu verbergen hatte und was immer in Wahrheit zwischen den beiden vorgefallen war – in meiner Version hatte ein dritter Begleiter nichts verloren. Wie Don Quixote und Sancho, Holmes und Watson, Waldorf und Statler sollten meine Reisenden ein verschworenes, streitendes

Paar sein. Viele Dutzend Menschen mochten mit Humboldt den Kontinent durchstreift haben, aber meine Dramaturgie verlangte, daß er und Bonpland, umgeben bloß von den Randfiguren wechselnder Führer, miteinander allein blieben.

«Ich entschloß mich, die historischen Ereignisse als Rohmaterial zu nehmen für einen Roman, in dem ich völlig frei Situationen verändern, umformen und erfinden konnte, wobei ich den historischen Hintergrund nur als Ausgangspunkt benutzen würde, um zu schaffen, was dem Wesen nach eine Fiktion, eine literarische Erfindung sein würde.» So Mario Vargas Llosa über seinen Roman *Der Krieg am Ende der Welt*, in dem er, gestützt auf den Bericht des brasilianischen Schriftstellers Euclides da Cunha, die Geschichte des Bürgerkriegs in der Provinz Sertão gegen Ende des neunzehnten Jahrhunderts neu erzählt. «Ich beschloß, den vier historischen Episoden, den vier Militärexpeditionen zu folgen und einige der historischen Persönlichkeiten als literarische Gestalten zu verwenden, aber ihre Biographien nicht zu beachten und nur das frei zu übernehmen, was ich für meine Zwecke als brauchbar ansah.» Vargas Llosa benützt nicht nur da Cunhas epochales Werk über den Krieg als Quelle, er läßt da Cunha auch auftreten, und zwar als tragikomische Figur: kurzsichtig, ständig niesend, furchtsam, unheldenhaft und halbblind. Er wird von den Insurgenten gefangen und erlebt ihre letzten Wochen im Hauptquartier Canudos mit. Nur: seine Brille ist zerbrochen. Er ist Augenzeuge, und doch sieht er nichts; er erlebt die Ereignisse aus nächster Nähe, aber so verschwommen, daß er sich keinen Reim auf sie machen kann. Dem Inferno entkommen, widmet er sein Dasein der Aufgabe, zu rekonstruieren, was er erlebt hat, und wird durch seine Nachforschungen allmählich zum einzigen Menschen des Landes, der versteht, was damals im Sertão vor sich gegangen ist.

Im streng historischen Sinn stimmt nichts davon. Euclides da Cunha war kein Kriegsgefangener, er war nicht kurzsichtig, und ob er häufig nieste, ist nicht bekannt. Er war auch nicht gerade ängstlich, sondern focht mehrere Duelle aus, deren letztes er nicht überlebte. Vargas Llosa aber geht es um das Motiv des Nichtbegreifens in all seinen Variationen; wie dem kurzsichtigen Journalisten das Dabeigewesensein nichts nützt, so würde es auch dem Roman nichts nützen, an den Fakten von da Cunhas Biographie zu kleben. *Der Krieg am Ende der Welt* ist eine Studie über den Umstand, daß die bestimmenden Teile der Gesellschaft einander nicht kennen: Die Regierung glaubt, hinter dem Aufstand stünden adelige Grundbesitzer, weil sie das Phänomen der fanatischen Frömmigkeit der Landlosen nicht begreift, welche mit der Ausrufung der Republik das Reich Satans kommen sehen. Intellektuelle halten diese Bewegung für eine linke Revolution und verstehen nicht, warum gerade die Kirche die vermeintlichen Revolutionäre gegen das Militär unterstützt, für dessen Offiziere der Feldzug wiederum ein willkommener Anlaß ist, gegen den Adel vorzugehen, von dem sie irrtümlich denken, er hätte noch Einfluß und Macht. Die Kurzsichtigkeit des Journalisten im Zentrum all dessen wird zur Chiffre dafür, daß die Wahrheit, wenn überhaupt, erst im nachhinein und aus der Entfernung sichtbar wird und daß das Erzählen, im Unterschied zur Geschichtsschreibung, anderes verlangt als Treue zu den Tatsachen.

Dieser Unterschied zwischen dem bloß faktisch Richtigen und dem Wahren, den jeder historische Roman berührt, steht auch im Zentrum von J. M. Coetzees Neuerzählung der Geschichte von Robinson und Freitag, *Mr. Cruso, Mrs. Barton und Mr. Foe.* In Coetzees Fassung ist noch eine dritte Person mit auf der Insel: Susan Barton, die an der Küste angeschwemmt und später mit den beiden Männern gerettet wird. Cruso, wie der Einsiedler hier heißt, stirbt auf dem Schiff; zurück in England, sucht Susan den Schriftsteller Foe auf (der mit Daniel Defoe Biographie und Werke teilt), um ihm ihre Erlebnisse zu erzählen, damit er diese aufschreibt und zu einer Geschichte macht. Sie weiß, sie selbst kann das nicht: «Geben Sie mir die Substanz wieder, die ich verloren habe, Mr. Foe: das ist meine inständige Bitte. Denn obwohl meine Geschichte die Wahrheit wiedergibt, gibt sie nicht die Substanz der Wahrheit (ich sehe das klar, wir brauchen uns da nichts vorzumachen). Um die Wahrheit in ihrer ganzen Substanz zu erzählen, muß man Ruhe haben und einen bequemen Stuhl fern von jeder Ablenkung, und ein Fenster, durch das man schauen kann; und dann die Fertigkeit, Wellen zu sehen, wenn man Felder vor Augen hat, und die tropische Sonne zu spüren, wenn es kalt ist; und an den Fingerspitzen die Worte, um mit ihnen die Vision festzuhalten, bevor sie entschwindet. Von alledem habe ich nichts, Sie aber haben alles.» Die Pointe des hintergründigen Romans bleibt unaufgelöst und erschließt sich nur dem Leser, der begreift, daß die Geschichte vom Einsiedler Robinson zwar Weltruhm erlangen wird, Susan Barton aber in ihr nicht mehr vorkommt. Die Umformung des Stoffs zur Geschichte, die Foe auftragsgemäß unternimmt, besteht eben darin, daß er Susan aus ihr eliminiert – wie ich es mit dem armen Carlos Montúfar tun mußte.

Humboldts Bericht von seinem, Bonplands und Montúfars Versuch, am 23. Juni 1802 den Chimborazo zu besteigen, ist eine nüchterne Aufzählung der Fakten, die scheinbar keine Fragen offenläßt, verfaßt im typischen Souveränitätston der Expeditionsbeschreibungen des achtzehnten Jahrhunderts, dem Ton des selbstgewissen Europäers auf Forschungs- oder Eroberungsreise: neugierig, doch von den Strapazen unberührt, diszipliniert, kühl, *aloof*. In diesem Ton berichtete Samuel Johnson von der schottischen Hebridenwildnis, in diesem Ton tauschten Livingstone und Stanley ihren sprichwörtlich gewordenen Gruß in der Wildnis aus, und erst V. S. Naipaul brachte ihn aus den ehemaligen Kolonien zurück ins Mutterland, als er sich seiner bediente, um die britische Provinz zu schildern.

Wer aber die Texte zeitgenössischer Alpinisten liest, erfährt sehr genau, was mit einem Hochgebirgskletterer vorgeht. Einiges davon deutete Humboldt an, vieles verschwieg er. Selbst Leute mit bester Kondition erbrechen ständig, ihnen ist sterbenselend, sie haben Halluzinationen. Versuchen sie, sich in großer Höhe zu unterhalten, lallen sie wie Betrunkene, klar denken können sie nicht, ihre Schleimhäute und sogar Augen bluten. Bei Humboldt, Bonpland und Montúfar kann es nicht anders gewesen sein. Im souverän-kühlen Ton von Humboldts Bericht steckt also nicht unbedingt weniger Fiktion als in jener Episode der Verwirrung und taumelnden Ziellosigkeit, die ich daraus gemacht habe. Künstlerische Satire ist immer, auf die eine oder andere Art, die Konfrontation eines Tons mit jener Wirklichkeit, die zu verschleiern er erfunden wurde – ein Zusammenprall, an dem der Ton scheitert und die sorgsam einstudierte Haltung bricht. In meinem Roman werden Humboldts und Bonplands Gespräche (wie alle Dialoge darin gefiltert durch die Scheindistanz indirekter Rede) während des Aufstiegs immer wirrer und trunkener und nähern sich erst während des Abstiegs allmählich wieder dem Vernünftigen an. So viel Mühe und Haltung, solche Leugnung der niederen Wirklichkeit, so viel Überwindung eigener Schwäche sind zur Weimarer Klassizität nötig, das ist das Große und, wenn es scheitert, das Komische an ihr. Meine Version des Chimborazo-Berichts sollte ebendies durch ein Hinzutun von bergsteigerischem Realismus sichtbar machen: Weimars Gesandter in Macondo durchläuft gemeinsam mit seinem Assistenten auf dem Rücken des Vulkans Wahnsinn, Übelkeit, Schwindel, Angst und Verwirrung – all das also, dessen Leugnung den Klassiker überhaupt erst definiert.

Mit einer anderen Art von Leugnung bekam ich es dann im Sommer 2004, kurz vor meinem Besuch der Sternwarte, zu tun. Es waren die Wochen der Hartz-Proteste, die Monate des *Untergang*-Films, die Jahre der deutschlandweit verspäteten Schnellzüge, als ein großer Schriftsteller, der Humboldts seit hundertfünfzig Jahren in mehreren Ausgaben lieferbares Hauptwerk gerade in einer schönen Edition neu herausgegeben hatte, den Medien gegenüber verlauten ließ, daß der Baron doch weitgehend vergessen sei. Prompt tauchte Humboldt, nach dem mehr Orte auf dem Globus benannt sind als nach irgendeinem Menschen sonst und über den allein im Vorjahr zwei neue Monographien erschienen waren (darunter Gerard Helferichs vorzügliches und leider nirgendwo erwähntes Werk *Humboldt's Cosmos*), auf dem Cover des *Spiegel* auf, bekam Doppelseiten in Hochglanzmagazinen, wurde Thema von Dutzenden Fernsehsendungen. Ein Forscher, dessen genuine Tragik darin liegt, daß es ihm einerseits nicht gelingen wollte, seine Reiseerlebnisse zu einer lesbaren Erzählung zu formen («Du weißt einfach nicht, wie man ein Buch schreibt!» rief sein Freund Arago), und daß andererseits seine zentralen Beiträge zur Wissenschaft noch zu seinen Lebzeiten überholt waren, galt plötzlich wieder, wie schon Ende des neunzehnten Jahrhunderts, als Vorbild für Schulkinder, denen sein tausendseitiges Spätwerk zur Lektüre empfohlen wurde. Der Weltraum, lasen sie dort, sei mit Äther gefüllt, krank werde man durch üble Miasmen, die zweitgrößte Erniedrigung des Menschen sei die Sklaverei, die größte aber die Behauptung, er stamme vom Affen ab. Das Interesse der Medien richtete sich gerade nicht auf Humboldts Geschicklichkeit in der Gründung wissenschaftlicher Institutionen oder auf seine politische Weitsicht – es gibt in seinem Lateinamerikawerk nicht eine Voraussage, die sich nicht erfüllt hätte –, ja richtete sich nicht einmal auf die in den Ansichten der Natur immer wieder aufblitzende Eleganz seiner beschreibenden Prosa. Statt dessen konzentrierte es sich auf des gealterten Barons letzten Versuch, die sich ihm entziehende Welt noch einmal durch die Sammlung all ihrer Fakten zu unterwerfen: den *Kosmos*.

Es war eine Konfrontation von Erfindung und Wirklichkeit,

wie man sie nicht oft erlebt. Eine Figur, die ich mir im Lauf der Arbeit so intensiv angeeignet hatte, daß mir war, als hätte ich sie erfunden, wurde auf das lauteste von der Außenwelt zurückreklamiert. Eine verwirrende, doch heilsame Störung des kreativen Prozesses; es tut gut, daran erinnert zu werden, daß eine historische Gestalt niemandem gehört und eine Geschichte jeweils dem, der sie gerade erzählen möchte. Die Humboldt-Brüder, sowohl Alexander als auch der ungleich erschreckendere Wilhelm, waren gewiß die Zähesten, die am hartnäckigsten zur Klassizität Entschlossenen unter den Weimarern. Ob sich der eine nun auf den Chimborazo quälte oder der andere mit der Striktheit eines Brigadegenerals die deutsche Universität neu erfand, immer blieben sie Klassiker aus schierer Willensanstrengung. Ebendiese ihr ganzes Leben charakterisierende Anspannung, die sie bei aller Humanität ihrer Ansichten den Maschinenmenschen E.T.A. Hoffmanns ähnlich macht, war für die deutsche Öffentlichkeit so oft das Vorbildliche an ihnen; lange begründete sie die Verehrung Wilhelms, heute, in veränderter Zeitstimmung, jene Alexanders. Als müßte man nur fest genug das Deutschland vor Hitler und Ludendorff zurückwollen, und schon wäre der Wunsch Wirklichkeit, oder als hätte man als Verehrer des großen Kartographen zumindest die Chance, wieder ohne Verspätung von Heidelberg nach Mainz zu kommen.

Und natürlich ist da noch ein Aspekt. Das Unbehagen an einer durch die Entdeckungen von Gauß, Darwin, Einstein, Gödel und Heisenberg ins Wanken gebrachten Weltordnung ist immer noch größer, und zwar in jedem von uns, als uns selbst klar ist. Der Erfolg des *Kosmos* im Sommer 2004 – erklärt er sich nicht auch dadurch, daß es etwas Stärkendes hat, in Gestalt eines wuchtigen Buches noch einmal den Übersichtsplan eines wohlgeordneten Weltenbaus in Händen zu halten, das Monument eines Alls, dessen Raum sich nicht krümmt, dessen Zeit sich nicht dehnt, in dem niemandes Stammbaum durch Affen kompromittiert ist und dessen Realität sich noch nicht in die Vagheit des Statistischen verschiebt? Es ist heute schwer, dieses Gefüge, einst so fest in der Wissenschaft verankert, ohne Melancholie zu betrachten; wie fern ist es mittlerweile gerückt, wie poetisch mutet es an, wie fremdartig auch. Denn schon während der politisch fortschrittliche, kerngesunde Baron über den Erdball geeilt war, um Landkarten zu erstellen, hatte der konservative und kränkliche Professor Gauß, ohne das Königreich Westfalen zu verlassen, festgestellt, daß Euklids Geometrie nicht die wahre sein konnte, daß Parallelen einander im Unendlichen berührten und der Raum, dessen irdische Erstreckungen Humboldt so rastlos bereiste, an jedem seiner Punkte komplexer war und weit schwerer begreiflich, als die Schulweisheit sich träumen ließ. Mit Humboldts von Ordnungs- und Harmonieträumen genährtem Enthusiasmus korrespondiert vielleicht auch deshalb auf das treffendste die durch keinen Erfolg zu vertreibende Melancholie des Astronomen. Auf einem Blatt jenes Heftes, in dem er vergeblich versuchte, die Bahnstörungen des Planetoiden Pallas zu berechnen, finden sich an den Rand gekritzelt, neben Hunderten von Gleichungen, die schauderhaften Worte: «Lieber der Tod als ein solches Leben.»

Um die Sternwarte breitet sich heute ein fast idyllischer Garten aus. Das eisenfreie Häuschen, das Gauß hier bauen ließ, um darin das Erdmagnetfeld zu messen, steht schon lange nicht mehr. Göttingen ist gewachsen, das Gelände liegt nun nicht mehr am Stadtrand, sondern in der besten Wohngegend. Es ist, dachte ich beim Verlassen des Observatoriums, wahrscheinlich doch die zeitliche Entfernung, und nur sie, die die Persönlichkeitsrechte aufhebt und es erlaubt, Menschen, die gelebt haben, neu zu erfinden. Ganz am Ende des Romans würde mein Gauß, der fiktive, einen Blick über die trennenden hundertachtzig Jahre auf die Gegenwart werfen und sehen, was ich gerade sah. Ich war neugierig auf seine Reaktion.

Nicht, daß ich meinte, mir damit Absolution zu erkaufen. Deutlich stellte ich mir, während ich jene Straße entlangging, über der einst Gauß' Kupferdraht verlaufen war und zum erstenmal in der Weltgeschichte eines Menschen Anwesenheit von seinem Körper losgelöst hatte, ein Gemurmel vor. Ich hörte die Stimme von Dr. S., der noch einmal zu bedenken gab, daß man im Heute lebe und Eskapist sei, wenn man seine Phantasie auf eine Zeit ohne Autos und Atomkraftwerke lenke, dann die Stimme von Professor Gauß, der sich beschwerte, daß ich einen Telegraphenapparat beschrieben hätte, der so nie funktionieren würde, und überhaupt, er sei nur selten im Bordell gewesen, was ich mir da eigentlich erlaubte, dann die Bonplands, der sich zu einer Witzfigur gemacht und verspottet fühlte, dann die Humboldts, der sich auf einen Katalog der Eigenschaften von Pflanzen, Tieren und historischen Gestalten berief, von dem ich ohne Not abgewichen sei, denn wahre Dichtung sei immer realistisch und hebe sich, wenn sie ihr Ziel erreiche, in sachlicher Beschreibung auf – und schließlich, am schwersten zu hören, die Stimme von Carlos Montúfar, der wissen wollte, wo zur Hölle er bei alldem eigentlich abgeblieben sei.

Ich hätte ihnen antworten können, daß ein Erzähler niemand anderem verpflichtet ist als seiner Geschichte und daß auch diese ihm nicht gehört, selbst wenn er das glaubt. Daß die Kunst zwar zweitklassig ist gegenüber der Natur, daß sie ihr aber manchmal dennoch etwas hinzufügen muß, denn das Wirkliche ist nicht immer, nicht in allen Fällen, das Wahre. Oder ich hätte mich darauf berufen können, daß ein Künstler, wie respektabel er sich auch geben mag, im Grunde sehr gut weiß, daß er etwas nicht ganz Seriöses unternimmt und daß er sein schlechtes Gewissen nie so vollständig überwindet, wie er sich und andere glauben läßt. Wenigstens hierin hätten mir Gauß und Humboldt in seltener Einigkeit zugestimmt, denn keiner von ihnen – die natürlich nichts sagten, denn die Toten sprechen zu niemandem, auf keine Weise, sie sind ganz und gar tot, und seltsamerweise ist das am schwersten zu akzeptieren – hatte eine hohe Meinung von Künstlern, nicht einmal von den großen, die ihre Zeitgenossen waren. So hätte es sie auch nicht beeindruckt, wenn ich mich dort, auf dem Weg von der Sternwarte in die Stadtmitte, auf einen anderen Romancier berufen und den Schluß von *Der Krieg am Ende der Welt* zitiert hätte, der noch einmal die Übermacht der Fiktion vor dem Beleg, die wundersame Transformation des Zeugen zum Erzähler und des Stoffs zur Geschichte beschreibt. Ein Offizier sucht unter den Leichen der Aufständischen deren Anführer João Abade und findet schließlich eine alte Frau, die behauptet, etwas über ihn zu wissen.

«‹Hast du ihn sterben sehen?›

Die kleine Alte schüttelt den Kopf und schnalzt mit der Zunge, als würde sie etwas lutschen.

‹Also ist er entkommen?›

Wieder verneint die Alte, eingekreist von den Augen der gefangenen Frauen.

‹Ein paar Erzengel haben ihn in den Himmel getragen›, sagt sie und schnalzt mit der Zunge. ‹Ich habe sie gesehen.›»

«Ich wollte schreiben wie ein verrückt gewordener Historiker»

Ein Gespräch mit Daniel Kehlmann über unseren Nationalcharakter, das Altern, den Erfolg und das zunehmende Chaos in der modernen Welt

FAZ: Wie sind Sie auf die Idee gekommen, einen Roman ausgerechnet über Alexander von Humboldt und Carl Friedrich Gauß zu schreiben? Und wer war zuerst da, Humboldt oder Gauß?

Kehlmann: Gauß war mir seit Schultagen präsent, hauptsächlich in Anekdoten, auf die ich im Buch zum Teil anspiele. Jahre später ist er mir wiederbegegnet in einem – übrigens nie ins Deutsche übersetzten – Buch von Leonard Mlodinow, *Euclid's Window*, über die Geschichte der Geometrie.

FAZ: Und wie kam Humboldt dazu?

Kehlmann: Mit Humboldt war es ganz anders. Ich habe vor einigen Jahren begonnen, mich intensiv mit südamerikanischer Literatur zu beschäftigen, und war dank eines Stipendiums zwei Monate in Mexiko City. Im Zuge meiner Beschäftigung mit dem Land habe ich Humboldt entdeckt, der dort sehr präsent ist. Ich habe in ihm dann, bei aller Größe, sehr schnell eine komische Figur gesehen und war ganz überrascht, daß nie jemandem aufgefallen ist, wie sehr Humboldts Reisewerk von speziell deutschen, sehr komischen Situationen und Mißverständnissen strotzt.

FAZ: Zum Beispiel?

Kehlmann: Allein die Uniform, die er immer wieder anlegt, oder wenn er bei der Überfahrt neben dem spanischen Kapitän steht und diesen beim Navigieren korrigiert, oder wenn er Indianerleichen ausgräbt und überhaupt nicht versteht, warum er es von da an schwer hat, einen Führer zu finden. Diese ungewollte Komik ist aber keineswegs die Komik eines Kauzes. Es geht darum, daß solche Begebenheiten sehr viel darüber aussagen, was es heißt, deutsch zu sein. Wir haben es hier zu tun mit einem Weimarer Klassiker, der das ganz andere der Weimarer Klassik vertreten hat, der einzige Weimarer Klassiker, der wirklich ausgesandt wurde, die Weimarer Klassik hinauszutragen, und der mit diesem Weltbild Macondo bereist hat. Ich war zudem sehr beeindruckt von der südamerikanischen Literatur und hatte gleichzeitig das Gefühl, daß mir als deutschem Autor vieles von dem, was diese Autoren an emotionalen und künstlerischen Möglichkeiten haben, nicht zu Gebote steht. Ich kann nicht wie García Márquez eine schöne Frau beim Wäscheaufhängen davonfliegen lassen.

FAZ: Das würden aber sicher viele gerne von Ihnen lesen.

Kehlmann: Man merkt dann doch, daß man aus einer anderen Kultur kommt, daß einem zwar die Möglichkeit gegeben ist, mit diesen Dingen zu spielen, aber auf andere Art. Und da hatte ich plötzlich das Gefühl, Humboldt ist mein Schlüssel, denn er hat diese Welt betreten, aber er hat sie als Deutscher betreten. Das ist etwas, was ich erzählen kann, womit ich künstlerisch etwas anfangen kann, weil da beide Seiten etwas mit mir zu tun haben. Dann habe ich immer mehr über Humboldt gelesen und zufällig herausgefunden, daß Gauß 1828 bei einem Wissenschaftlerkongreß in Berlin bei Humboldt gewohnt hat. Und plötzlich sah ich diese Szene: die beiden alten Männer, der eine, der überall war, der andere, der nirgends war; der eine, der immer Deutschland mit sich getragen hat, der andere, der wirkliche geistige Freiheit verkörpert, ohne je irgendwohin gegangen zu sein. Das war der Keim für den Roman.

FAZ: Ist *Die Vermessung der Welt* also ein Roman über unseren Nationalcharakter, darüber, was es heißt, deutsch zu sein?

Kehlmann: Ja, das habe ich ganz stark so empfunden. Eine satirische, spielerische Auseinandersetzung mit dem, was es heißt, deutsch zu sein – auch natürlich mit dem, was man, ganz unironisch, die große deutsche Kultur nennen kann. Für mich ist das eines der Hauptthemen des Romans, wie Andreas Maier so schön im Booklet des Hörbuchs geschrieben hat, «die große deutsche Geistesgeschichte, eine einzige Lebensuntauglichkeit». In der breiten Rezeption ist dieses Thema dann merkwürdigerweise vernachlässigt worden. Da wurde der Roman als ein Buch über Wissenschaft und vor allem über zwei schrullige Leute verstanden. Daß in dieser Schrulligkeit aber viel an satirischer Ideologiekritik steckt, ist in der deutschen Rezeption völlig in den Hintergrund getreten. Aber vielleicht hat das ja auch eine gewisse Logik.

FAZ: Ich habe *Die Vermessung der Welt* vor allem als Roman über das Altern gelesen.

Kehlmann: Ja, das ist er auch. Das ist die andere Sache, bei der ich mich gewundert habe, daß sie so wenig beachtet wurde.

FAZ: Sie sind gerade einunddreißig geworden. Was hat Sie dazu bewogen, sich mit der Frage des Alterns auseinanderzusetzen?

Kehlmann: Mich hat das Thema des Alterns immer fasziniert. Schon mein letzter Roman, *Ich und Kaminski*, beschreibt ein Duell zwischen Alter und Jugend, das das Alter gewinnt. Ein Thema, das sich beim Schreiben der *Vermessung* sehr klar hergestellt hat, ist die Tatsache, daß alle Menschen über die Jahre hinweg ihren Eltern immer ähnlicher werden, ob sie wollen oder nicht – und normalerweise wollen sie ja überhaupt nicht. In diese Richtung spielt übrigens auch das letzte Kapitel mit Gauß' Sohn Eugen. In dem Moment, wo er selbständig wird, beginnt er plötzlich, sich zu entfalten wie sein Vater, ohne es zu bemerken. Das Altern ist insofern tatsächlich das zweite Hauptthema des Buches, und damit verbunden der traurige Umstand, daß man, wenn man lange genug da ist, sich selbst überlebt, sich selbst historisch wird. Es gibt den schönen lateinischen Spruch als Aufschrift auf Sonnenuhren «omnia vulnerant, ultima necat»: Jede verwundet, die letzte bricht. Gemeint sind die Stunden. Ich finde der große existentielle Skandal ist nicht, daß wir sterben, sondern daß wir alt werden müssen.

FAZ: Warum beschäftigt Sie das?

Kehlmann: Ich hatte immer eine starke Einfühlung in alte Menschen, und ich empfinde stets eine große Traurigkeit dabei, mit alten Menschen zu tun zu haben und zu merken, daß die es eigentlich auch noch nicht gewöhnt sind, alt zu sein, daß sie sich eingesperrt fühlen in dieser Situation.

FAZ: Wer steht Ihnen näher, Gauß oder Humboldt?

Kehlmann: Humboldt reagiert in gewissen Momenten emotional geschickter, als man erwarten würde, etwa wenn Bonpland ihm gesteht, daß er Lust gehabt hätte, ihn von einer Brücke zu stürzen, und Humboldt entscheidet, daß das der Moment ist, etwas nicht gehört zu haben. Auch das ist Weimarer Klassik: Entscheidung zur Freundschaft, zur Menschenliebe und zum Humanismus, nicht als tiefes Gefühl, sondern als Entscheidung. Das hat Komik, aber es hat auch eine ungeheure Größe.

FAZ: Also ist Ihnen Humboldt lieber?

Kehlmann: Ich habe mir selbst beim Schreiben diese Frage gar nicht gestellt. Nach meinem Verständnis dessen, was ein Roman tun soll, müßten die beiden Positionen und Charaktere einander ohne eine Entscheidung des Autors gegenüberstehen, weil ich es immer am interessantesten finde, wenn einander widersprechende Positionen so verständlich und nachvollziehbar wie möglich werden. Ich habe mich also bemüht, diese Entscheidung nicht zu treffen. Menschlich fühle ich mich Gauß näher, naturgemäß, denn als Schriftsteller ist man ja doch eher der, der zu Hause sitzt, und nicht der, der überall hingeht. Humboldt trägt als Figur die Komik und die satirische Seite des Buches viel mehr. Deswegen schildere ich ihn auch viel stärker aus der Außenperspektive. Gauß hingegen ist Träger der emotionalen Handlung, der Innerlichkeit, auch begreift er besser, was es heißt, alt zu sein. Und weil Humboldt das nicht versteht und dadurch am Schluß zu einer tragischen Figur wird, wendet sich am Ende die Sympathie wieder Humboldt zu. Ich stehe also Gauß etwas näher, aber Humboldt ist der bessere Mensch von den beiden.

FAZ: Mehr als vierhunderttausend verkaufte Bücher allein im deutschsprachigen Raum, Übersetzungen in mehr als zwanzig Länder – haben Sie eine Erklärung für den großen Erfolg der *Vermessung der Welt*?

Kehlmann: Halb im Scherz könnte ich sagen, *Ich und Kaminski* war eine recht aggressive Satire über die Medienwelt und den Journalismus, und ich habe festgestellt, daß Journalisten und Medienleute das Buch geliebt haben. *Die Vermessung der Welt* ist eine recht aggressive Satire über das Deutschsein, und ich stelle fest, daß ganz Deutschland es liebt. Es scheint wirklich sehr schwer zu sein, sich unbeliebt zu machen. Aber im Ernst: Ich habe überhaupt keine Erklärung für diesen Erfolg des Buches, ich stehe erstaunt und fassungslos vor diesem Phänomen.

FAZ: Hans Magnus Enzensberger sieht eine besondere Stärke Ihres Romans darin, daß der Leser Einblicke in eine ihm fremde Welt erhält, daß er sich endlich einmal nicht in einem deutschen Gegenwartsroman wiedererkennen muß. Es wäre bei Gauß und Humboldt ja auch vermessen, sich mit ihnen zu identifizieren.

Kehlmann: Ja und nein. Natürlich erkennt man sich nicht in ihrer mathematischen Begabung wieder. Aber in Humboldt als einer Figur, die sehr stark reflektiert, was es heißt, im Ausland Deutscher zu sein, könnte sich eigentlich jeder wiederfinden.

FAZ: Welche Erfahrungen machen Sie bei den Lesungen, wo Sie mit vielen Lesern in Kontakt kommen?

Kehlmann: Bei den Lesungen bemerke ich tatsächlich einige Dinge, die zur Erklärung des Erfolgs beitragen könnten. Erstens: Der Roman wird von sehr vielen Leuten gelesen, die sich sonst überhaupt nicht für deutsche Gegenwartsliteratur interessieren. Aber er wird auch nicht von Menschen gelesen, die sonst Dan

Brown oder Tom Clancy kaufen. Diese Leser erreiche ich nicht. Mir scheint, beim Gros der Leser handelt es sich eher um Leute, die sich sonst nicht für Neuerscheinungen interessieren. Also nicht um Menschen, die nicht lesen, sondern im Grunde um die klassischen Taschenbuchkäufer, die ihre eigenen Interessen haben und nicht nach Neuerscheinungen oder Moden Ausschau halten. Oft sagen Leute zu mir: Ich war noch nie bei einer Lesung, ich habe mir noch nie ein Buch signieren lassen. Das sind aber nicht Menschen, die der Literatur fremd gegenüberstehen, sondern lediglich dieser uns so nahe stehenden Welt der Neuerscheinungen, der Leseveranstaltungen. Zu denen ist das Buch durchgedrungen, wohl vor allem durch Mundpropaganda.

FAZ: Und die andere Erklärung?

Kehlmann: Außerdem erlebe ich, daß der Roman ganz erstaunlichen Anklang findet bei der Gruppe derer, die ein naturwissenschaftliches Studium absolviert haben, auch bei Ingenieuren, Vermessungstechnikern. Die haben offenbar das Gefühl, daß hier ihre Welt endlich einmal betrachtet und eingefangen wurde.

FAZ: Nun ruht der Buchmarkt ja eher in weiblichen Händen, weil Frauen bekanntlich mehr Bücher kaufen und lesen, zumal Belletristik. Ihre Erfahrungen allerdings lassen darauf schließen, daß Ihr Buch mehr Männer anspricht, als dies bei Romanen gewöhnlich der Fall ist.

Kehlmann: Ja, das ist so. Darüber habe ich mit Buchhändlern gesprochen. Auch bei meinem Roman besteht der Großteil der Käufer aus Frauen; wenn Frauen die *Vermessung* überhaupt nicht lesen wollten, fände ich das erschreckend. Aber der Männeranteil ist tatsächlich größer, weil Wissenschaft ein männliches Thema ist. Und es geht ja auch um Abenteuer, um Reisen, um das Bergsteigen, und ein bißchen ist das wohl ein Thema für große Jungs.

FAZ: Obwohl es viele sehr komische Dialogszenen gibt, vermeiden Sie jegliche wörtliche Rede. Was hat es mit der ausschließlichen Verwendung der indirekten Rede auf sich?

Kehlmann: Ohne die Idee der indirekten Rede hätte ich das Buch nicht schreiben können. Wenn man zum erstenmal darüber nachdenkt, einen historischen Roman zu schreiben, ist man zunächst eingeschüchtert von all den Trivial-Fallen, die da lauern. Deshalb verwende ich auch den Begriff historischer Roman normalerweise nicht, sondern nenne es einen Gegenwartsroman, der in der Vergangenheit spielt. Ich denke, dieser Trivialitätspunkt, wo es sehr leicht ins Zurechtgemachte, Unglaubhafte und irgendwie Problematische kippt, ist die direkte Rede: «‹Hah›, sagte Napoleon, ‹wir greifen im Morgengrauen an.›» Sofort hat man ein ungutes Gefühl. Hinzu kommt, daß ich mich nicht als traditionellen Erzähler sehe. Ich habe versucht, in jedem Roman etwas auszuprobieren, was ich als Experiment empfinde. So gab es in meinem ersten Roman, *Beerholms Vorstellung*, einen Ich-Erzähler, der stirbt, und in *Ich und Kaminski* einen höchst unsympathischen Ich-Erzähler, der jede Identifikationsmöglichkeit zurückweist.

FAZ: Und in *Die Vermessung der Welt*?

Kehlmann: Auch darin sehe ich einen experimentellen Roman. Ich habe mich nämlich gefragt: Wie kann man einen in der Vergangenheit spielenden Roman, in dem Musketen abgefeuert werden, auf der künstlerischen Höhe der Zeit schreiben? Und dann habe ich mich gefragt: Wie machen Historiker das? Wieso wirken historische Romane trivial, aber wieso wirkt nicht trivial, was etwa Eric Hobsbawm schreibt? Es liegt daran, daß die erzählerische Distanz eine andere ist. Ein Fachhistoriker geht nicht zu nah ran an die Figuren, an das, was er berichtet, und – und das ist der entscheidende Punkt – er würde nicht behaupten zu wissen, was wörtlich gesagt wurde. Er würde keine wörtliche Rede verwenden, es sei denn, er hat Dokumente und Briefe, aus denen er zitiert. Ansonsten würde er berichten, was inhaltlich ungefähr so gesagt worden sein müßte, sein könnte. Er würde also die indirekte Rede verwenden. Und da dachte ich, das Experiment müßte eben darin liegen, ein Buch zu schreiben, das beginnt wie ein Sachbuch. Deshalb gibt es auch in der ersten Zeile des Romans eine Jahreszahl – und dann nie wieder. Es beginnt zwar wie ein historisches Sachbuch, bis es dann plötzlich kippt, weil natürlich Dinge berichtet werden, die überhaupt nicht mehr sachbuchhaft, sondern romanhaft und frei erfunden sind. Es sollte so klingen, wie ein seriöser Historiker es schreiben würde, wenn er plötzlich verrückt geworden wäre.

FAZ: Haben Sie sich beim Schreiben amüsiert? Es heißt ja immer, Komik sei sehr anstrengend.

Kehlmann: Für mein Verständnis vom Schreiben empfinde ich es als ganz wichtig, daß man, wenn möglich, alle Facetten der eigenen Persönlichkeit einbringen sollte. Das gelingt immer nur unvollständig, aber je vollständiger es gelingt, desto besser. Es gibt einen wunderbaren Satz in Salingers letzter veröffentlichter Erzählung. Da heißt es: «When you write, see to it that all your stars are out.» Also ungefähr: Wenn du schreibst, achte darauf, daß alle deine Sterne aufgegangen sind. Diesen Satz finde ich ungeheuer überzeugend. Ich hatte vorher immer das Gefühl, ich sei jemand, der Humor sehr schätzt, der selbst gerne lacht, aber ich schreibe so ernste Bücher, irgend etwas stimmt da nicht. Und diese Facette meiner selbst in einen Roman hineinzubringen war sehr harte Arbeit.

FAZ: Die Bestsellerlisten gelten indes nicht unbedingt als Geschmacksbarometer des Bildungsbürgertums. Glauben Sie an die Intelligenz der Leserschaft, an ihre Bildung?

Kehlmann: Ja. Es ist einer der radikalen Grundirrtümer der Medienwelt unserer Tage, daß es für Dinge mit Niveau und Anspruch kein Publikum gäbe. Das ist ein Aberglauben der Medien- und Verlagsleute. Am schlimmsten ist es beim Fernsehen. Es gibt eine Menge niveauvoller Bücher, die ein großes Publikum finden – man muß sich nur die Taschenbuchauflagen der Klassiker ansehen, die immer noch alle für breites Publikum geschriebenen Neuerscheinungen spielend in den Schatten stellen.

FAZ: Woran liegt Ihrer Meinung nach der Erfolg Ihrer Bücher im Ausland, wo man ja gemeinhin nicht eben erpicht ist auf deutsche Gegenwartsliteratur?

Kehlmann: Ich war selbst immer sehr skeptisch, was deutsche Gegenwartsliteratur angeht. Es gibt natürlich Bücher, die ich sehr schätze, und Autoren, die ich sehr bewundere, aber grundsätzlich habe ich die deutsche Nachkriegsliteratur immer stark empfunden als eine Ausblendung der Strömungen, die mich am meisten faszinieren und die mich am stärksten geprägt haben. Und ich finde es zum Beispiel auch sehr bezeichnend, daß jemand wie Günter Grass in Deutschland sehr stark als traditioneller Erzähler wahrgenommen wird, während er in Amerika stärker wahrgenommen wird als ein großer Postmoderner neben Autoren wie etwa Salman Rushdie, mit dem er meines Erachtens mehr gemeinsam hat als etwa mit Heinrich Böll, mit dem er in Deutschland immer zusammen genannt wurde. Für mich blendet die deutsche Gegenwartsliteratur viel von jenem Spielerischen und jener Leichtigkeit aus, die für mich unbedingt zur literarischen Moderne gehören. Sie reduziert auf die Alternative traditionelles Erzählen auf der einen Seite und spätdadaistisches Sprachspiel auf der anderen. Nehmen Sie den Roman, der mich am meisten geprägt hat, Nabokovs *Fahles Feuer*. Als ich mir vor einigen Jahren die deutsche Ausgabe kaufte, gab es noch kein Taschenbuch und man bekam es noch in der Erstauflage von achttausend Exemplaren von 1968. Das Buch wurde also in Deutschland seit dem Jahr 1968 nicht einmal von achttausend Leuten gekauft.

FAZ: Sie haben einmal gesagt, «das zunehmende Chaos im Menschenleben sei das geheime Thema» Ihres Schreibens, ja Ihres Lebens. Was hat es damit auf sich?

Kehlmann: Im Grunde das, worüber wir vorhin geredet haben: das Alter. Das Alter ist das zunehmende Chaos im Leben. Man sammelt mehr Dinge an, mehr Beziehungen, mehr offene Rechnungen – es wird alles immer komplizierter, und es wird alles immer schwerer zu vereinfachen, und es braucht dazu immer größere Gewaltakte. Der Satz von der Entropie sagt ja, daß immer und überall in der Welt das Chaos ständig steigt, und wenn man an einer Stelle Ordnung schafft, kostet es einen woanders um so mehr Energie. Das ist in jedem einzelnen Leben so, und auch jeder Schreibtisch wird von selbst immer nur unordentlicher, und man denkt sich, warum wird er nicht mal von selbst ordentlicher? Wegen der Entropie. Er kann letztendlich nur unordentlicher werden.

Frankfurter Allgemeine Zeitung, 9. Februar 2006.
Das Gespräch führte Felicitas von Lovenberg.

«Mein Thema ist das Chaos»

Der Bestseller-Autor Daniel Kehlmann über die Entstehung seines Forscherromans «Die Vermessung der Welt», das Verhältnis von literarischer und naturwissenschaftlicher Intelligenz und die Kränkung des Menschen durch die Entdeckungen der Quantenphysik

Spiegel: Herr Kehlmann, Ihr Roman Die Vermessung der Welt erzählt das Leben zweier Wissenschaftler des 19. Jahrhunderts, des Naturforschers Alexander von Humboldt und des Mathematikers Carl Friedrich Gauß. Welchen Ihrer Helden mögen Sie eigentlich lieber?

Kehlmann: Es ist leichter für meinen Gauß, gemocht zu werden. Er ist polternd und beleidigend; er schert sich nicht um Konventionen und die Meinung der Außenwelt. Sowohl beim Schreiben als auch beim Lesen identifiziert man sich gern mit grob agierenden Helden; denn jeder wäre gern mehr so wie Gauß – ich auch.

Spiegel: Dabei ist Humboldt eigentlich der nettere von beiden?

Kehlmann: Genau, er versteht zwar die Menschen nicht, aber er bemüht sich wenigstens, auf sie zuzugehen. Humboldt ist es schließlich, der am Schluß Gauß' Sohn vor dem Gefängnis rettet. Da findet fast eine Art Vaterschaftsverschiebung statt. Mein Humboldt ist in der paradoxen Lage, viel gutwilliger zu sein als Gauß und trotzdem weniger gemocht zu werden. Das ist zwar traurig, aber als Autor habe ich es natürlich genau so gewollt.

Spiegel: Sie schildern Humboldt als einen weltfremden Mann, der lieber einen Drachenbaum streichelt als eine Frau. Machen Sie sich nicht doch zu sehr lustig über Ihren Helden und verkleinern ihn zu arg?

Kehlmann: Gerade die Begegnung mit dem Drachenbaum

finde ich einen sehr ernsten, menschlichen Moment in seinem Leben. Humboldt ist fast unfähig, Gefühle auszudrücken – und wenn überhaupt, dann nur gegenüber Pflanzen und Tieren. In diesem Augenblick denkt er über die Vergänglichkeit des Lebens nach und ist gerührt wie sonst nie.

Spiegel: Haben Sie selbst schon mal einen Drachenbaum gestreichelt?

Kehlmann: Nein, aber einen anderen jahrhundertealten Baum in Mexiko. Das war schon eine ungeheure Erfahrung. Ich habe die Präsenz eines ungewöhnlich alten Lebewesens gespürt. Ich verstehe seither, warum diese Orte als magisch gelten.

Spiegel: Gauß hingegen tritt bei Ihnen als Misanthrop auf, der ständig seinen Sohn beschimpft und gern auch mal in den Puff geht. Hat sich die Gauß-Gesellschaft schon bei Ihnen beschwert?

Kehlmann: Mit der Reaktion der Mathematiker und Gauß-Experten bin ich überglücklich. Die haben jede Menge Humor und Verständnis gezeigt für das, was ich aus ihrem Idol gemacht habe. Ganz anders reagierten übrigens viele Humboldt-Kenner, die waren teilweise richtig beleidigt. Ich erkläre mir das so: Mathematiker sind dem Pathos abhold. Sie haben kein Problem damit, wenn einer ihrer Helden unpathetisch behandelt wird und auch mal in den Puff geht. Viele Humboldt-Anhänger hingegen möchten lieber ein pathetisches Bild von dem großen Weltreisenden und makellosen Deutschen zeichnen.

Spiegel: Anders als Humboldt war Gauß den meisten Deutschen bislang sicher unbekannt. Sein 150. Todestag ist im Einstein-Jahr völlig untergegangen. Dabei gilt er Eingeweihten als bedeutendster Mathematiker seit Archimedes. Ohne die von ihm begonnene Geometrie gekrümmter Räume wäre Einsteins Relativitätstheorie nicht möglich gewesen. Wie kamen Sie darauf, diesem großen Denker ein Denkmal zu setzen?

Kehlmann: Warum sich vorher kaum jemand um Gauß gekümmert hat, verstehe ich bis heute nicht. Ich finde Gauß einen äußerst faszinierenden Menschen. Natürlich mußte ich der Figur erzählerisch etwas nachhelfen und sie auf die Spitze treiben. Im Dienste der Wahrheit mußte ich eben hier und da die Richtigkeit manipulieren.

Spiegel: Darf der Roman über einen Wissenschaftler unwissenschaftlich sein?

Kehlmann: Natürlich ist es eine Gratwanderung, was man mit historischen Figuren anstellt. Bei den Recherchen gewinnt man ein sehr deutliches Bild; doch dann erfindet man auch dazu, um dieses Bild noch deutlicher herauszuarbeiten.

Spiegel: Ist Ihnen der *Spiegel* in die Quere gekommen, als er Humboldt in einer Titelgeschichte als Feuerkopf, Kommunikator und Salonlöwen geschildert hat und weniger als einen manischen und kauzigen Don Quijote, wie Sie ihn charakterisieren?

Kehlmann: Als der *Spiegel*-Titel erschien, war ich mit meinem Buch gottlob fast fertig. Es war trotzdem eine Störung meines kreativen Prozesses, weil dieser Humboldt so ganz anders war als meiner. Wenn ich noch am Anfang gewesen wäre, hätte ich mein Buch wahrscheinlich aufgegeben. So aber hatte ich mich nach zwei, drei Wochen wieder in meine Figur eingefunden.

Spiegel: Sie gehören zu den wenigen Literaten, die Naturforscher zu Helden ihrer Romane machen. Verstehen Sie sich als Brückenbauer zwischen diesen beiden Kulturen?

Kehlmann: Ich habe mich immer schon sehr für Naturwissenschaften interessiert und die Abwehrgeste anderer Künstler nie verstanden. Wenn ich in Mathematik besser gewesen wäre, hätte ich wahrscheinlich sogar Physik studiert; aber leider habe ich mich in der Schule zu oft verrechnet. Die spannendsten Abenteuer des menschlichen Geistes finden heute in den Naturwissenschaften statt.

Spiegel: Was ist für Sie die wichtigste wissenschaftliche Entdeckung der Neuzeit?

Kehlmann: Bei weitem noch nicht zu Ende gedacht sind die Entdeckungen der Quantentheorie, die das Verhalten von Teilchen im Mikrokosmos beschreibt und derzufolge es keine objektive Wirklichkeit gibt. Im Bewußtsein der Menschen ist noch gar nicht angekommen, daß in einem Grenzbereich der Welt das Prinzip von Ursache und Wirkung aufgehoben ist.

Spiegel: Nur hat das wenig mit unserer Alltagserfahrung zu tun. Wenn wir dieses Glas hier fallen lassen, wird es auf der Tischplatte zerspringen.

Kehlmann: Vorsicht! Es besteht eine winzige Chance, daß auch im Makrokosmos plötzlich der Tunneleffekt einsetzt und das Glas unbeschädigt durch den Tisch tunnelt. Das ist wahrscheinlich noch nie seit dem Urknall passiert, aber es könnte immerhin passieren.

Spiegel: Eine Deutung der Quantentheorie besagt: Alles, was geschehen kann, geschieht auch – und wenn nicht hier, dann in einem Paralleluniversum. Stoff für einen neuen Roman?

Kehlmann: Auf jeden Fall gibt es kaum ein spannenderes Thema. Die wenigsten Menschen haben bereits verinnerlicht, daß die Aufhebung der Kausalität für uns eine schlimmere Kränkung bedeutet als die Evolutionstheorie von Charles Darwin, nach der wir vom Affen abstammen.

Spiegel: Worin besteht die Kränkung durch die Quantenmechanik?

Kehlmann: Im Mikrokosmos kommt es vor, daß Wirkungen ohne Ursache stattfinden. Bei einem radioaktiven Zerfall etwa ist es unmöglich zu sagen, ob er sich jetzt ereignet, in einer Stunde oder in einem Jahr. Dies widerspricht zutiefst unserer Vorstellung von Wirklichkeit. Unser Verständnisapparat ist also nicht in der Lage, den Kosmos zu begreifen. Wir können die Welt vielleicht berechnen, aber nicht wirklich verstehen.

Spiegel: Wenn es Wirkungen ohne erkennbare Ursache gibt, ist auch keine allererste Ursache mehr nötig, durch die das Universum einst erschaffen wurde. Hat die Quantentheorie also endgültig den Schöpfergott abgeschafft?

Kehlmann: Zumindest ist dies eine Entdeckung, die alle Religionen in eine tiefe Krise stürzen müßte und hoffentlich noch stürzen wird. Das können sich viele noch gar nicht richtig vorstellen.

Spiegel: In Ihrem Buch schildern Sie, wie Gauß sich vorstellt, vor das Jüngste Gericht zu treten. Dann werde er Gott ein paar unbequeme Fragen über die Fehlerhaftigkeit von Raum und Zeit stellen. Welche unbequeme Frage würden Sie Gott stellen?

Kehlmann: Zum Beispiel würde ich ihn fragen: Wenn wir denn schon unbedingt sterben müssen – warum müssen wir dann vorher auch noch alt werden?

Spiegel: Gauß gelangen seine größten Entdeckungen an der Sternenwarte in Göttingen, Einstein erfand seine Relativitätstheorie als Angestellter im Patentamt in Bern. Wieso kommen umstürzende neue Theorien so häufig aus der Provinz?

Kehlmann: In den Metropolen ist wohl die Ablenkung zu groß. Wer in Ruhe denken und arbeiten darf, kommt eher auf große Ideen. Das Problem heutiger Wissenschaftler ist ja auch der Zwang, ständig irgendwelche neuen Papiere zu veröffentlichen.

Spiegel: Die mathematisch geprägten Naturwissenschaften sind mittlerweile so spezialisiert, daß selbst ein neuer Humboldt ihre Resultate kaum noch verstehen dürfte. Wenn sich die Kluft zwischen naturwissenschaftlicher und philosophisch-historisch ausgebildeter Elite weiter vertieft, fragt sich, aus welcher dieser beiden Kulturen noch eine für beide verbindliche Moral geschöpft werden kann und soll.

Kehlmann: Ja, ich sehe das Problem auf beiden Seiten: wenn die Religion der Naturwissenschaft Vorschriften macht, wenn etwa die US-Regierung aus religiösen Gründen die Stammzellenforschung stark einschränkt; oder wenn, auf der anderen Seite, Naturwissenschaftler helfen, schreckliche Waffen zu entwickeln oder mit Menschen zu experimentieren, und das ganz moralfrei betrachten.

Spiegel: Und woher kann Ihrer Meinung nach die Ethik kommen, die beiden Seiten Grenzen setzt?

Kehlmann: Von Immanuel Kant. Ich finde es zwar beeindrukkend, bei Dostojewski zu lesen, ohne Gott gebe es keine Moral. Aber in der Praxis hilft uns das nicht, weil sich die seltsamsten Moralvorstellungen auf Gott berufen. Ich glaube, Kant hat recht, wenn er Gott aus der Ethik begründet – und nicht die Ethik aus Gott. Kant ist für mich, neben Gauß und Einstein, der dritte unter den epochalen Provinzlern der Deutschen.

Spiegel: Es gibt in Ihrem Roman ein sehr komisches, aber erfundenes Zusammentreffen zwischen dem alten Kant und Gauß. Der Philosoph versteht die Mathematiker überhaupt nicht. Während Gauß seine These vorträgt, der Raum sei «gekrümmt», verlangt Kant «Wurst». Ein kleiner Racheakt an Kant, über den Sie ja mal promovieren wollten und der Ihnen dann wohl doch zu schwierig war?

Kehlmann: Da sage ich mit gutem Gewissen: nein. Das ist eine tragische Szene in einem Buch, das ja auch vom Altern handelt. Gauß hat seine Entdeckungen zur nichteuklidischen Geometrie nicht veröffentlicht, weil er den Zorn und den Spott der Kantschen Schule fürchtete. Also konnte zwischen den beiden auch gar keine Auseinandersetzung stattfinden. Ich hätte sie gut erfinden können. Aber mich hat mehr die menschliche Tragik interessiert, die darin begründet ist, daß der Mensch ein physisches Wesen ist, das verfällt. Der historische Gauß hätte, als er mit seinen Berechnungen soweit war, tatsächlich in Königsberg nur einen dementen, sabbernden Greis angetroffen.

Spiegel: Der Verfall von Strukturen, die schleichende Zunahme von Unordnung, also das, was man in der Physik als Anwachsen von Entropie bezeichnet, spielt nicht nur in Ihrem neuesten Roman eine wichtige Rolle, sondern auch in den vorangegangenen.

Kehlmann: Ja, Humboldt nennt es einmal ausdrücklich «jene sich über Jahre dehnende Erschlaffung». Das zunehmende Chaos im Menschenleben ist das geheime Thema aller meiner Bücher, meines Lebens – jedes Lebens.

Spiegel: Deshalb hat Ihr Roman auch einen etwas enttäuschenden Schluß. Er verträpfelt mit der Amerika-Reise des Gauß-Sohnes – ähnlich, wie sich die Wärme im Weltall verliert.

Kehlmann: Andere Leser mögen gerade diesen Schluß. Er besagt: Das Leben geht trotz Entropie irgendwie weiter. Er greift auch ein früheres Motiv auf, das darauf hinauslief, daß die Jungen sich irgendwann doch nicht viel anders als ihre Eltern verhalten. Und er erinnert noch einmal an Amerika, das Bild der noch unvermessenen neuen Welt. Amerika ist ja das letzte Wort überhaupt in dem Roman.

Spiegel: Waren Sie in Amerika, als Sie das Buch geschrieben haben?

Kehlmann: Nein, ich habe das Buch zum Teil an der Nordsee verfaßt, zum Teil am Mittelmeer. Überwiegend ist es wirklich am Meer entstanden, bei offenem Fenster. Es war ein befreiendes Erlebnis.

Spiegel: Mußten Sie trotz der Vergänglichkeitsklage im Hintergrund manchmal dabei lachen?

Kehlmann: Ich sollte es wahrscheinlich nicht zugeben; denn es klingt ja viel besser, wenn man sagen kann, man sei ernst und traurig bei der Arbeit gewesen. Die Wahrheit ist: Ich habe selbst sehr viel gelacht beim Schreiben.

Spiegel: Sind nun, bei aller Komik, Humboldt und Gauß zwei exemplarische Deutsche? Ist jemand wie Humboldt gar eine «Du bist Deutschland»-Figur?

Kehlmann: Nein, obwohl ich zugeben muß: Im Ausland wird das zum Teil so gesehen. Die Übersetzungsrechte an meinem Roman wurden mittlerweile ja für 13 Sprachen verkauft, und bisherige Reaktionen von Übersetzern, Lektoren oder Verlegern bestätigen mir: Das Buch wird auch als ein Buch über Deutschland gelesen – anders als hierzulande, wo man es vorwiegend als Geschichte zweier Käuze auffaßt.

Spiegel: Mit negativen Akzenten?

Kehlmann: Nein. Humboldt hat doch diesen ungeheuren Enthusiasmus, Dinge zu verstehen, ist dabei aber sehr pedantisch, eingeschnürt durch seine Vorerwartungen. Er versteht überhaupt nicht, daß die Indianer irritiert sind, wenn er deren mumifizierte Leichen ausgraben läßt und mitnimmt. Das ist schon typisch deutsch.

Spiegel: Er war doch ein beispiellos weltläufiger Abenteurer, als solcher ist er heute noch in Südamerika präsent.

Kehlmann: Aber er hat diesen ewigen Vermessungswahn – auch dort, wo es überhaupt nicht nötig ist.

Spiegel: Er war ja Bergwerksingenieur. Dieses fast manische Quantifizieren ist zu jener Zeit nicht besonders deutsch, sondern gehört zum europäischen Aufschwung der exakten Naturwissenschaften.

Kehlmann: Vorbildlicher ist noch ein anderer Aspekt seines Charakters: Humboldt war ein großer Humanist, der führende Sklaverei-Gegner seiner Zeit. Insofern ist er der größte Botschafter des humanistischen Weltbürgerprinzips, den es bis heute gegeben hat. Eben hier erweist sich aber auch: Klassiker sein heißt einerseits der souveräne, humanitär engagierte Weltversteher sein; andererseits: viel Wirklichkeit, viel Chaos ausblenden. In Goethes Italien-Dichtung kommt kein Schmutz vor. Das hat etwas durchaus Komisches. Dieses Nebeneinander von Größe und Komik gehört zu den ergiebigsten Themen der Literatur.

Spiegel: Gilt das denn auch für Gauß?

Kehlmann: Auf seine Weise ist auch er ein komischer Gigant. Für Gauß besteht die mathematische Welt aus lauter realen Wesen. Ich erinnere an diese Szene der Hochzeitsnacht, in der Gauß aus dem Bett springt, um eine Formel zu notieren, die ihm gerade in den Kopf kommt. Die Szene ist zwar von mir erfunden, aber sie hätte sich durchaus so ereignen können. Das wirkt komisch weltfremd. Andererseits ist Gauß mehr in der sinnlichen Wirklichkeit zu Hause als Humboldt, die Lust und die Zahlenwelt sind für ihn kein Gegensatz; Lust ist ihm genauso ein intellektuelles Vergnügen, wie ihm die Zahlen sinnliche Freude bereiten. Er hat ja auch, anders als Humboldt, Frauen und Kinder.

Spiegel: Humboldt, obwohl Sammler und Empiriker, ist der Idealist, Gauß der rechnende Erdenmensch. Sind das brauchbare Vorbilder für uns heute?

Kehlmann: Mein Buch ist kein patriotisches Buch. Natürlich auch nicht das Gegenteil. Die Betrachtung jeder großen historischen Figur ist in Deutschland doch stets überschattet von dem absolut Schrecklichen, auf das die deutsche Geschichte zuläuft. Da fällt Patriotismus schwer.

Spiegel: Muß auch schon Humboldt für die Verbrechen der Nazis büßen?

Kehlmann: Wenn in einem Land die schlimmsten Dinge geschehen sind, die überhaupt denkbar sind, dann ist es doch nur natürlich, daß seine Bewohner bis heute davon neurotisiert sind. Es gelingt uns einfach nicht, die große Humanität der Weimarer Klassik zu betrachten, ohne mitzudenken, wie traurig und entsetzlich es ist, daß diese Tradition nicht verhindern konnte, was dann in der NS-Zeit geschah. Auschwitz ist sicher, wie Imre Kertész sagt, das größte Trauma der Menschheit seit dem Kreuz.

Spiegel: Sie haben dennoch bisher eher heitere, humorvolle Romane geschrieben. Fließt jetzt bald ein tiefernstes Thema aus Ihrer Feder, etwa über die dunkle Seite der deutschen Geschichte?

Kehlmann: Keine Sorge. Wenn man über diese Dinge schreibt, hat man die moralische Verpflichtung, etwas ungeheuer Gutes zu schreiben. Das traue ich mir noch eine ganze Weile nicht zu. Zur NS-Zeit gibt es ja viel zu viel Mittelmäßiges.

Spiegel: Worüber werden Sie also schreiben?

Kehlmann: Natürlich verrate ich Ihnen nicht das Thema meines nächsten Romans. Da bin ich abergläubisch.

Spiegel: Wird es wieder eine naturwissenschaftlich geprägte Erzählung sein?

Kehlmann: Nein, diesmal nicht. Es wird etwas ganz anderes werden als meine satirisch angehauchte *Vermessung der Welt*. Wenn es so wird, wie ich es mir vorstelle, wird es keine Komödie sein, sondern eher eine dunkle Geschichte. Es werden einige Gespenster darin auftauchen. Und es wird diesmal in der Gegenwart spielen.

Spiegel: Sie planen eine Spukgeschichte?

Kehlmann: Ich hätte lieber nicht darüber reden sollen …

Spiegel: Für einen 30-Jährigen sind Ihre Antworten ungewöhnlich klug und abgeklärt, wir sprechen mit einem deutsch-österreichischen Bildungswunder. Wie wird man so, wie Sie sind?

Kehlmann: Ich war zwar auf einer Jesuitenschule am Stadtrand Wiens, aber die Ordensbrüder haben sich kaum um den Unterricht gekümmert, die waren damit beschäftigt, in Südamerika Revolution zu machen. Ansonsten habe ich eigentlich nichts anderes gemacht als Millionen andere Jugendliche auch. Zum Beispiel schaue ich immer noch sehr viel Fernsehen – vor allem die Zeichentrickserie *Die Simpsons*, ein Meisterwerk zeitgenössischer Satire.

Spiegel: Herr Kehlmann, wir danken Ihnen für dieses Gespräch.

Der Spiegel, 5. Dezember 2005.
Das Gespräch führten Matthias Matussek, Mathias Schreiber und Olaf Stampf.

Hubert Mania

Carl Friedrich Gauß – eine Annäherung

Immer wenn in der ersten Hälfte des 19. Jahrhunderts einer der führenden oder aufstrebenden jungen Mathematiker Europas einen theoretischen Durchbruch – *die* Idee seines Lebens – verkünden wollte, mußte er nach der Veröffentlichung fürchten, der große Gauß in Göttingen könne sich noch zu Wort melden. Womöglich ließ er dann en passant die Bemerkung fallen, er selbst habe sich auf der Schwelle zu Pubertät und Französischer Revolution, spätestens aber seit Mitte der 1790er Jahre ausgiebig mit dieser Angelegenheit befaßt und es nicht für nötig erachtet, darüber zu schreiben, weil sie doch jedem, der nur einen Funken mathematischen Verstand besitze, sofort ins Auge springen müsse. Wendeten denn nicht alle seine Kollegen dieses «zierliche» Verfahren mit denselben ausgezeichneten Resultaten an, wie er es bereits seit vielen Jahrzehnten … nein …? Was die Konkurrenz obendrein nervte: Gauß erhob mit diesem lässigen Verhalten zwar indirekt einen Prioritätsanspruch, schien es aber überhaupt nicht nötig zu haben, seine Erstentdeckung durch Schriftliches nachzuweisen. Man hatte ihn gefragt. Er wußte Bescheid. Das mußte genügen. Während die Kollegen also weiter auf den einen kostbaren Funkenflug ihres Lebens hofften, hielt der Intelligenzvulkan im lieblichen Leinetal seine Glutmassen, so gut es ging, unter Verschluß, weil die Ideen in einer solchen Fülle auf ihn einströmten, daß er längst nicht alle ausarbeiten konnte. Erst als fünfzig Jahre nach seinem Tod sein mathematisches Tagebuch gefunden wurde, stellte sich heraus, daß seine Prioritätsansprüche gerechtfertigt waren.

Carl Friedrich Gauß wird am 30. April 1777 in Braunschweig geboren. Er wächst im Haus eines Kleinunternehmers auf, der seine Familie mit wechselnden Beschäftigungen als Lehmmaurer, Hausschlachter, Gärtner und Markthändler über Wasser hält. Carls Mutter hat nie richtig lesen und schreiben gelernt. Der spielerisch-schöpferische Umgang mit Zahlen und Abstraktionen ist ihm von Kindheit an vertraut. Als Neunjähriger entdeckt er selbständig das Gesetz, wie man jede beliebig große Reihe aufeinanderfolgender Zahlen blitzschnell addiert. Gebhardt Dietrich Gauß findet es selbstverständlich, daß Carl in Haus, Hof und Garten mitarbeitet. Spätestens mit 14 Jahren soll er ein ordentliches Handwerk erlernen und ihm nicht länger auf der Tasche liegen. Carls Schulmeister, der die herausragende Begabung des Jungen erkennt, setzt sich schließlich gegen den Vater durch und sorgt dafür, daß er aufs Gymnasium gehen kann, ohne Schulgeld zahlen zu müssen. Als Heranwachsender durchdringt er mit seinem außergewöhnlichen Scharfsinn bereits die Algebralehrbücher, hinterfragt das Gelernte kritisch und deckt dabei Unzulänglichkeiten und Widersprüche in mancher Beweisführung auf. Im selben zarten Alter, in dem seine Schulkameraden noch mit kindlicher Leidenschaft Holzkreisel peitschen, gelingt dem frühreifen Ausnahmetalent durch den täglichen spielerischen Umgang mit Primzahltabellen und Logarithmentafeln bereits die erste bedeutsame Fusion zweier Bereiche, die vor ihm noch niemand miteinander in Verbindung gebracht hat.

Seit der Antike gestaltet sich die Suche nach einem Muster in der Verteilung der Primzahlen als vergebliches Unternehmen. Die Zahlensolitäre tauchen in unregelmäßigen Abständen auf und lassen sich keinem Schema zuordnen. So offenbart ein Blick auf die Primzahlliste Strukturlosigkeit und Chaos – ein wahrhaft artfremd anmutendes Milieu für Zahlen, die doch als Archetypen der Ordnung gelten. Der Vierzehnjährige stößt nun als erster auf eine Regelmäßigkeit in diesem vermeintlichen Zufallsstrudel. Er kann die Primzahlverteilung mit einer bestimmten logarithmischen Funktion berechnen. Nach zweieinhalbtausend Jahren weitgehend ereignisloser Primzahlgeschichte ein echter Höhepunkt. Doch Carl behält seine Glanztat für sich. Nicht einmal seinem verehrten Lehrer erzählt er davon. Er hat eine gute Annäherung, aber noch keine präzise Formel gefunden. Wen sollte das schon interessieren? Daran muß er noch arbeiten.

Am Morgen des 29. März 1796 – Carl Friedrich Gauß ist dank eines Stipendiums des Braunschweiger Herzogs inzwischen Mathematikstudent in Göttingen – geschieht etwas Außergewöhnliches. Noch im Bett liegend, wird ihm plötzlich klar, wie er Euklids Familie regelmäßiger Vielecke erweitern kann. Mehr als zwei Jahrtausende sind vergangen, seitdem der griechische Pate der Geometrie seine Vorstellungen von regelmäßigen Vielekken lehrte. Und bisher ist noch jeder gescheitert, der versucht hat, neue regelmäßige Vielecke zu konstruieren. Bis an diesem Dienstagmorgen nach den Osterfeiertagen ein knapp neunzehnjähriger Student so weit über Euklid hinausdenkt, wie es noch niemand vor ihm getan hat. Er hat den Beweis gefunden, wie man mit Zirkel und Lineal ein regelmäßiges Siebzehneck konstruieren kann.

Gauß hat sich schon als Achtjähriger, bevor der offizielle Mathematikunterricht in der dritten Volksschulklasse beginnt, das kaufmännische «Rechnen mit Vorteilen» aus einem Lehrbuch selbst beigebracht und hat seitdem so manche konstruktive Methode gefunden und verfeinert, um Rechenverfahren elegant abzukürzen. So gelangt er zur Meisterschaft im «individualisierenden Rechnen». Bestimmte Zahlenindividuen sind ihm durch vertrauten Umgang so geläufig, daß er ihre Eigenschaften und verwandtschaftlichen Beziehungen zu anderen Zahlen auf den ersten Blick erkennt. Die grundsätzliche Flexibilität, altbekannte Verfahren individuell umzuformen, hat bei Gauß eine künstlerische Qualität erreicht, die ihm vor allem bei den komplizierten

Untersuchungen der Beziehungsstrukturen innerhalb der Zahlentheorie zugute kommt. Mit einer bis dahin in der Mathematik unbekannten Strenge legt er die Bedingungen für Lehrsätze neu fest, die seit vielen Jahrhunderten Bestand haben. Und so renoviert der Sohn des Lehmmaurers ein für allemal ein wackliges mathematisches Lehrgebäude, das so herausragende Mathematiker wie Leibniz, Newton und Euler bereits für angemessen standhaft gehalten hatten. Ähnlich wie der schwedische Naturforscher Carl von Linné das Tier- und Pflanzenreich grundlegend neu in Stämme, Klassen, Ordnungen, Familien, Gattungen und Arten klassifiziert hat, so teilt auch Gauß jetzt die mathematischen Objekte der Zahlentheorie systematisch in neue Klassen und Ordnungen ein und schafft dadurch eine zusätzliche algebraische Struktur, in der ganze Klassen neuer Objekte miteinander verknüpft werden können. Er nennt seine Arbeit *Disquisitiones Arithmeticae*, zu deutsch: *Arithmetische Untersuchungen*. Mit ihr revolutioniert er die Zahlentheorie so gründlich, daß zeitgenössische und künftige Mathematiker die Geschichte der Arithmetik in die Ära vor und nach Gauß einordnen.

Und was tut so ein Genie, um sich abzulenken und zu zerstreuen? Richtig, es rechnet. Jetzt aber wirklich nur zum Vergnügen. Schließlich gibt es noch die eine oder andere freizeittaugliche *Terra incognita*, deren Urbarmachung und Kultivierung Geschicklichkeit und Ausdauer verlangen, also großen Spaß bereiten. Primzahlen abzählen zum Beispiel. Selbstverständlich stilecht in griechischen «Chiliaden» – in Tausenderreihen. Und im Kopf natürlich. Denn wäre es nicht unverzeihlich, eine Viertelstunde der Muße verstreichen zu lassen und womöglich die Chance zu verpassen, eine neue Primzahl zu entdecken? Ein fahrlässig entgangener Lustgewinn, zumal sich diese Einzelgänger mit zunehmenden Chiliadenreihen immer seltener die Ehre geben, so daß eine unerwartete Begegnung einen um so größeren Reiz verspricht.

Immerhin kann er sich als junger Erwachsener für kostbar kurze Zeit tatsächlich das Leben eines Privatgelehrten leisten, weil ihn sein Landesfürst, der Herzog von Braunschweig, auch nach dem Studium weiter finanziell unterstützt. Die einzige Bedingung lautet: Er soll an der Landesuniversität Helmstedt seinen Doktortitel erwerben. Als Thema wählt er den Beweis des Fundamentalsatzes der Algebra, an dem sich die Mathematiker seit fast zwei Jahrhunderten die Zähne ausbeißen und der gewissermaßen ein Nebenprodukt seiner *Untersuchungen* ist. Im Sommer 1799 erlangt er mit dieser aufsehenerregenden Arbeit die Würde eines Doktors der Philosophie. Ansonsten geht er in seiner Heimatstadt Braunschweig ausschließlich seinen eigenen mathematischen Ambitionen nach. So bleibt es ihm erspart, etwa als Hauslehrer künftiger Gräfinnen und Barone zu versauern und seine außergewöhnliche Begabung an kleinlichen Broterwerb zu verschwenden. Aus Dankbarkeit für dieses seltene Privileg wünscht er sich, das unbezahlte Ehrenamt eines «Redakteurs für Volkszählungen, Sterbe- und Geburtsregister» zu übernehmen. Obendrein auch noch «zu meinem Vergnügen und zur Satisfaktion». Wer also die Bearbeitung statistischer Zahlenkolonnen als heiter stimmenden Zeitvertreib und das Anlegen neuer Logarithmentafeln als «poetisches Anliegen» betrachtet, muß schon, vorsichtig formuliert, ein außerordentlich inniges Verhältnis zum Rechnen haben.

Doch dieser ehrenamtliche Buchhalterjob steht bald nicht mehr zur Debatte. Denn im Jahr 1801 gelingt Gauß mit einem doppelten Paukenschlag der große internationale Durchbruch. Im Sommer erscheinen seine *Arithmetischen Untersuchungen*, die in der Mathematikergemeinde als bahnbrechendes Meisterwerk der höheren Arithmetik gefeiert werden und ihren Autor als Mathematiker von Weltruf etablieren. Ein zweites Ereignis, in dem Gauß eine Hauptrolle spielt, versetzt im selben Jahr die Astronomen in aller Welt in Aufregung. Der italienische Astronom Guiseppe Piazzi glaubt, einen neuen Planeten zwischen Mars und Jupiter entdeckt zu haben. Die Verifizierung eines Himmelskörpers als Planet verspricht großartige Einblicke in die Beschaffenheit des Sonnensystems und obendrein unsterblichen Ruhm. Allerdings kann Piazzi nur sehr wenige Koordinaten veröffentlichen, bevor die kleine Welteninsel plötzlich aus der Beobachtungssphäre seines Teleskops verschwindet. Niemand weiß, wo und wann man sie wiederfinden könnte. Und so löst die Nachricht des Italieners unter den Fachkollegen eine produktive Unruhe aus. Ein Wettlauf beginnt. Jeder renommierte Astronom will aus dem spärlichen Datenmaterial Piazzis die wahrscheinliche Umlaufbahn des «Ceres» genannten Himmelskörpers berechnen – mit dem Wissensstand zu Beginn des 19. Jahrhunderts eine fast unlösbare Aufgabe.

Auch der vierundzwanzigjährige Carl Friedrich Gauß bemüht sich, die Nuß zu knacken, wobei er allerdings auf die herkömmlichen Berechnungsverfahren verzichtet. Als Siebzehnjähriger hat er während seiner selbständigen Forschungen ein eigenes innovatives Verfahren entwickelt, das später «Methode der kleinsten Quadrate» genannt wird. Das wendet er nun auf die astronomischen Daten an. Und so gelingt es ihm als einzigem Wettbewerber, Ort und Zeitpunkt des Wiedereintritts von Ceres in den beobachtbaren Teil des Sonnensystems hinreichend genau zu bestimmen, so daß zwei Kollegen den bisher unbekannten Himmelskörper zum Jahresende 1801 wieder entdecken. Die Berechnung wird zu einem Triumph der Astronomie ohne Fernrohr. Damit gelangt das Genie aus der Provinz nun auch in der Astronomenszene zu Weltruhm. Und als Krönung dieses großartigen wissenschaftlichen Erfolgs geschieht etwas völlig Unerwartetes. Gauß begegnet der Liebe seines Lebens.

Ob ihm seine Johanna, die Tochter eines Gerbermeisters, tatsächlich bei Vermessungsübungen in den Braunschweiger Fluren vor die Spiegel seines Sextanten läuft, bleibt offen. Aber diese

Version der Geschichte ist einfach zu verführerisch. «Ein wunderschönes Madonnengesicht … ein tadelloser Wuchs … ein heller Verstand und eine gebildete Sprache … eine stille, heitre, bescheidene keusche Engelsseele …», schwärmt er seinem ungarischen Brieffreund Wolfgang Bolyai vor.[1] Offenbar hat sich der inzwischen weltberühmte Gauß nie für liebenswert gehalten: «Ich bin nicht schön, nicht galant … ich verzweifelte, je Liebe zu finden.»[2] 1805 heiratet das glückliche Paar. Im Jahr darauf kommt der erste Sohn Joseph zur Welt. Drei Monate später wird der Braunschweiger Herzog Carl Wilhelm Ferdinand in der Schlacht zwischen Napoleon Bonapartes Truppen und dem preußischen Heer bei Jena und Auerstedt tödlich verwundet und stirbt am 10. November 1806 auf der Flucht. Fünfzehn Jahre lang hat er mit seinen finanziellen Zuwendungen dafür gesorgt, daß Gauß sein Potential entfalten konnte. Nun ist der Gönner tot, und auch der Traum von der eigenen Sternwarte in Braunschweig ist dahin. 1807 nimmt Gauß den Ruf der Göttinger Universität an und wird zum Professor der Astronomie und zum Direktor der Universitäts-Sternwarte ernannt. Zwei Jahre später veröffentlicht er sein astronomisches Hauptwerk, in dem er seine innovative Methode zur Bahnbestimmung von Planeten vorstellt. Das Buch des Selfmade-Astronomen etabliert sich als «Bibel der praktischen Astronomie» im 19. Jahrhundert.

Das Glück mit Johanna ist nicht von Dauer. Im September 1809 stirbt seine über alles geliebte Frau bei der Geburt ihres dritten Kindes, das selbst nur ein halbes Jahr überlebt. Offenbar hat sich Carl Friedrich Gauß' Gefühlsleben von diesem Schicksalsschlag nicht wieder erholt. In Briefen und Notizen lassen sich Anzeichen von Verbitterung und Freudlosigkeit erkennen. Er heiratet zwar schon bald Johannas beste Freundin Minna Waldeck, die Tochter eines Juraprofessors, doch die Ehe leidet unter Minnas Neigung zu Depressionen und der Furcht, Gauß könne ihr seine Liebe entziehen. Denn mit ihrem hypochondrischen Wesen und ihrer Überempfindlichkeit ist sie das genaue Gegenteil der unbeschwerten Johanna, die den trübsinnigen Gauß zu nehmen und seine Melancholie zu vertreiben wußte. Auch Minna gebiert drei Kinder. Dann beginnt sie zu kränkeln, bis sich schließlich das Krankheitsbild der Lungenschwindsucht abzeichnet. Fünfzehn Jahre lang bleibt sie pflegebedürftig ans Bett gefesselt. Die Söhne müssen aus diesem Grund aufs Internat nach Celle. Eugen, das begabteste Kind, stürzt sich nach einer Kindheit ohne Nestwärme ins wilde Göttinger Studentenleben, häuft hohe Spielschulden an und wird vor Gericht gestellt. Gauß verstößt den «missrathenen Sohn»[3] und bringt den erst Neunzehnjährigen 1830 persönlich nach Bremen, damit er auch wirklich den Ozeandampfer besteigt und nach Nordamerika auswandert. Ein Jahr später stirbt Minna Gauß an Schwindsucht. Tochter Therese führt danach ihrem Vater 25 Jahre lang den Haushalt. Eugen wird in den USA ein erfolgreicher Geschäftsmann und versöhnt sich später mit seinem Vater.

In der Astronomie des 19. Jahrhunderts kommt der Größe und Gestalt der Erde eine besondere Bedeutung zu. Je genauer die Astronomen den Erdradius kennen, desto besser läßt sich auch der Radius der Erdbahn um die Sonne bestimmen und als Einheit für astronomische Entfernungen benutzen. Auch wenn Gauß jetzt die Teleskope in seiner Sternwarte für viele Jahre vernachlässigt und in Regenmantel und Feldstiefeln, zu Fuß und auf dem Pferdefuhrwerk planmäßig die norddeutsche Tiefebene durchstreift, bleibt er dennoch der Astronomie verbunden. Die Neuvermessung des Königreichs Hannover soll zwar in erster Linie die Grundlage für eine präzisere Kartographie schaffen und entspringt deshalb eindeutig machtpolitischen Motiven, dennoch hat sie einen astronomischen Hintergrund: die Suche nach der wahren Gestalt der Erde im Verbund weltweiter Vermessungen.

Zwischen Hamburg und Göttingen und von der Insel Wangerooge bis zum Gipfel des Brockens überzieht Gauß das Reich

König Georgs IV. mit einem dichten Netzwerk aus Dreiecken, deren Seiten jeweils aneinanderstoßen. Er ist der erste Landvermesser, dem es gelingt, mit einem selbst konstruierten, raffinierten System aus Fernrohr und Spiegeln die Sonne höchstpersönlich als freie Mitarbeiterin zu verpflichten und die Zielpunkte über Dutzende Kilometer hinweg mit den Strahlen ihres Lichts anzuvisieren. So entsteht ein unsichtbares Gefüge aus virtuellen Lichtdreiecken, das zwar die abstrakte Fläche des Königreichs Hannover abbildet, aber die räumliche Wirklichkeit der friesischen Marschen und Moore, der Lüneburger Heide und der schroffen Harzlandschaft nur ungenügend widerspiegeln kann. Aus der Einsicht, daß die Regeln der Schulbuchgeometrie im Wald und auf der Heide nicht mehr anwendbar sind, entwikkelt Gauß ein mathematisches Verfahren, mit dessen Hilfe er die flachen Lichtdreiecke seiner Landvermessungen in sogenannte sphärische Dreiecke auf der gekrümmten Erdoberfläche umrechnen kann und so der physikalischen Wirklichkeit gerechter wird. Diese neuartige mathematische Struktur weicht allerdings in entscheidender Hinsicht von den Lehrsätzen der euklidischen Geometrie ab, die seit mehr als 2300 Jahren in Granit gemeißelt sind. So muß beispielsweise die Winkelsumme eines normalen Dreiecks in der flachen Geometrie stets 180 Grad betragen. Bei einem sphärischen Dreieck trifft diese Regel aber nicht mehr zu. Dessen Winkelsumme ist stets größer als 180 Grad.

Bereits als Jugendlicher hat Gauß an der Allgemeingültigkeit der euklidischen Geometrie für die Wirklichkeit des uns umgebenden Raums gezweifelt. Daß Gauß hier mit der mathematischen Struktur seiner Flächentheorie auch die physikalische Wirklichkeit berührt, sollte weitreichende Konsequenzen haben. Denn diese nichteuklidische Geometrie wird sich 1912 für Albert Einstein als das Schlüsselelement für sein neues Konzept der Gravitation erweisen. Die Allgemeine Relativitätstheorie fügt Raum und Zeit untrennbar zusammen und beweist, daß die Gravitation oder Schwerkraft gar keine Kraft ist, sondern eine geometrische Größe, nämlich die durch Masse gekrümmte Raumzeit. Die sogenannte «Gauß'sche Krümmung» ist die zweidimensionale Vorläuferin der vierdimensionalen Raumzeitkrümmung und liefert das mathematische Fundament für Einsteins universelle Gravitationstheorie, so daß wir Carl Friedrich Gauß als einen Urahn der Allgemeinen Relativitätstheorie bezeichnen können: Einstein preloaded.

Gauß hat sich einen kleinen Freundeskreis in Göttingen aufgebaut, zu dem sein späterer Biograph, der Geologe Sartorius von Waltershausen, der Physiker Listing und der Physiologe Wagner gehören. Mit den auswärtigen Astronomen Schumacher, Bessel und Olbers ist er über vier Jahrzehnte hinweg in tiefer Freundschaft verbunden. Man steht in regem Briefkontakt und besucht sich. So selbstbewußt und tatkräftig Gauß auch bei seinen beruflichen Unternehmungen ist, so unsicher fühlt er sich häufig in schwierigen Familienangelegenheiten. Bei den Freunden holt er sich regelmäßig Rat. Sie kennen ihn als einen Menschen, der tiefer Gefühle fähig ist, aber ängstlich bemüht ist, sie zu verbergen. Doch wer seine Freundschaft gewinnt, fühlt sich beseelt. Alexander von Humboldt findet ihn bei der ersten Begegnung «gletscherartig kalt».[4] Später sagt er, daß «Gauß' Zuneigung die größte Auszeichnung seines Lebens sei».[5] Streit und Kritik sucht Gauß um jeden Preis zu vermeiden. Das geht so weit, daß er in einer historischen Auseinandersetzung zwischen dem König von Hannover und sieben Göttinger Professoren eisern schweigt. Die «Göttinger Sieben» protestieren öffentlich gegen einen Verfassungsbruch des Königs und werden daraufhin ihrer Ämter enthoben. Gauß' eigener Schwiegersohn sowie sein Freund und enger Mitarbeiter Wilhelm Weber müssen das Land Hannover verlassen. Aber der weltberühmte Gauß, auf dessen Kommentar alle warten, bleibt stumm. Anecken und aufbegehren gegen die Obrigkeit mochte er nie. Und für Revolutionen wie die von 1848 hegt er keine Sympathie. In Daniel Kehlmanns Roman *Die Vermessung der Welt* gibt es eine anrührende Szene, in der der Schüler Gauß dem verdutzten Pastor kühl, hell und klar den ganzen Unsinn der Demut vor Gott als Beleidigung der menschlichen Intelligenz und Vernunft vorrechnet. Wir dürfen wohl annehmen, daß schon das junge Genie als Kind der Spätaufklärung diesen Mummenschanz durchschaut hat. Schade nur, daß dem historischen Gauß – im Gegensatz zu Kehlmanns literarischer Gestalt – der Mut gefehlt hat, theologische und politische Einsichten auch tatsächlich öffentlich zu äußern. Offenbar fühlte Gauß sich sein ganzes Leben lang in der Schuld des Herzogs von Braunschweig, der ihm maßgeblich geholfen hat, seinen Traum zu verwirklichen.

Während alle anderen Kollegen sich gegenseitig artig zum Geburtstag gratulieren, führt Gauß ein Verzeichnis mit den Lebenstagen berühmter Persönlichkeiten und Freunde und schickt manchem Spezi außer der Reihe schon mal einen ganz besonderen Glückwunsch. «Es ist übermorgen der Tag», schreibt er an Alexander von Humboldt, «wo Sie, mein hochverehrter Freund [...] dasselbe Alter erreichen, in welchem Newton seine durch 30766 Tage gemessene irdische Laufbahn geschlossen hat.»[6] 1828 lernt er Humboldt und seinen späteren Freund und Mitarbeiter, den Physiker Wilhelm Weber, bei einem Kongreß in Berlin kennen. Angeregt durch Humboldts Forschungen über den Erdmagnetismus, richtet nun auch Gauß seine ganze Energie auf dieses Thema und läßt in Göttingen ein magnetisches Observatorium bauen, ohne einen einzigen Eisennagel zu verwenden, um die Messungen nicht zu verfälschen.

Im Laufe dieser Studien richten Gauß und Weber im April 1833 die erste funktionierende elektromagnetische Telegraphenstrecke der Welt ein: eine tausend Meter lange Drahtleitung zwischen Physikinstitut und Sternwarte. Fünf Jahre lang nutzen die Freunde diese Leitung in luftiger Höhe wissenschaftlich nüchtern zur Erforschung elektromagnetischer Phänomene, obwohl ihnen bewußt ist, daß sie hier einen echten Coup gelandet und die elektrische Nachrichtentechnik begründet haben. Sie sind – lange bevor Samuel Morse auf den Zug aufspringt – weltweit die ersten, die allein mit Hilfe des elektrischen Stroms Informationen von einem Ort zu einem anderen übermitteln, eine völlig absurde Vorstellung für den braven Göttinger Kirchgänger, der nur den Draht am Turm seiner Pfarrkirche St. Johannis baumeln sieht und den Kopf schüttelt.

Doch es funktioniert. Der Kupfer-Silber-Draht über den Dächern Göttingens ist das erste elektrische Nachrichtenkabel der Welt. Mit ihm und der Übertragungsrate von neun Zeichen in der Minute beginnt im April 1833 das elektrische Kommunikationszeitalter. Gauß und Weber lassen sich ihren heißen Draht nicht patentieren und laden die Konkurrenz sogar ein, von ihren Erfahrungen Gebrauch zu machen. Vor allem Gauß scheint mit dem Erreichten zufrieden zu sein. Man hat's probiert. Es funktioniert. «Die Wissenschaft soll die Freundin der Praxis sein, nicht ihre Sklavin. Sie soll ihr schenken, aber nicht ihr dienen», wird er in diesem Zusammenhang zitiert.[7] Reich werden andere.

Als Carl Friedrich Gauß am 23. Februar 1855 stirbt, hinterläßt er rund fünfzig mathematische Verfahren und Begriffe, die seinen Namen tragen, wie die Gauß'sche Zahlenebene, Glockenkurve oder Summenformel. Mit dem Gauß'schen weißen Rauschen läßt sich bei Handygesprächen Energie sparen, und immer wenn Sie online Geld überweisen, werden die Informationen nach einem Prinzip verschlüsselt, das auf den mathematischen Einsichten des neunzehnjährigen Gauß beruht. Zehn Jahre nach dem Tod von Gauß erkennt der englische Physiker James Clerk Maxwell, daß Licht, Elektrizität und Magnetismus ein und dasselbe Phänomen sind, nämlich elektromagnetische Wellen. Maxwell meißelt *die* Idee seines Lebens in vier Formeln, auf denen unsere ganze moderne Kommunikationskultur gründet: Radio,

Fernsehen, Computer, Internet. Zwei der vier Sätze hat zuvor aber schon ein Experte in Göttingen in strenger mathematischer Sprache formuliert: das Gauß'sche Gesetz der Elektrizität und das Gauß'sche Gesetz des Magnetismus.

Wenig bekannt ist, daß Mediziner aus dem Freundeskreis das Gehirn des Vermessungskünstlers entnommen, präpariert und mit einem aufwendigen Verfahren penibel vermessen haben, was mancher pikierter Gauß-Verehrer vermessen fand. Der frühen wissenschaftlichen Hirnforschung dient das Gehirn von Carl Friedrich Gauß jahrelang als Referenzorgan bei der Suche nach einem physiologischen Abbild von Intelligenz und Genie. Noch heute wird das weltweit älteste Präparat der Elitehirnforschung in einem Institut der Göttinger Universität aufbewahrt. 1998 legt dann ein Wissenschaftlerteam das Superhirn in einen Magnetresonanz-Tomographen, um eine Sammlung digitaler Schnittbilder anzulegen. Nun wird aber die magnetische Kraftflußdichte im Tomographen in «Gauss» gemessen. Also wird das Gehirn von Carl Friedrich Gauß, dessen Name in den Rang einer physikalischen Maßeinheit erhoben wurde, 143 Jahre nach seinem Erlöschen von 20 000 Gauß durchströmt, damit es seine innere Struktur offenbaren möge. In solchen Momenten glaubt mancher Beobachter eine sinnvolle Koinzidenz zu erkennen, eine einzigartige Qualität der Ereignisse, die über reinen Zufall oder die mathematisch garantierte Wahrscheinlichkeit hinausgeht. Vielleicht hätte Gauß dieser eleganten Performance in der Schwebe zwischen Wissenschaft und Kunst ein Lächeln geschenkt.

Literaturempfehlungen

1) Carl Friedrich Gauß: Werke. Göttingen 1863–1929. (Das Göttinger Digitalisierungszentrum hat alle 15 Bände ins Internet gestellt: http://www.gdz-cms.de/dms/load/toc/?IDDOC=38910.)
2) Elmar Mittler (Hrsg.): Wie der Blitz einschlägt, hat sich das Räthsel gelöst – Carl Friedrich Gauß in Göttingen. Göttingen 2005. (Eine CD-Rom u.a. mit 17 Aufsätzen renommierter Gaußforscher. Auch frei im Internet zugänglich: http://webdoc.sub.gwdg.de/ebook/e/2005/gausscd/html/intro.htm.)
3) Gerd Biegel / Karin Reich: Carl Friedrich Gauß, Genie aus Braunschweig, Professor in Göttingen. Braunschweig 2005. (Eine Gauß-Biographie mit dem Schwerpunktthema Braunschweiger Landesgeschichte.)
4) C. Waldo Dunnington: Gauss Titan of Science. New York 1955 (Neuausgabe 2004. Die bisher umfangreichste Gauß-Biographie in englischer Sprache. Die Neuausgabe mit aktualisiertem wissenschaftlichen Anhang.)
5) Martha Küssner: Carl Friedrich Gauß und seine Welt der Bücher. Göttingen 1979. (Einfühlsamer Entwurf eines Gelehrtenlebens anhand der von Gauß gekauften und ausgeliehenen Bücher.)
6) Horst Michling: Carl Friedrich Gauß. Aus dem Leben des Princeps Mathematicorum. Göttingen 1976. (Populärwissenschaftliche Kurzbiographie mit fiktiven Dialogen.)
7) Karin Reich: Carl Friedrich Gauß 1777–1977. Bonn 1977. (Eine kompetente, reich bebilderte Kurzbiographie.)
8) Wolfgang Sartorius von Waltershausen: Gauß zum Gedächtnis. Leipzig 1856 (Neuausgabe Wiesbaden 1965. Die Mutter aller Gauß-Biographien.)
9) Erich Worbs: Carl Friedrich Gauß. Ein Lebensbild. Leipzig 1955. (Literarisch anspruchsvolle und anrührende Biographie.)

Anmerkungen

1 Franz Schmidt / Paul Stäckel (Hrsg.): Briefwechsel zwischen Carl Friedrich Gauß und Wolfgang Bolyai. Leipzig 1899, S. 61.

2 Ebd., S. 80.

3 Wilhelm Olbers, sein Leben und seine Werke. Zweiter Band, zweite Abteilung. Berlin 1909, S. 576.

4 Karl Bruhns (Hrsg.): Alexander von Humboldt. Eine wissenschaftliche Biographie. Bd. 2. Leipzig 1872, S. 170.
5 Kurt Biermann: Zum Verhältnis zwischen Alexander von Humboldt und Carl Friedrich Gauß. In: Wissenschaftliche Zeitschrift der Humboldt-Universität, Band 8. Berlin 1958/59, S. 121–130.
6 Karl Bruhns (Hrsg.): Briefe zwischen Alexander von Humboldt und Gauss. Leipzig 1877, S. 68.
7 Moritz Abraham Stern: Denkrede auf Carl Friedrich Gauß. Göttingen 1877, S. 15.

Manfred Geier

Alexander von Humboldt – eine biographische Skizze

Man scheint Jubiläen zu brauchen, um sich wieder einmal an herausragende Leistungen erinnern zu können. So geschah es auch mit Alexander von Humboldts Lebenswerk, das 2004 publikumswirksam wiederentdeckt wurde, 200 Jahre nach der Rückkehr von seiner großen Forschungsreise durch die äquatornahen Gegenden des Neuen Kontinents. Mit üppig ausgestatteten Buchausgaben und zahlreichen Festakten wurde der Jubilar ins öffentliche Bewußtsein gerückt.

Ein Jahr später erschien Daniel Kehlmanns Gelehrtensatire *Die Vermessung der Welt.* Mit spöttischem Witz, feinem Humor und sprachlicher Leichtigkeit wurden darin zwei Forscher namens «Alexander von Humboldt» und «Carl Friedrich Gauß» karikiert, die sich zu Beginn der Geschichte, September 1828 in Berlin, zum ersten Mal persönlich begegnen. Ihre Namen sind, wie auch die meisten Orts- und Zeitangaben, keine literarische Erfindung. Denn *Die Vermessung der Welt* ist zwar ein Roman, keine Biographie, und «Humboldt» und «Gauß» sind Originale, die ihre eigenen Schrullen haben. Aber in der erzählerischen Fiktion spielen umfassend recherchierte Fakten mit, und das raffiniert geknüpfte Netzwerk aus Tatsachen und Erfindungen macht einen besonderen Reiz des Romans aus. Wir wollen dieses Netz hier nicht auflösen, sondern nur die wahre Lebensgeschichte des echten Alexander von Humboldt skizzieren, die sich in drei große, jeweils etwa 30 Jahre umfassende Etappen gliedern läßt.

1769 bis 1799. Alexander von Humboldt wurde am 14. September 1769 in Berlin, Jägerstraße 22, geboren. Seine Kinder- und

Jugendjahre verliefen unter strenger pädagogischer Aufsicht. Alexander und sein zwei Jahre älterer Bruder Wilhelm mußten nicht zur Schule gehen, aber sie erhielten einen intensiven Privatunterricht durch Hauslehrer, der ihnen nur wenig Freiheit ließ. Den Winter verbrachten sie in der Berliner Stadtwohnung, den Sommer im Tegeler Familien-Jagdschloß der Eltern, eines preußischen Hofmannes im königlichen Dienst und einer reichen Dame französischer Herkunft. Nach dem frühen Tod des Vaters, Alexander war erst neun Jahre alt, war er zusammen mit seinem Bruder ganz in der Obhut der konsequent auf gute Erziehung bedachten Mutter. Sie tat zwar alles für ihre beiden Söhne, aber vermittelte ihnen nicht das Gefühl, geliebt zu werden. Auf ihrem Gesicht soll nie eine Spur irgendeines Affekts sichtbar gewesen sein.

Während Wilhelm den Wissensstoff, von den alten Sprachen über zeitgenössische Naturkunde bis zur neuesten Philosophie, gelehrig in sich aufnahm, hatte Alexander wenig Lust, sich mit Wissenschaften zu beschäftigen; und während der fleißige Wilhelm von seinen alten Verwandten «wie ein Engel geliebt»[1] wurde, fühlte Alexander sich einsam, unverstanden und in seiner Natur durch tausendfältige Zwänge eingeengt. Die Menschen schienen Masken zu tragen. Nur durch ständige Verstellung glaubte er unter ihnen leben zu können. Bekannte der Eltern nannten ihn «un petit esprit malin»,[2] einen kleinen, frechen Schlingel. Doch trotz dieser unterschiedlichen Charaktere scheinen die beiden Brüder aneinander gehangen und sich gut verstanden zu haben. Jedenfalls ist von Streitereien oder Kämpfen zwischen ihnen nichts bekannt.

Alexanders jugendliche Sehnsucht nach Freiheit und Liebe fand ihre erste Resonanz im Berliner Salon der gebildeten, schönen und geistreichen Jüdin Henriette Herz, in die sich beide Brüder verliebten. Bei ihr trafen sich die Aristokraten und Bürger, die sich für die Ideen der Aufklärung begeisterten. Um

1785 sind Alexander und Wilhelm von Humboldt in diesen Kreis eingetreten, und hier werden sie auch zuerst Immanuel Kants Wahlspruch der Aufklärung von 1784 in seiner Konsequenz für ihr eigenes Leben begriffen haben: «Habe Mut, dich deines eigenen Verstandes zu bedienen!» Der Mensch kann ein freies Wesen sein, das auch «ohne Leitung eines anderen»[3] zu denken weiß und ohne staatliches und religiöses Gängelband allein zu gehen vermag.

Sein erstes Jahr ohne brüderliche Nähe und vormundschaftliche Aufsicht verbrachte Alexander 1788 in Berlin, bevor er im April 1789 sein Studium an der Göttinger Universität fortsetzte. Selbstbewußt und mutig im Sinne Kants berichtete er einem Freund, daß er nun endlich bereit sei, «den ersten Schritt in die Welt zu tun, ungeleitet und ein freies Wesen. Lange genug gewohnt, wie ein Kind am Gängelband geführt zu werden, harrt der Mensch, die gebundenen Kräfte nach eigener Willkür in Tätigkeit zu setzen und, sich selbst überlassen, der eigene Schöpfer seines Glücks oder Unglücks zu werden.»[4]

Den Raum für dieses Wollen bot ihm allerdings nicht die Gesellschaft. Preußen war kein Reich der Freiheit für mündige Bürger. Es war vor allem das Studium der Natur, das in ihm den unbändigen Wunsch lebendig werden ließ, seine eigenen Kräfte zu entfalten. Der Berliner Tiergarten und der Botanische Garten wurden zu seinen Lieblingsorten. Besonders ein großer Drachenbaum und zahlreiche Palmen waren das Anschauungsmaterial, um sich in fremde Vegetationen hinwegträumen zu können. Begleiten und botanisch anleiten ließ er sich dabei von dem vier Jahre älteren Freund Carl Ludwig Willdenow, der nicht nur ein ausgezeichneter Pflanzenkundler war, sondern auch mit Humboldts Wesen wundervoll zu harmonieren schien. «Ich gewann ihn sehr lieb»,[5] wird er sich später in einem autobiographischen Rückblick erinnern. Aber noch stärker wurde durch Willdenow in ihm der Wunsch geweckt, entfernte Erdteile zu besuchen und vor allem die prachtvollen Pflanzen ferner Kontinente nicht in ihrer künstlich angelegten Treibhaus-Umgebung, sondern in ihrer Heimat zu sehen.

Das war 1788/89, und es brauchte noch zehn lange Jahre, bis Alexander von Humboldt endlich sein großes Abenteuer erleben konnte. Eine Reise mit Georg Forster, dem Weltreisenden und Kämpfer für die revolutionären Ideen von 1789, führte ihn 1790 nach Belgien, Holland, England und Frankreich. Sie ließ nicht nur den Wunsch immer stärker werden, in die Tropen zu reisen. In Paris wurde er auch von der Begeisterung des Volkes über die revolutionär errungenen Freiheiten mitgerissen. Hier wurde der junge preußische Adlige, der Kants *Beantwortung der Frage: Was ist Aufklärung?* zur Richtlinie seines eigenen Denkens und Handelns gewählt hatte, endgültig zu einem «Liberalen», der sein Leben lang die Freiheit, Gleichheit und Brüderlichkeit aller Menschen als höchste Werte schätzte.

Doch er war ein zu guter Sohn, um diese Weltreise zu verwirklichen, solange seine Mutter noch lebte. Deshalb studierte er zunächst 1790/91 an der Handelsakademie in Hamburg Verwaltungs- und Finanzwirtschaft, um sich, dem Wunsch der Mutter folgend, auf ein Finanzfach im königlich-preußischen Staatsdienst vorzubereiten. Es schien ihn nicht zu befriedigen. Denn einem Freund teilte er vertraulich mit: «Es ist ein Treiben in mir, dass ich oft denke, ich verliere mein bisschen Verstand.»[6] Frei wollte er sein und in der fernen, wilden Natur finden, was ihm das gesellschaftliche Leben nicht bieten konnte. Von Juni 1791 bis Februar 1792 studierte Humboldt dann noch Bergbau an der Bergakademie in Freiberg/Sachsen. Das Studium hatte nicht nur die meisten Beziehungen zu seinen naturkundlichen Neigungen. Auch sein Körper wurde durch die Arbeit in den dortigen Bergwerken gestärkt, im Wissen darum, wie sehr er eines Tages physische Kraft und Ausdauer nötig haben würde, um die Abenteuer in fernen Welten zu bestehen.

Nach Beendigung seiner Studien arbeitete Humboldt im preußischen Bergdienst, wo er schnell Karriere machte. Er war mitverantwortlich für den gesamten Bergbau in den preußischen Fürstentümern Ansbach und Bayreuth und wurde 1795, erst 26 Jahre alt, zum jüngsten Oberbergrat ernannt. In diese Zeit fiel auch die folgenreiche Begegnung mit Johann Wolfgang von Goethe. Wegweisend war besonders das erste gemeinsame Treffen der Brüder Humboldt mit ihm und Friedrich Schiller am 17. Dezember 1794 in Jena. Dabei war es vor allem die Geistesverwandtschaft der beiden Pflanzenliebhaber, die ihre lebenslange Freundschaft begründete. Denn wie Humboldt war auch der zwanzig Jahre ältere Goethe über den unerschöpflichen Reichtum der Pflanzenwelt begeistert und von einem Rausch des Botanisierens ergriffen, um die wesentlichen Gestaltformen zu entdecken, mit denen die Natur in ihrer Freiheit gleichsam zu spielen scheint und das mannigfaltige Leben hervorbringt.

Am 19. November 1796 starb Humboldts Mutter. Auf eigenen Wunsch schied er aus dem Staatsdienst aus, um sich ganz der Vorbereitung seiner Reise um die Welt zu widmen. Er hatte ein Vermögen von rund 90 000 Talern geerbt, das ihm die Möglichkeit bot, alles zu verwirklichen, wovon er träumte. Wohin er reisen wollte, wußte er noch nicht genau. Die Südsee lockte, auch die russischen Weiten, Afrika, Indien oder der amerikanische Kontinent. Es war eine Reihe von Zufällen, die schließlich dazu führte, daß Humboldt am 5. Juni 1799 in der spanischen Hafenstadt La Coruna zusammen mit dem jungen französischen Botaniker Aimé Bonpland das Schiff bestieg, das ihn zunächst nach Venezuela bringen sollte. Vom spanischen König Karl IV., dem er im März 1799 in Madrid vorgestellt worden war, hatte er einen Reisepaß und die Erlaubnis erhalten, als Privatperson und ohne Einschränkung eine wissenschaftliche Forschungsreise durch die spanischen Kolonien in Mittel- und Südamerika unternehmen zu können. Was erhoffte er sich von dieser Reise, deren Verlauf und Dauer ungewiß waren? Er wollte die Natur in ihrer größten Pracht und Fülle erleben, endlich ganz frei sein und ein großes Abenteuer bestehen. Auch gab es in dem neuen Weltteil, den er durchlaufen und erforschen wollte, ungeheuer viel zu beobachten und zu messen. Er hatte die besten Meßgeräte dabei, um die geographische Ortsposition, die Höhe der Gebirge, die Wärme, den Druck und die Feuchtigkeit der Luft, die Intensität der Himmelsbläue und Sonnenstrahlung, die magnetischen Kräfte und elektrischen Spannungen bestimmen und in Zahlen ausdrücken zu können.

Aber all diese Messungen sollten nicht das Ziel sein, nach dem er strebte. Und so schrieb er kurz vor seiner Abreise aus Europa an David Friedländer, einem Jugendfreund aus dem Kreis der Berliner Aufklärer: «Mein eigentlicher, einziger Zweck ist, das Zusammen- und Ineinander-Weben aller Naturkräfte zu untersuchen, den Einfluß der toten Natur auf die belebte Tier- und Pflanzenschöpfung: Diesem Zwecke gemäß habe ich mich in allen Erfahrungskenntnissen umsehen müssen. [...] Ich weiß wohl, daß ich meinem großen Werke über die Natur nicht gewachsen bin, aber dieses ewige Treiben in mir (als wären es 10 000 Säue) wird nur durch die stete Richtung nach etwas Großem und Bleibendem erhalten.»[7]

1799 bis 1827. Am 5. Juni 1799 verließ Humboldt mit seinem Gefährten Bonpland auf der spanischen Fregatte Pizarro Europa. Fünf Jahre später, am 1. August 1804, betraten die beiden zusammen mit Carlos Montúfar, der sich ihnen im Januar 1802 in Quito als Reisebegleiter angeschlossen hatte, wieder europäischen Boden. Kaum angekommen, berichtete Alexander stolz einem Jugendfreund, daß seine amerikanische Expedition «ohne Beispiel glücklich» gewesen war. «Ich war nie krank und bin gesünder, stärker und arbeitsamer, selbst heiterer als je.»[8]

Ohne Beispiel war diese Reise nicht nur für Humboldt. Sie war die größte, selbst finanzierte Forschungsreise eines völlig unabhängigen Privatmannes, der ohne politischen oder wirtschaftlichen Auftrag erkennen wollte, was die Welt im Innersten zusammenhält und in ihrer Vielfalt gestaltet. Für diese Neugier boten die amerikanischen Äquinoktial-Gegenden, zwischen dem 10. Grad südlicher und dem 10. Grad nördlicher Breite, das reichhaltigste Anschauungsmaterial. Denn hier, in den Wäldern am Orinoco, Rio Negro und Amazonas wie auf dem Rücken des Andengebirges, fand er alles vereinigt, was die Natur in ihrer ganzen Fülle zu bieten hat. Kaum auf dem Neuen Kontinent angekommen, schrieb Alexander am 16. Juli 1799 aus Cumaná (Venezuela) an seinen Bruder, daß er und Bonpland «wie Narren» herumliefen. Sie genossen vor allem den überwältigenden Eindruck, «den das Ganze dieser kraftvollen, üppigen und doch so leichten, erheiternden, milden Pflanzenwelt macht».[9]

Es blieb nicht bei dieser erheiternden Leichtigkeit. Die fünfjährige Reise – auf der sie zunächst die natürliche Stromverbindung zwischen Orinoco und Amazonas erforschten, dann die Anden zwischen Bogotá und Lima durchwanderten und zahlreiche Vulkane bestiegen, schließlich noch Mexiko erkundeten, bevor sie nach einem Besuch bei Präsident Thomas Jefferson in Washington wieder nach Europa zurücksegelten – war auch ein Abenteuer mit zahlreichen lebensbedrohlichen Situationen und ungeheuren Anstrengungen. Vor allem seinem Bruder Wilhelm berichtete Alexander gern und stolz von den Gefahren, die es auf reißenden Flüssen, in undurchdringlichen, von wilden Tieren bevölkerten Wäldern und auf vulkanischen Gebirgshöhen, die zuvor noch kein Mensch bestiegen hatte, zu bestehen galt. Einen Höhepunkt bildete die Besteigung des Chimborazo am 23. Juni 1802, bis sie eisige Kälte, Atemnot, Übelkeit, Kopfschmerz, Schwindelgefühl, blutende Lippen und schließlich, kurz vor dem Gipfel, eine unüberwindliche Spalte zum Abstieg zwangen.

Doch es war keine Abenteuer- oder Entdeckungsreise, sondern eine Forschungsreise, die den Höhepunkt in Humboldts Leben bildete. Denn ihm kam es vor allem auf genaue Beobachtungen, präzise Messungen, umfangreiche Materialsammlungen, anschauliche Beschreibungen, wahrheitsgetreue Abbildungen und sachkundige Analysen an, wobei all diese vielfältigen Arbeiten am Detail Elemente eines ganzheitlichen Forschungsprogramms waren, das sich philosophisch an Kants drei großen Kritiken orientierte.

Alexander von Humboldt verstand sich als ein aufgeklärter Naturwissenschaftler, der den Richtlinien von Kants *Kritik der reinen Vernunft* (1781) folgen wollte: Für das theoretische Erkenntnisvermögen ist die Welt die Gesamtheit aller sinnlich gegebenen Tatsachen; und nur auf dem Boden dieser Tatsachen kann der sichere Gang der Erfahrungswissenschaften stattfinden. Doch alles empirische Forschen und Feststellen wäre ein blindes Herumtappen, wenn es sich nicht durch die philosophische Idee der Natur als eines Ganzen leiten ließe. In der ersten Schrift, die Humboldt nach seiner Rückkehr veröffentlichte, hat er es programmatisch festgestellt: «Der Empyriker zählt und misst, was die Erscheinungen unmittelbar darbieten: der Philosophie der Natur ist es aufbehalten, das allen Gemeinsame aufzufassen und auf Principien zurückzuführen.»[10]

Daß Humboldt die Freiheitsidee in Kants *Kritik der praktischen Vernunft* (1788) zur moralischen Orientierung diente, wurde deutlich, sobald er sich auf gesellschaftliche Lebensformen bezog. Der Mensch ist ein mündiges Wesen und Freiheit sein höchster Wert; aber überall erlebte Humboldt Unterdrükkung, Ausbeutung und Entfremdung. Das erhellt die Schärfe, mit der er den Kolonialismus und die Sklaverei auf dem Neuen Kontinent verurteilte. Als aufgeklärter Europäer schämte er sich über die europäischen Kolonialmächte, «weil die Idee der Kolonie selbst eine unmoralische Idee ist».[11] Ohne Zweifel war die Sklaverei für ihn «das größte aller Übel, welche die Menschheit gepeinigt haben».[12] Und auch die Willkürherrschaft der Mönche über die Indios in den südamerikanischen Missionen konnte er nur verachten.

Schließlich hat, als Dritte im Bunde, auch die *Kritik der Urteilskraft* (1790) mit ihrer Konzentration auf die Gefühle der Lust und Unlust in Humboldts Leben eine wichtige Rolle gespielt. Poetische Naturbeschreibungen zählten zu seiner frühesten lustvollen Lektüre. Die Liebe zur Betrachtung der Natur war vor allem durch den Anblick schöner Pflanzenformen in Berlins Botanischem Garten geweckt worden. In den Tropen fand Humboldts ästhetische Urteilskraft dann ihr reichhaltigstes Material, und die Schönheit und Erhabenheit der Landschaften ließen ihn schwärmen: «Hier unter den Tropen soll der Mensch leben. Welch ein Genuß! Mit jedem Tag freue ich mich mehr, meine Reise gerade hierher gerichtet zu haben.»[13]

Der Dreiklang von Wissenschaft, Moral und Ästhetik drohte zu einem Mißklang zu werden, als Humboldt sich in den kalten Regionen seiner sandigen Heimat wiederfand. Die Tropenwelt war sein Element gewesen. In Berlin fühlte er sich lustlos und fremd. 1806, nach der Niederlage Preußens und dem Einzug Napoleons in Berlin, war nichts mehr vom überschwenglichen Glücksgefühl geblieben, das er in Amerika empfunden hatte. «Nach Deutschland zurückgekommen und gleichsam mit unter den Trümmern eines unglücklichen Vaterlandes begraben zu werden, habe ich eine schreckliche Zeit hier verlebt. Ich habe mich nie so ununterbrochen unglücklich gefühlt»,[14] schrieb er am 13. November 1807 an Professor Christian Gottlob Heyne, bei dem er einst in Göttingen klassische Sprachen und Literaturen studiert hatte.

Nur das Schreiben schien eine Rettung aus dem Unglück bieten zu können, und so hat Alexander von Humboldt in dieser Krisenzeit sein ungeheures Lebenswerk zu Papier zu bringen begonnen, in dem all die Erlebnisse, Beobachtungen, Messungen, Gefühle, Gedanken und Ideen lebendig bleiben sollten, die seine glücklichste Zeit so reichhaltig ausgefüllt hatten. Er hatte zwar schon vor seiner großen Forschungsreise fleißig geschrieben und publiziert. Aber jetzt schien er von einem unbändigen Trieb zum Schreiben erfaßt worden zu sein. Er begann mit der jahrzehntelangen Arbeit an seiner *Reise in die Äquinoktial-Gegenden des Neuen Kontinents*, die er in französischer Sprache schrieb, die schließlich mehr als dreißig Bände umfaßte und deren Druckkosten den Rest seines Vermögens verschlangen. Zum Glück konnte er es in Paris schreiben und bearbeiten, wo er sich, mit Erlaubnis des preußischen Königs, von 1808 bis 1827 aufhielt. Das Leben in der Hauptstadt der Wissenschaften, in enger Zusammenarbeit mit zahlreichen hervorragenden Fachgelehrten, schien ihn für den verlorenen Genuß seiner großen Forschungsreise zu entschädigen.

Bemerkenswerterweise begann Humboldt sein Reisewerk, in dem er das Zusammenspiel aller natürlichen Erscheinungen und Kräfte in einem großartigen «Naturgemälde» darstellen wollte, nicht chronologisch. Zuerst nämlich schrieb er den Band 27, mit dem er die Aufmerksamkeit von naturwissenschaftlich interessierten und ästhetisch fühlenden Menschen gewinnen wollte. 1805 erschien die französische Ausgabe, zwei Jahre später die deutsche Übersetzung *Ideen zu einer Geographie der Pflanzen, nebst einem Naturgemälde der Tropenländer, auf Beobachtungen und Messungen gegründet*. Bereits um 1791, angeregt durch den Botaniker Willdenow und durch Beobachtungen der Vegetation in den fränkischen Bergwerken, war er auf diese Idee gekommen, die zu seinen originellsten Einfällen gehört: Es komme nicht darauf an, Pflanzen nur systematisch zu klassifizieren; es komme vielmehr darauf an, die Pflanzenschöpfung in Verbindung mit der ganzen übrigen Natur zu erforschen. Das Zusammenwirken aller physikalischen Kräfte des Bodens und des Luftkreises in ihrem Einfluß auf die Vegetation gelte es zu entdecken. In dieser Hinsicht war Humboldt der Begründer dessen, was heute «Ökologie» heißt. Dabei dürfe auch die ästhetische und moralische Wirkung der «Physiognomik der Gewächse»[15] auf den empfindenden Menschen nicht vernachlässigt werden. Der pflanzliche Totaleindruck einer Landschaft wirke auf seine Stimmung ein. Schließlich beeinflusse die majestätische und mannigfaltige Vegetation der Tropenländer das Gemüt anders als das zarte Grün der weiten Grasfluren und Wiesen in den nördlichen Zonen.

Bereits ein Jahr später erschienen 1808 Humboldts *Ansichten der Natur*, sein schönstes und erfolgreichstes Buch, das er zwar seinem teuren Bruder Wilhelm widmete, aber für ein Publikum schrieb, das wie er selbst seinen geistigen Genuß in der unmittelbaren Naturanschauung und der Erkenntnis des inneren Zusammenhangs der Naturkräfte zu finden suchte. Er wollte seine Leser mit auf die Reise nehmen, die für sein eigenes Schicksal so maßgebend gewesen war. «Überall habe ich auf den ewigen Einfluß hingewiesen, welche die physische Natur auf die moralische Stimmung der Menschheit und auf ihre Schicksale ausübt. Bedrängten Gemütern sind diese Blätter vorzugsweise gewidmet. ‹*Wer sich herausgerettet aus der stürmischen Lebenswelle*›, folgt mir gern in das Dickicht der Wälder, durch die unabsehbare Steppe und auf den hohen Rücken der Andenkette.»[16]

1827 bis 1859. Der letzte Abschnitt in seinem Leben begann, als der preußische König Humboldt, der die letzten Reste seines Vermögen in das Reisewerk-Projekt gesteckt hatte, nach Berlin zurückrief. König Friedrich Wilhelm III. wollte ihn an seiner Seite haben, um sich von ihm naturkundlich bilden und geistreich unterhalten zu lassen. Für seine politischen Ansichten hatten er und seine Hofclique dagegen wenig übrig, hielt der Alte doch noch immer an den Ideen von 1789 fest. Mit Humboldts gelebter Freiheit und wirtschaftlicher Unabhängigkeit war es also vorbei, und so wundert es nicht, daß er sich nicht nur in seinem Tagebuch oder in vertraulichen Briefen sarkastisch und illusionslos über das höfische Leben mokierte, sondern sich oft in der Erinnerung die Tropenwälder herbeizauberte, um sich der Bedrängnis der gesellschaftlichen und politischen Unnatur zu entziehen.

Doch während seine Stellung am königlichen Hof äußerst prekär war, fand Humboldt seine größte Anerkennung in der Öffentlichkeit. Überwältigend war der Erfolg, den er mit seinen 16 öffentlichen Vorlesungen über *Physikalische Geographie* hatte. Zwischen dem 6. Dezember 1827 und dem 27. März 1828 hielt er sie im großen Saal der Berliner Singakademie, wobei jeweils mehr als 800 Zuhörer aufmerksam und begeistert seinen Darstellungen und Gedanken folgten. Das soziale Spektrum des Publikums reichte vom Maurermeister bis zum König; und die thematische Breite dieser *Kosmosvorträge* umfaßte das Ganze der Welt, vom Sternenhaufen der Milchstraße über unser Sonnensystem bis zur Geophysik der Erde und den auf ihr verbreiteten pflanzlichen, tierischen und menschlichen Lebensformen.

Unter Humboldts Leitung fand dann im September 1828 die wegweisende *7. Versammlung deutscher Naturforscher und Ärzte* statt, zu deren Teilnahme Humboldt auch den reisescheuen Mathematiker, Astronomen und Physiker Carl Friedrich Gauß bewegen konnte. Er beherbergte ihn als persönlichen Gast in seiner Wohnung. Doch die Begegnung der beiden berühmten Wissenschaftler, deren literarische Doppelgänger sich im ersten Kapitel von Daniel Kehlmanns Roman kennenlernen, war nicht nur ein bemerkenswertes persönliches Ereignis. Sie zeigte auch, was Humboldt in seiner Eröffnungsansprache der Tagung am 18. September programmatisch vortrug: Nur in der interdisziplinären, dialogischen und streitbaren Zusammenarbeit freier Forscher, die sich nicht durch Religion oder Staatsgewalt gängeln lassen, besteht die Chance, die Wahrheit entschleiern und die Einheit der Natur begreifen zu können.

1829 konnte der Sechzigjährige dann endlich auch den Reiseplan verwirklichen, der ihm schon seit Jahrzehnten vorgeschwebt hatte. Zusammen mit dem Zoologen und Mediziner Christian

Gottfried Ehrenberg und dem Mineralogen Gustav Rose reiste er, eingeladen vom russischen Kaiser Nikolaus, vom 12. April bis zum 28. Dezember über den Ural und durch Sibirien bis zur chinesischen Grenze. Die geophysikalischen und mineralogischen Forschungsergebnisse waren zwar reichhaltig, aber diese «asiatische Reise» war doch ganz anders als die dreißig Jahre früher begonnene «amerikanische Reise». Das Wagnis des Abenteuers und die Freiheit des Forschens fehlten. Alles war staatlich geplant und ließ der naturkundlichen und ethnologischen Neugier Humboldts nur einen kleinen Spielraum.

Die letzte Etappe in Humboldts Forscherleben begann, als er, wie er am 24. Oktober 1834 an seinen Altersfreund Karl August Varnhagen von Ense schrieb, den «tollen Einfall» hatte, die «ganze materielle Welt, alles, was wir heute von den Erscheinungen der Himmelsräume und des Erdenlebens, von den Nebelsternen bis zur Geographie der Moose auf den Granitfelsen, wissen, alles in Einem Werke darzustellen, und in einem Werke, das zugleich in lebendiger Sprache anregt und das Gemüth ergötzt».[17] Das war die Idee zu seinem *Kosmos. Entwurf einer physischen Weltbeschreibung*, an dem er die letzten Jahrzehnte seines Lebens arbeitete. Es wurden fünf Bände, deren letzter erst 1862 erschien, drei Jahre nach Humboldts Tod am 6. Mai 1859.

Humboldt verstand *Kosmos* im ursprünglichen griechischen Wortsinn: als das wohlgeordnete Ganze. Als solches bildete es nicht jene Einheit, von der romantische Naturphilosophen träumten, dieses «alles-ist-eins», das nur mystisch geschaut oder geahnt werden kann. Humboldt blieb Naturforscher, der auf feststellbare Tatsachen setzte. Aber die unerschöpfliche Vielfalt von empirischen Erfahrungsmöglichkeiten sollte dabei stets an einer philosophischen Idee der Natur ausgerichtet bleiben. Sie war die Antriebskraft in Humboldts Forscherleben. In der Vorrede des *Kosmos*, geschrieben im November 1844 in Potsdam, hat er sie ein letztes Mal rückblickend zur Sprache gebracht: «Ich übergebe am späten Abend eines vielbewegten Lebens dem deutschen Publikum ein Werk, dessen Bild in unbestimmten Umrissen mir fast ein halbes Jahrhundert lang vor der Seele schwebte. [...] Was mir den Hauptantrieb gewährte, war das Bestreben, die Erscheinungen der körperlichen Dinge in ihrem allgemeinen Zusammenhange, die Natur als ein durch innere Kräfte bewegtes und belebtes Ganzes aufzufassen.»[18]

Literaturempfehlungen

1) Alexander von Humboldt: Reise in die Äquinoktial-Gegenden des Neuen Kontinents. Zwei Bände. Hrsg. von Ottmar Ette. Frankfurt am Main und Leipzig 1991. (Der eigentliche Reisebericht, der allerdings nur die erste Etappe in Venezuela enthält.)
2) Alexander von Humboldt: Das Gute und Große wollen. Amerikanische Briefe. Hrsg. von Ulrike Moheit. Berlin 1999. (Briefe, die Humboldt während seiner großen Reise an Freunde, Kollegen und seinen Bruder gerichtet hat und die nicht nur anschaulich über seine Forschungen, sondern auch über seine Absichten, Gefühle und Stimmungen berichten.)
3) Alexander von Humboldt: Ansichten der Natur, mit wissenschaftlichen Erläuterungen (1808). Frankfurt am Main 2004. (Eine Sammlung von Aufsätzen, mit denen Humboldt einem breiten Publikum den Reiz einer ganzheitlichen Naturbetrachtung vermitteln wollte. Sein schönstes und anregendstes Buch.)
4) Alexander von Humboldt: Über das Universum. Die Kosmosvorträge 1827/28 in der Berliner Singakademie. Frankfurt am Main und Leipzig 1993. (Nachschrift der 16 öffentlichen Vorlesungen über «Physikalische Geographie».)
5) Alexander von Humboldt: Kosmos. Entwurf einer physischen Weltbeschreibung. Frankfurt am Main 2004. (Opulent gestaltete Ausgabe der fünf Bände, die zwischen 1845 und 1862 erschienen sind und Humboldts grundlegende Idee einer ganzheitlichen «Physik der Erde» entfalten, mit einem informativen Nachwort von Ottmar Ette und Oliver Lubrich.)
6) Alexander von Humboldt: Aus meinem Leben. Autobiographische Bekenntnisse. Zusammengestellt und erläutert von Kurt-R. Biermann.

München 1989. (Sammlung von Selbstzeugnissen, in denen Humboldt von seinem Leben und seinen Interessen berichtet.)
7) Wolfgang-Hagen Hein (Hrsg.): Alexander von Humboldt. Leben und Werk. Frankfurt am Main 1985. (Reich bebilderte Lebensgeschichte, mit erhellenden Darstellungen seiner wissenschaftlichen Leistungen in verschiedenen Fachgebieten.)
8) Adolf Meyer-Abich: Alexander von Humboldt, in Selbstzeugnissen und Bilddokumenten. Reinbek bei Hamburg 1967, 1. Auflage. (Noch immer eine der besten Biographien, von dem «Holisten» Meyer-Abich.)

Anmerkungen

1 Brief von Karoline Wilhelmine von Briest, Berlin, Januar 1785. In: Hanno Beck (Hrsg.): Gespräche Alexander von Humboldts. Berlin 1959, S. 5.
2 Ebd.
3 Immanuel Kant: Beantwortung der Frage: Was ist Aufklärung? In: Ehrhard Bahr (Hrsg.): Was ist Aufklärung? Stuttgart 1996, S. 9.
4 Brief an Wilhelm Gabriel Wegener (27. März 1789). In: Ilse Jahn und Fritz G. Lange (Hrsg.): Die Jugendbriefe Alexander von Humboldts 1787–1799. Berlin 1973, S. 47.
5 Alexander von Humboldt: Aus meinem Leben. Autobiographische Bekenntnisse. Zusammengestellt und erläutert von Kurt-R. Biermann. München 1989, 2. Aufl., S. 34.
6 Brief an Wilhelm Gabriel Wegener (23. September 1790). Ebd., S. 124.
7 Brief an David Friedländer (11. April 1799). In: Die Jugendbriefe Alexander von Humboldts. A. a. O., S. 657 f.
8 Brief an Carl Freiesleben (1. August 1804). In: Ulrike Moheit (Hrsg.): Das Gute und Große wollen. Alexander von Humboldts amerikanische Briefe. Berlin 1999, S. 229.
9 Brief an Wilhelm von Humboldt (16. Juli 1799). Ebd., S. 26.
10 Alexander von Humboldt: Ideen zu einer Geographie der Pflanzen. Leipzig 1960, S. 90.
11 Alexander von Humboldt: Europäische Kolonien. In: Manfred Osten (Hrsg.): Alexander von Humboldt. Über die Freiheit des Menschen. Frankfurt am Main und Leipzig 1999, S. 121.
12 Alexander von Humboldt: Über das Sklavenwesen. In: Cuba-Werk

(Alexander von Humboldt Studienausgabe, Band III). Darmstadt 1992, S. 154.

13 Brief an Christiane und Reinhard von Haeften (18. November 1799). In: Amerikanische Briefe. A.a.O., S. 41.

14 Brief an Christian Gottlob Heyne (13. November 1807). Ebd., S. 242.

15 Vgl. Alexander von Humboldt: Ideen zu einer Geographie der Pflanzen. A.a.O., S. 48–50; Alexander von Humboldt: Ideen zur Physiognomik der Gewächse. In: Alexander von Humboldt: Ansichten der Natur. Frankfurt am Main 2004, S. 235–261.

16 Alexander von Humboldt: Ansichten der Natur. A.a.O., S. 8.

17 Brief an Carl August Varnhagen von Ense (27. Oktober 1834). In: Alexander von Humboldt: Über die Freiheit des Menschen. A.a.O., S. 177.

18 Alexander von Humboldt: Kosmos. Entwurf einer physischen Weltbeschreibung. Frankfurt am Main 2004, S. 3.

Klaus Zeyringer

Vermessen

Zur deutschsprachigen Rezeption der «Vermessung der Welt»

Der Schriftsteller und die Kunstrichter

Ironie und Strenge, so lautet der Titel eines Beitrags über das Erzählen, den Daniel Kehlmann im April 2003 in der Literaturzeitung *Volltext* veröffentlichte und dann 2005 in seinen Essayband *Wo ist Carlos Montúfar? Über Bücher* übernahm. Hier meint der Romancier, der selbst zahlreiche Rezensionen für die *Süddeutsche Zeitung*, für *Literaturen*, die *Frankfurter Rundschau* und die österreichische Tageszeitung *Der Standard* geschrieben hat, die deutsche Kritik sei dorthin zurückgekehrt, «wo sie vor Lessing war: in die vollständige Beliebigkeit eines Geredes, das allenfalls Einfluß, aber keine Bedeutung hat, wenn es in zufälligen Konjunkturströmungen abwechselnd eine Avantgarde verteidigt, die es nicht versteht, und eine Tradition, die es nicht kennt».[1]

Mit Blick auf «die große Revolution, die in Anlehnung an Kafka die lateinamerikanischen Autoren eingeleitet haben», geht es in Kehlmanns Sprachkunst «immer um das Spiel mit der Wirklichkeit, um das Brechen von Wirklichkeit». Zu seinen bedrükkendsten Erlebnissen als Schriftsteller gehöre es, betont er in seinen Göttinger Poetikvorlesungen, daß «so etwas in Deutschland einfach nicht verstanden wird».[2] In *Beerholms Vorstellung*, seinem ersten Roman, tritt der Erzähler in ein Traumgebäude ein,[3] und in der Folge berichtet er nirgendwo, daß er die Räume seiner Imagination wieder verlassen hätte. Diese Passage hatten die Rezensenten offenbar «einfach überlesen» und das Buch als realistischen Roman gelobt.[4] In seiner Novelle *Der fernste Ort* sei es «von fast schon aufdringlicher Eindeutigkeit», daß der Protagonist, der anscheinend einen Badeunfall vortäuscht und ein anderes Leben beginnen will, tatsächlich untergegangen ist und alles in seiner Agonie phantasiert. Die Besprechungen waren gut, allerdings berichtete ein Teil von einem realistischen Werk, als das es sich durch seinen Klappentext maskierte.[5]

In den dialogischen Poetikvorlesungen äußert sich Kehlmann deshalb sehr negativ über die Literaturkritik. Als er dann eine weitgehende Inkompetenz der Leseprofis beklagt, fällt er sich selbst ins Wort: Diese Tirade erinnere ihn an jene über die deutsche Bahn. Ein harter Vergleich für die Rezensenten. Auch zuvor ging er mit ihnen schon mehrfach scharf ins Gericht. Der prominent besetzten Kritikerrunde beim Klagenfurter Bachmann-Wettbewerb des Jahres 1990 warf er etwa vor, sie habe angesichts von W. G. Sebalds Erzählung *Paul Bereyter* «auf ganzer Linie» versagt, um danach zu tun, was sie mit ihren Irrtümern eben tue: «nämlich alles zu vergessen».[6]

Doch nirgends hat sich auch nur ein Kritiker an Kehlmanns Kritik gestört. Der *Vermessung der Welt* wurde sogar großes Lob gezollt – sieht man von einigen Einwänden ab und von Nebensätzen, die besonders in österreichischen Medien mitunter den «glatten Bestseller» als Negativvergleich heranziehen oder gar von einem Erlebnismangel eines altklugen Autors sprechen.[7] Evelyne Polt-Heinzl attestiert Kehlmann in seltener Unbedarftheit, er sei «sehr nahe an seinen Figuren dran», er wisse «in jedem Moment, was sie denken, fühlen und sagen». Daß er «die indirekte Rede verwendet, soll erzählerische Distanz signalisieren, ändert aber nichts Prinzipielles».[8] Wie aber kann ein Erzähler «nahe an den Figuren dran» sein und trotzdem die indirekte Rede verwenden? Den «gebrochenen Realismus», die Verweise auf die lateinamerikanische Literatur hat die Rezensentin offenbar nicht verstanden, die eingängigen Überlegungen dazu in *Wo ist Carlos Montúfar?* nicht gelesen. Statt dessen gewichtet sie lediglich mit Hilfe eines Querbeet-Vergleichs: *Die Vermessung der Welt* sei ja nach Hubert

Winkels «nur eine lehrreiche Doppelbiographie», die den Vergleich mit den Kleist-Preisträgern Ernst Jandl und Gert Jonke, deren Œuvre «von einer genauen und innovativen Arbeit an der Sprache» geprägt sei, nicht standhalte: «Da scheint doch ein gewisser Abstand zum diesjährigen Preisträger [Daniel Kehlmann] zu bestehen.»[9]

Die Vermessung der Welt, urteilte dagegen Sebastian Domsch in der *tageszeitung*, sei ein «humorvoller und geistreicher, spannender wie lehrreicher Roman»; die «Vereinigung der empirischen und der rationalen Vermessung der Welt» könne erst der Schriftsteller leisten, indem er «in seiner Einbildungskraft eine eigene poetisch begründete Welt schafft, die die Erklärungsversuche anderer» einbeziehe, und deshalb sei dieser Roman die eigentliche Vermessung der Welt.[10] Ein «Geniestreich», so Martin Lüdke in der *Frankfurter Rundschau*,[11] nicht nur «ein schönes, packendes und spannendes, es ist auch ein großes Buch»; «eine ungemein pointierte, komische, bisweilen ergreifende dramatische Erzählung» (Manfred Schneider in *Literaturen*[12]); und der Autor «ein früher Meister einer auf den ersten Blick konventionellen und dabei doch hochartifiziellen Erzählkunst» (Martin Krumbholz in der *Neuen Zürcher Zeitung*[13]). Es sei «nur einer der vielen Vorzüge dieses in jeder Hinsicht bemerkenswerten Buches», unterstreicht Hubert Spiegel in der *Frankfurter Allgemeinen Zeitung (FAZ)*, daß man «auf so subtile, intelligente und witzige Weise unterhalten» werde wie kaum je in der deutschsprachigen Literatur.[14]

Dieses Lob klingt, als hätten in der deutschen Literaturdebatte die Befürworter eines «Neuen Erzählens» ihr Hauptwerk gefunden. Durch die Auseinandersetzungen über Popularität oder Elitismus der Sprachkunst, die seit ausgerechnet 1989 immer wieder aufflammten, war wohl auch die Rezeption von Kehlmanns Roman vorbereitet worden. Uwe Wittstock brachte 1993 die Meinung der einen Seite auf den Punkt, das Interesse für Literatur sei keine Bringschuld der Leser, es sei von den Autoren vielmehr eine «Leselust» zu fördern. Schließlich habe Schiller ein Vergnügen am Werk als Verdienst der Kunst beschworen, habe Kleist mit dem *Michael Kohlhaas* auch auf eine Sensationslust des Publikums gesetzt. Es sei «heute mehr als legitim, an traditionelle Erzähltechniken anzuknüpfen, wenn der Autor den Erzählton zu aktualisieren versteht».[15] In seiner Laudatio zur Verleihung des Kleist-Preises 2006 an Daniel Kehlmann hebt Wittstock hervor, *Die Vermessung der Welt* sei brillant geschrieben und dramaturgisch meisterhaft gebaut.[16] Die öffentliche Resonanz wertet er als ein Indiz dafür, «wie gründlich sich das literaturkritische Klima hierzulande verändert hat»: Obwohl der Roman «nicht experimentell, nicht in aufdringlicher Weise sprachskeptisch» sei und auch nicht unbedingt mit Erzähltraditionen zu brechen trachte, habe die Kritik ihn mit Begeisterung aufgenommen.

Freilich gab es Einwände und Gegenstimmen, auch in den Leserbrief- und Internetforen. Man müsse Kehlmanns Weltvermessung Respekt zollen, schreibt Hubert Winkels in der Wochenzeitung *Die Zeit*, ja «was die Organisation des reichen Materials angeht, sogar Bewunderung». Und doch fehle es ihm «an literarischem Mut, an Spiellaune, Erfindungsfreude und Gegenwartsbezug».[17] Bei allen Vorzügen vermißt Hubert Spiegel in der *FAZ* «das Ungebärdige, Unvernünftige, Überflüssige, Überschießende» – und dann folgt ein Wort, das seit Jahrzehnten eine Leerformel ästhetischer Selbstbehauptung ist: «das Widerständige». Gerade solche Mangelanzeigen weisen auf des professionellen Lesers eigenen Geschmack als Grundlage seines Urteils zurück.

Wie Gert Ueding 1993 in die deutsche Literaturdebatte einwarf, waren wesentliche Maßstäbe im Rahmen eines weitgehenden sozialen und kulturellen Wandels, der Ausbildung einer bürgerlichen Öffentlichkeit und vor allem in Weimar formuliert worden. Gottfried August Bürger hatte in seinem Essay *Von der Popularität der Poesie* 1789 bekräftigt: «Alle Poesie soll volksmäßig sein; denn das ist das Siegel ihrer Vollkommenheit.» Sie habe ein «lern- *und* lustbegieriges Publikum» zu befriedigen, seien doch Phantasie und Empfindung «die Quellen aller Poesie», von der man niemanden ausschließen solle. Darauf reagierte Friedrich Schiller in aller Schärfe: Populär vermöge nur eine Kunst zu sein, die dem Geschmack der Kenner ebensowenig vergebe wie dem «Kinderverstand des Volkes». Die entscheidende Frage sei, ob der Popularität nichts von der «höheren Schönheit aufgeopfert» worden sei.[18]

Einerseits gehen heutige Maßstäbe und Interpretationsmuster im deutschen Sprachraum auf die philologische Tradition sowie auf den Kanon des 19. Jahrhunderts zurück, andererseits lehnte man bis vor einem guten Jahrzehnt jedwede scheinbar ungebrochene Narration als ein «Erzählen wie im 19. Jahrhundert» ab. Zudem wird weniger publikumswirksame Literatur, deren Anhänger sich mitunter als Verteidiger gegen den «Kommerz» verstehen und zugleich eine Misere der Lesekultur bedauern, oft höher geschätzt als erfolgreiche. Dieser ästhetische Spagat führte dazu, daß Autoren von anderswo für Werke gepriesen werden, die man heimischen Schriftstellern ankreiden würde. Einige Urteile über Daniel Kehlmanns Literatur rühren nicht zuletzt daher, daß ein südamerikanischer «Magischer Realismus» zwar exotisch veranschlagt, jedoch eben als ästhetische Tradition von anderswo gesehen wird und man in der Folge Kehlmanns «gebrochenen Realismus» nicht als solchen und kaum in seiner innovativen Dimension, sondern als ironisch abgewandelte alte Erzählweise versteht.

Anhaltende Wirkung

Die Vermessung der Welt erschien am 23. September 2005. Die Kulturredaktionen reagierten rasch und ausführlich, legte da doch ein anerkannter, erst dreißigjähriger Schriftsteller, der gerade mit *Ich und Kaminski* einen beträchtlichen Erfolg erzielt hatte, ein Buch über zwei Größen der europäischen, insbesondere der deutschen Geistesgeschichte vor. Einem der beiden, Alexander von Humboldt, war zudem infolge der Publikation seines *Kosmos* durch Hans-Magnus Enzensberger im September 2004 die geballte Aufmerksamkeit der deutschen Medien zuteil geworden – just zu der Zeit, als Daniel Kehlmann an seinem Romanprojekt arbeitete, wie er in der *Süddeutschen Zeitung* berichtete.[19]

«Die ‹Doppelbiografie› zweier ‹Popstars› der Wissenschaft, mit Anekdoten gewürzt», untertitelt die Wiener Tageszeitung *Die Presse* die Rezension des Wiener Germanistikprofessors und Kritikers Wendelin Schmidt-Dengler,[20] die auch gleich die Reihe der kleinen Falschmeldungen über das Romangeschehen eröffnet: Humboldt habe auf den Abhängen des Chimborazo «einfach den höchsten Punkt, den er erreicht hat, zum Gipfel» erklärt. Tatsächlich halluzinieren die beiden Höhenbergsteiger, deren Persönlichkeit sich jeweils in drei spaltet und in drei Stimmen spricht, so daß keine allein verantwortlich gemacht werden kann und die Widerrede ebenso gilt wie die Rede: «Man könnte, sagte Bonpland, auch einfach behaupten, man wäre oben gewesen. / Humboldt sagte, er wolle das nicht gehört haben. / Er habe das auch nicht gesagt. Das sei der andere gewesen! / Überprüfen könne es ja keiner, sagte Humboldt nachdenklich. / Eben, sagte Bonpland. / Er habe das nicht gesagt, rief Humboldt. / Was gesagt, fragte Bonpland. / Sie sahen einander ratlos an.» (S. 177 f.) Man fühlt sich an Kehlmanns Urteil über die Bundesbahn erinnert, wenn professionelle Leser derartig irren wie etwa in der österreichischen Zeitschrift *Profil*, wo behauptet wird, daß in der Gaußschen Hochzeitsnacht «an Sex nicht zu denken» sei[21] (wohl springt Gauß aus dem Ehebett auf, um eine Formel zu notieren, dann aber zieht er seine Frau Johanna an sich, und «er hatte keine Scheu mehr, und gegen Morgen kannten sie einander schon so gut, als hätten sie es immer geübt und immer miteinander»,

S. 150), oder in der *Hamburger Morgenpost*, in der zu lesen ist, im Buch träfen «zwei Wissenschaftler der Weimarer Republik aufeinander».[22] Wendelin Schmidt-Dengler zeigt sich jedoch angetan; «gut begründete Vorurteile» gegen die «abgenutzte Gattung» sehe man hier nicht bestätigt. Ein solches Vorurteil war für Kehlmann Anstoß zu seiner Reflexion über den historischen Roman und den «Gebrochenen Realismus». Im Titelessay des Bandes *Wo ist Carlos Montúfar?*, der nur ein paar Tage nach *Die Vermessung der Welt* erschien und von wenigen Rezensenten beachtet wurde, zitiert er einen Assistenten Schmidt-Denglers und dessen im Brustton der Überzeugung geäußerte Meinung, historische Romane seien «unzuverlässig und trivial». Kehlmanns Roman aber, lobt Schmidt-Dengler mit leichter Anspielung auf Robert Musil, lebe von seiner ironischen Scheinauthentizität, und da die Figuren in indirekter Rede sprächen, sei er «ein superbes Beispiel für ein stilvoll praktiziertes Möglichkeitsdenken».

Am selben Tag bringt *Der Standard* eine Besprechung von Franz Haas, die zu Beginn ebenfalls jene Frage stellt, die in kaum einem Rezeptionsdokument fehlt und sich auf ein Merkmal des Romans bezieht, das sicherlich zum Erfolg beigetragen hat: «Darf ein Autor zwei Geistesgrößen in einen Roman packen und dabei flunkern, was das Zeug hält?» Die Antwort folgt im nächsten Satz: Doch, einer, der so schreiben könne, dürfe das. Dabei ahnt Haas eine Debatte aufziehen: «Den Schulmeistern, den Hütern von Tradition, Kanon und Gattung wird *Die Vermessung der Welt* mehrfach suspekt sein»; dem Leser allerdings bereite der «schillernde» Roman ein «beträchtliches Vergnügen aus Philosophie, Wissenschaft, Witz und Abenteuer».[23]

Auch Marius Meller meint im *Tagesspiegel*, das Buch sei ein «veritabler großer Wurf», und die Kritik werde sich Kehlmanns frühere Werke noch einmal vornehmen müssen, nicht als «Vorstufen des hervorragenden neuen Romanes, sondern als Teil eines entstehenden Lebenswerks». Unter den so zahlreichen Rezensionen, die bis Dezember 2005 erschienen, ist jene von Meller eine der auffallend wenigen, in denen ein Hauptthema des Romans zur Sprache gebracht wird: Beide Protagonisten seien auf «kauzige Weise deutsch».[24]

Auf die Rolle der Naturwissenschaften gehen dagegen fast alle Kritiker ein. Hubert Winkels beginnt seine Rezension in der *Zeit* mit dem schwierigen Verhältnis von Literatur und Mathematik sowie theoretischer Physik. Und in der *FAZ* notiert Hubert Spiegel: «Welche Opfer verlangt die Wissenschaft? Warum ist so vielen Genies jedes menschliche Mitgefühl fremd? Was treibt den Forscher wirklich an? Warum sind so viele Söhne genialer Männer die Opfer ihrer Väter? Wo eigentlich liegt der Punkt, an dem das hehre Projekt der Aufklärung in die Entzauberung der Welt umkippte und ihre Bewohner ins Joch von Fortschritt und instrumenteller Vernunft gezwungen wurden?» Große Fragen, die von der Tiefgründigkeit des Romans zeugen, und wieder ein Rezeptionsrätsel – das Erstaunlichste an diesem Werk liege «zweifellos» darin, daß es Leser in seinen Bann schlage, die meinten, keine dieser Fragen interessiere sie sonderlich.

Vermutlich ist eine ganz gewichtige Ursache des Publikumserfolges – und dessen Ergründung wurde Anfang 2006, in der Folge des ersten Platzes auf der *Spiegel*-Bestsellerliste, zu einem Hauptthema der Rezeption –, daß der Roman viele verschiedene Zugänge bietet. Dies legen auch die Kundenrezensionen beim Internetbuchhändler Amazon nahe: 220 waren es Anfang September 2007, im Durchschnitt mit vier von fünf möglichen Bewertungssternen, während Arno Geiger für seinen Gewinnerroman des Deutschen Buchpreises 2005 nur 42 Kundenrezensionen erhielt, Judith Hermann seit 1998 für *Sommerhaus, später* 58.

Auflagen, Übersetzungen, Leserschaft lassen sich mit Zahlen belegen, während man über ursächliche Wertigkeiten mutmaßt und debattiert. Das Publikum für die Popularität, die Experten für die Qualität. Allerdings veränderte sich die Art der öffentlichen Wahrnehmung mit den steigenden Verkaufszahlen. Der Autorname dient nun als Vergleichsgröße, der Titel erhält Signalfunktion, auch in ganz anderen Bereichen. *Die Vermessung der Dinosaurier* steht auf dem Spiegel-Cover am 25. September 2006, und ein Sachbuch über Energiepolitik kommt als *Die neue Vermessung der Welt* in den Buchhandel.

Im Gespräch mit der *FAZ* erklärte Daniel Kehlmann seinen Erfolg damit, daß der Roman auch von vielen Menschen gelesen werde, die sich sonst überhaupt nicht für Gegenwartsliteratur interessieren, und daß er besonders bei naturwissenschaftlich Gebildeten «erstaunlichen Anklang» finde. Es sei ein «Grundirrtum der Medienwelt unserer Tage, daß es für Dinge mit Niveau und Anspruch kein Publikum gebe».[25] Mit diesem «Grundirrtum» geht oft die kulturpessimistische Annahme einher, daß das Unverständliche intelligent und das anscheinend Schwierige kunstvoll, dagegen das scheinbar Zugängliche populär, somit trivial sein müsse. Dieser Elitismus *pro domo* geht auf Kanonphänomene des 19. Jahrhunderts zurück, deutlich ausgedrückt in Goethes Worten über den literarischen «Welthandel»: Es werde sich grenzenlos ausbreiten, was der Menge zusage; deshalb müßten «die Ernsten» eine «stille, fast gedrückte Kirche bilden».[26]

«Eine Million Auflage», titelte das *FAZ*-Feuilleton am 13. Juni 2007, am selben Tag besprach Elmar Krekeler in der *Welt* die Erfolgsgeschichte in ihrer Rätselhaftigkeit. *Die Vermessung der Welt* stille einen Bildungshunger und komme dem «neu erwachten Bildungsbürger» gerade recht.

Der Brombacher-Effekt und das Bildungsbürgertum

Das Deutsche, deutsche Geistesgeschichte seit Kant und der Klassik, deutsche Ordnungsmanie und Zeitumstände, Nationsbildung und Einheitsstreben und deutscher Kolonialismus, das sind Oberthemen der *Vermessung der Welt* wie auch die damit zusammenhängende Nähe von Größe und Lächerlichkeit, Zivilisation und Grausamkeit. «Müsse man immer so deutsch sein», fragt einmal im südamerikanischen Urwald Bonpland seufzend den Abgesandten Weimars in Macondo (S. 80). In Interviews hat Daniel Kehlmann unermüdlich darauf hingewiesen, daß es in seinem Roman nicht zuletzt darum gehe, «was es heißt, deutsch zu sein» (*FAZ*, 9. Februar 2006). Im Ausland werde das Buch «auch als ein Buch über Deutschland gelesen», betonte er im *Spiegel* (5. Dezember 2005), «anders als hierzulande, wo man es vorwiegend als Geschichte zweier Käuze» auffasse. Es gehe um «das Deutschsein» in aller Größe und Komik, antwortete er der *Hamburger Morgenpost* (29. September 2005), die nach dem Gegenwartsbezug gefragt hatte.

In jenen Monaten der Bundestagswahl und der schwierigen Koalitionsbildung, ein knappes Jahr vor der Nationaleuphorie bei der Fußball-WM 2006, hatte man offenbar vom Deutschen genug. Dieser wesentliche Aspekt des Romans wurde meist völlig übersehen. Weder die *Zeit* noch die *FAZ* gingen darauf ein, weder die *Süddeutsche Zeitung*[27] noch die *Frankfurter Rundschau*, nur in knappem Anklang die *Welt*[28] und die *tageszeitung*. Die Zeitschrift *Literaturen*[29] verwies auf die Wissenschaftsgeschichte, der *Rheinische Merkur*[30] auf die europäische Geistesgeschichte.

Der deutsche Gegenwartsbezug also war wenig gefragt, um so mehr die Person des Autors, dessen Lesereise durch Deutschland Jakob Augstein für die *Zeit* (24. November 2005) ein paar Tage lang begleitete. Dabei fiel ihm auf, daß die Mischung aus Komik und Melancholie «die Menschen auf eine merkwürdige Weise glücklich» mache. «Sind Sie ein Wunderkind?» wollte er von Kehlmann wissen. Andere Beobachter stellten die Frage auch: «dieses dann eben doch eher österreichische Wunderkind», formulierte es etwas gewunden Ijoma Mangold in seiner Laudatio zur Verleihung des Candide-Preises an Daniel Kehlmann.[31]

Weniger das wesentliche Oberthema, «das Deutsche», wollten manche Leser bedenken als vielmehr die geschichtliche Exaktheit der Fiktion. Im Roman taucht einmal unvermittelt ein Deutscher aus dem südamerikanischen Unterholz auf, «wie eine Täuschung». Brombacher heißt er. Nach einem kurzen Austausch mit Humboldt will er mit Landsleuten nichts weiter zu tun haben, «Deutsche treffe man ohnehin daheim in Mengen». Auf *Zeit*-online gibt es einen «Kehlmann-Kanal», in dem ein Literaturwissenschaftler diese «wunderlichste» Begegnung Humboldts in der *Vermessung der Welt* verurteilt, sei sie doch historisch «nirgends verzeichnet». Jede Figur, jede Bewegung, jede Mücke auf Historizität zu überprüfen und «Verstöße gegen die Geschichte» zu verbuchen heißt, ein literarisches, somit prinzipiell fiktionales Werk als Geschichtsbuch lesen. Dieser Brombacher-Effekt ist in Leserbriefen und offenen Rezeptionsforen nicht selten. «Man soll sich beim Lügen nicht erwischen lassen», moniert ein anderer im *Zeit*-Kehlmann-Kanal, ein Dritter vermerkt «keine lust auf falsche historie», nur einer beklagt diese Einwände von «überseriösen Deutschen».

Etwas ausführlicher sei an einem Beispiel gezeigt, wie unreflektierte Vorstellungen von «richtiger» Historie die Wahrnehmung der entscheidenden Elemente eines literarischen Textes verhindern können: «Am nächsten Tag fuhren sie in den Rio Negro ein», heißt es in der *Vermessung der Welt.* Auf dem Boot befinden sich Humboldt, Bonpland und die vier Ruderer Gabriel, Mario, Julio, Carlos, die dauernd seltsame Geschichten erzählen. Mario bittet hier, auf dem Rio Negro, den deutschen Forschungsreisenden, er möge auch einmal eine Geschichte beitragen. «Geschichten, wisse er keine, sagte Humboldt und schob seinen Hut zurecht, den der Affe umgedreht hatte. Auch möge er das Erzählen nicht. Aber er könne das schönste deutsche Gedicht vortragen, frei ins Spanische übersetzt.» (S. 128) Es handelt sich um eine historisch grundierte und intertextuell angelegte Problematisierung des Erzählens im Erzählen. Tilman Krause nennt nun in der *Welt* genau und doch auch wieder nicht genau diese Passage eine «hübsche Anekdote» und verändert in seiner Rezension den Kontext, verändert Ort und Stimmung. In seiner Lesart sitzt Humboldt «eines Abends mit Bewohnern der Missionsstation zusammen, in der er und sein Begleiter Bonpland logieren. Der Abend ist heiter, man ist guter Stimmung, und in der Runde kommt der Wunsch auf, Humboldt möge doch etwas erzählen». Möchte Krause eine Gemütlichkeit suggerieren, die der Text keineswegs nahelegt? Humboldt führt auf dem Boot unter anderem drei alte Indianerleichen mit. Im Absatz vor Marios Bitte heißt es: «Aber die Gegenwart der Leichen bedrückte die Ruderer, und selbst Humboldt war bleich und schweigsam. Bonpland hielt die Augen geschlossen. Er befürchte, sagte er, sein Fieber komme zurück. Die Affen schrien in ihren Käfigen, rüttelten an den Gittern und schnitten einander Grimassen. Einer bekam sogar die Tür auf [...].» Krause sei bloß ein Lesefehler unterlaufen, könnte man meinen; aber dahinter steckt mehr.

Am 4. März 2006 meldet sich Krause erneut zum Thema. *Kein Rätsel Kehlmann* titelt die *Welt*: «Natürlich muß man den Autor erst mal in Schutz nehmen», allerdings 450 000 verkaufte Exemplare, das sei «hart an der Grenze zur Anrüchigkeit» (warum sollte es «anrüchig» sein, wenn viele Menschen dieses Buch kaufen?). Der Erfolg lasse sich «ganz gut erklären». Ein historischer Roman sei eben immer eine «verheißungsvolle Basis». Daß Kehlmann diese «Basis» eben nicht als solche einsetzt, sondern – etwa mittels der konsequenten indirekten Rede – ihre Konstruiertheit darstellt, entging dem professionellen Leser. Immerhin habe, hebt er hervor, Daniel Kehlmann keine übliche «Holocaust-Nazizeit-Überlebensgeschichte» vorgelegt. Das 19. Jahrhundert sei sein Thema, und da lägen «nun mal die Maßstäbe für alles, was wir heute als gut und richtig betrachten»; in «jener langen Epoche bürgerlicher Sicherheit» sei die Welt «halbwegs in Ordnung» gewesen. Weiß Krause nichts von den Kriegen, den Revolutionen, dem Polizeistaat, der Zensur, dem Versammlungsverbot, den Exekutionen, dem Antisemitismus, der «sozialen Frage», dem Kolonialismus? Diesem Werk Kehlmanns, meint Krause, werde jedenfalls keine Dauer beschieden sein, es handle sich nur um ein «Zeitgeist-Phänomen». Schon richtig, in heiterer Abendrunde würde Goethes Gedicht auf Spanisch tatsächlich einem leichten Esprit entsprechen. Auf dem Rio Negro aber, auf dem Boot, auf dem der Abgesandte der Weimarer Klassik geraubte Leichen als Forschungsgut mitführt, handelt es sich nicht um eine «hübsche Anekdote». Humboldts Geste und das Gedicht, aufgesagt vor einem fiebrigen Bonpland und vier Ruderern – sie heißen Gabriel (García Márquez), Mario (Vargas Llosa), Julio (Cortázar) und Carlos (Fuentes) –, schlagen vielmehr ein anderes Thema an: Weimar in Macondo.

Auf Krause antwortet das Satiremagazin *Titanic* im Mai 2006: «Es gibt wenig, was viele deutsche Literaturkritiker weniger hassen als ein erfolgreiches Buch», dafür seien sie auf «Leidenschaft und Tiefe» besonders scharf. Eingehender befaßt sich Marius Meller im *Merkur* mit Krauses Ansichten.[32] Der «dezidiert altbürgerliche Kritiker» stoße sich daran, daß es in der *Vermessung der Welt* nicht nur ums deutsche Genie, sondern auch um das «unheilvoll Deutsche» gehe und der Roman ein «subtiles mentalitätsgeschichtliches Mosaik» mit Hinweisen auf den deutschen Nationalismus liefere. Angeregt von Joachim Fests Gesprächsband *Der lange Abschied vom Bürgertum*, spürt Marius Meller dann den Lesern nach, die den «exorbitanten» Erfolg ermöglicht hätten, und entdeckt ein «Symptom der Selbstorganisation und Selbstformierung einer neuen bürgerlichen Schicht», die das «kunst-, geist- oder nationalreligiöse Pathos des alten Bürgertums» hinter sich gelassen habe.

Mellers kritische Auseinandersetzung mit Tilman Krauses Einwänden und seine literatursoziologische Deutung des Erfolgs der *Vermessung der Welt* blieben nicht folgenlos. Als Daniel Kehlmann einstimmig der Literaturpreis der Tageszeitung *Die Welt* zugesprochen wurde, hatte Krause, der der Jury angehörte, jedenfalls seine Meinung geändert: Es handle sich, erklärte nun auch er, um ein «immens gekonntes Erzählwerk», um einen «eminent intelligenten, gleichermaßen witzigen und gelehrten Roman», «um eine Komik, die aufklärt, weil sie auch die Kehrseite von Größe zeigt». Oder waren doch andere Gründe für diesen Sinneswandel ausschlaggebend? «Sobald es einen Hügel gibt, drängen die Menschen hinauf», zitierte Krause aus Kehlmanns erstem Roman *Beerholms Vorstellung*,[33] um anschließend freimütig zu bekennen: «Und so drängen auch wir.»[34]

Die Schattenseite des Erfolgs

Anhand der Rezeption der *Vermessung der Welt* läßt sich beobachten, wie sich in den Medien der Blick auf ein Werk mit dessen Erfolg verändern kann – daß also kaum mehr das Werk, sondern nur mehr der Ruf rezensiert wird. Denis Scheck etwa lobte am 20. November 2005 in seiner Fernsehsendung *Druckfrisch* den «glänzend gebauten Roman» und «überraschend viel Humor». Am 5. Februar 2006 betonte er, es sei der «größte kommerzielle Erfolg der jungen deutschen Literatur seit Jahren», gefolgt vom Einwand, es sei «ein bißchen ein Schweinchen-Schlau-Roman», immerhin «ein gutes Buch». Dann: «Dem Autor gelingt das virtuose Kunststück, beide [Humboldt und Gauß] aufs Podest zu stellen, indem er sie paradoxerweise auf den Teppich holt: ein gutes Buch» (5. November 2006). Weiter: «Der Roman sei wirklich sehr deutsch. Aber er ist auch wirklich sehr gut» (14. Januar 2007). Am 11. Februar 2007: «Über eine halbe Million Exemplare wurden verkauft. Das ist schön, denn es ist ein guter Roman. Aber soll ich Ihnen was verraten? So gut ist er nun auch wieder nicht.» Am

30. Juni 2007: «Ein blendend unterhaltsamer Roman», manchmal allerdings auch «jugendbuchhaft oberschlau». Und am 1. September 2007 schließlich: Das Buch sei «glänzend geschrieben», aber «ein bißchen ein Angeberbuch für Bildungsbeflissene».

Kein Wunder, daß Kehlmann trotz der allgemein so überaus positiven Aufnahme seiner *Vermessung der Welt* die Kritiker als seltsame Spezies zeichnet. Sein Roman *Ich und Kaminski* handelt von einem – wie Kehlmann ihn selbst charakterisierte – «aufdringlichen Kunstkritiker, der früher in der Werbung war, nicht das geringste Interesse an Kunst hat und sein Avancement darauf aufbaut, berühmten Künstlern, vor allem einem alten Surrealisten, so lange auf die Nerven zu gehen, bis diese ihm aus purer Verzweiflung geben, was er will.» Nach Erscheinen des Romans, berichtete er in einer Zeitung, habe er einmal einem Kunstkritiker gegenübergesessen, den man wie seine Hauptfigur charakterisieren könne, der aber nur einen «gräßlichen Kollegen» darin zu erkennen glaubte.[35] Gegen die Beliebigkeit eines Geredes setzt Daniel Kehlmann seine Sprachkunst, einen «gebrochenen Realismus», setzt er: bisweilen Strenge, vor allem Ironie.

Anmerkungen

1 Daniel Kehlmann: Wo ist Carlos Montúfar? Über Bücher. Reinbek bei Hamburg 2007, S. 142.

2 Daniel Kehlmann: Diese sehr ernsten Scherze. Poetikvorlesungen. Göttingen 2007, S. 16.

3 Daniel Kehlmann: Beerholms Vorstellung. Wien 1997, S. 72 f.; im folgenden zitiert nach der überarbeiteten Neuausgabe (Reinbek bei Hamburg 2007), hier: S. 63.

4 Daniel Kehlmann: Diese sehr ernsten Scherze. A. a. O., S. 16–18.

5 Ebd., S. 19 f.

6 Daniel Kehlmann: Der Betriebsschaden. Eine Jury versagt vor dem Ernstfall. In: Frankfurter Allgemeine Sonntagszeitung vom 16. Oktober 2005.

7 Peter Zimmermann: Hölle der Halbtalentierten. In: Österreichischer Rundfunk Ö1, http://oe1.orf.at/highlights/56171.html.
8 Aus der Zeit gefallen. In: Die Furche (Wien), 22. September 2005.
9 Symbolfigur der neuen Erzählergeneration. In: Die Furche (Wien), 23. November 2006.
10 Der Raum im Geist. In: die tageszeitung (Berlin) vom 24./25. September 2005.
11 Doppelleben, einmal anders. In: Frankfurter Rundschau vom 28. September 2005.
12 Vermessene Meßlust. In: Literaturen (Berlin), Oktober 2005.
13 Das Glück – ein Rechenfehler. In: Neue Zürcher Zeitung vom 18. Oktober 2005.
14 Der Schrecken der Welt läßt sich messen, aber nicht bannen. In: Frankfurter Allgemeine Zeitung vom 22. Oktober 2005.
15 Uwe Wittstock: Ab in die Nische? Über neueste deutsche Literatur und was sie vom Publikum trennt. In: Neue Rundschau, Jg. 104 (1993), H. 3. Zit. nach: Uwe Wittstock: Leselust. Wie unterhaltsam ist die deutsche Literatur? Ein Essay. München 1995, S. 27.
16 Abgedruckt in diesem Band, S. 113–126.
17 Als die Geister müde wurden. In: Die Zeit (Hamburg) vom 13. Oktober 2005.
18 Vgl. Gerd Ueding: Massenware oder stille Kirche. Über falsche Alternativen in der deutschen Literatur. In: Neue Rundschau, Jg. 104 (1993), H. 3, S. 36–43, hier: S. 40 f.
19 Daniel Kehlmann: Masochist. In: Süddeutsche Zeitung (München) vom 5. Oktober 2004.
20 Wendelin Schmidt-Dengler: «Die Vermessung der Welt»: Zwei tote Indianer im Gepäck. In: Die Presse (Wien) vom 24. September 2005.
21 Wolfgang Paterno: Feingeist und Grobian. In: Profil (Wien) vom 26. September 2005.
22 Kirsten Schmidt: Die Größe und Komik des Deutschseins. In: Hamburger Morgenpost vom 29. September 2005.
23 Alt, berühmt, ein wenig sonderbar. In: Der Standard (Wien) vom 24. September 2005.
24 Die Weisheit der Wissenslücke. In: Der Tagesspiegel (Berlin) vom 24. September 2005.
25 Abgedruckt in diesem Band, S. 36–46.
26 Zit. nach Gerd Ueding: Massenware oder stille Kirche. A. a. O., S. 37.

27 Ijoma Mangold: Da lacht der Preuße, und der Franzose staunt. In: Süddeutsche Zeitung (München) vom 24. September 2005.
28 Tilman Krause: Geist gegen Leben. In: Die Welt vom 15. Oktober 2005.
29 Manfred Schneider: Vermessene Meßlust. In: Literaturen, Oktober 2005.
30 Henriette Ärgenstein: Treffen der Weltvermesser. In: Rheinischer Merkur vom 17. Oktober 2005.
31 Abgedruckt in diesem Band, S. 95–112.
32 Abgedruckt in diesem Band, S. 127–135.
33 Daniel Kehlmann: Beerholms Vorstellung. A.a.O., S. 7.
34 Tilman Krause: Größe und Komik deutscher Kultur. In: Die Welt (Berlin) vom 6. Oktober 2007.
35 Daniel Kehlmann: Getroffene Kollegen. In: Süddeutsche Zeitung, 3. November 2003.

Ijoma Mangold

Laudatio zur Verleihung des Candide-Preises 2005 an Daniel Kehlmann

Sehr geehrte Damen und Herren,
lieber Daniel Kehlmann,
liebe Mindener,

bitte stellen Sie sich eine Szene vor, eine Dichterszene. Sie ist nicht verbürgt, im Gegenteil, sie ist lediglich imaginiert, aber ich bin sicher: So muß es gewesen sein. In dieser Szene hat sich der Schriftsteller Daniel Kehlmann in seine Schreibstube zurückgezogen, die Tür hinter sich geschlossen und sich über seinen Laptop gebeugt. Große Stoffmengen liegen vor ihm, aber das Sujet ist reizvoll, wenn auch abgelegen. Alexander von Humboldts zweite Entdeckung Amerikas, daran erinnert zwar in Lateinamerika alle hundert Meter ein Gedenkstein, aber im Herkunftsland des großen Naturforschers kennt man eher seinen Bruder, Wilhelm von Humboldt, der die deutsche Universität, diesen einzigartigen Exportschlager des 19. Jahrhunderts, erfunden hat.

Ich stelle mir also vor: Daniel Kehlmann sitzt über diesen Stoffmassen, manchmal ein wenig gequält, denn von narrativer Struktur, von Dramaturgie gar kann bei Humboldts Reiseberichten nun wirklich nicht die Rede sein, Lesevergnügen ist etwas anderes. Aber die Obsession des Sammelns, Messens, Einordnens und Erfassens, die den preußischen Baron auf jeden vereisten Berggipfel und in jede düstere Höhle, durch den Dschungel und über die Flüsse Südamerikas treibt, die gibt doch einen literarisch überaus ergiebigen Charakter ab. Und während Kehlmann diese Figur formt und eine Sprache und einen Ton für sie findet, der sehr komisch ist, so daß – stelle ich mir vor – er selber schmunzeln muß, während er also schmunzelnd über seinem Manuskript sitzt und arbeitet, kommt der Sommer 2004, und erst ist es nur ein Rumoren, das man sich auch einbilden kann, vielleicht ist es nur das Rauschen im eigenen Ohr, aber dann wird das Geräusch unüberhörbar, wie Wellen brandet ein Grollen heran, ja zuletzt scheint es sich explosionsartig auszubreiten, und Daniel Kehlmann richtet seinen Kopf vom Laptop auf und schaut aus dem Fenster heraus und siehe, da draußen, in der Öffentlichkeit, im Blätterwald, in der Medienwelt, da geht doch tatsächlich gerade ein riesengroßes Feuerwerk los, ja, und es ist, kann man das glauben, ein Alexander-von-Humboldt-Feuerwerk. Es ist laut und hell und grell und läßt keinen Winkel aus: Nicht nur die Zeitungen berichten davon, das Nachrichtenmagazin *Spiegel* erhebt Humboldt zum Titel-Helden, Redakteure von *Tagesthemen* und *heute-Journal* berichten mit glühenden Wangen, Talkshows werden zum preußischen Naturforscher ausgerichtet – und das alles, weil Hans Magnus Enzensberger einmal sehr kräftig und ungeheuer effektiv für seine sündhaft teure Humboldt-Edition in der *Anderen Bibliothek* die Werbetrommel rührte, die Muskeln spielen ließ und seinen überragenden Medieneinfluß zur Geltung brachte.

Ich könnte mir vorstellen, daß so eine Situation erst einmal unangenehm für einen Schriftsteller ist. Da ist das Thema, an dem er im stillen und geheimen gearbeitet hat, plötzlich auf dem großen Marktplatz – nur sein eigener Beitrag ist noch im Verborgenen und nicht abgeschlossen. Aber das hat Daniel Kehlmann nicht irritiert. Er hat weitergearbeitet und sich ansonsten erstaunt die Augen gerieben, mit welcher Unterwürfigkeit das Pisa-geschockte Deutschland sich von Enzensberger Humboldt als neue Erzieher- und Erlöserfigur unterjubeln ließ. Für die *Süddeutsche Zeitung* schrieb Kehlmann damals mit herrlich beißender Ironie: «Seit zwei Jahren arbeite ich an einem Roman, der zwar nicht alles, aber viel mit Deutschlands wunderlichstem

Weltreisenden, Alexander von Humboldt, zu tun hat. Großartig, daß Deutschland in diesem liebenswerten, einzigartig humorlosen Mann nun plötzlich einen neuen Heros hat. Jetzt ist also einer, dessen Hauptwerke hundertfünfzig Jahre lang problemlos erhältlich waren, über den Hunderte Bücher geschrieben wurden und nach dem mehr Orte auf dem Planeten benannt sind als nach irgend jemandem sonst, offiziell entdeckt. Selten zeitigte der Umstand, daß man dem Kulturjournalismus so ziemlich alles erzählen kann, ein erfreulicheres Ergebnis.»[1]

Wissen Sie, sehr geehrte Damen und Herren, der Humboldt, der letzten Sommer so penetrant durch die Medien geisterte, und der, der auf den Seiten von Daniel Kehlmanns Buch zum Leben erwacht, sind zwei sehr unterschiedliche Gestalten. Der eine ist wenig mehr als eine erbauliche Phrase, ein Muntermacher, ein Name als Schibboleth, von dem wir meinen, wenn wir ihn oft genug wiederholten, könnten wir die Bildungskatastrophe ungeschehen machen und die deutsche Wissenschaft kehrte dann zu altem Glanz und Gloria zurück. Der andere ist ein Getriebener. Einer, der keine Ruhe findet, für den Wissenschaft wie ein Therapeutikum gegen die eigene Seinsverlorenheit wirkt, weil für ihn erst durch ihre wissenschaftliche Erkenntnis die Dinge ihre volle Realität annehmen und damit wirklich in der Welt sind. Insofern ist der Wissenschaftler ein zweiter Schöpfer. Einmal sagt in Kehlmanns Roman Alexander von Humboldt, als seine kleine Mannschaft bezweifelt, daß die sehr aufwendige Vermessung eines sehr unwichtigen Kanals die Mühe lohne: Und ob, erst dadurch gebe es den Kanal wirklich. Kehlmann schreibt: «Es erfüllte Humboldt stets mit Hochgefühl, wenn etwas gemessen wurde.»[2] Das ist noch sehr zurückhaltend, geradezu entdramatisierend formuliert. Denn dieser Humboldt ist einer, der viele Abgründe um sich weiß und der diese rasch mit Zahlen füllt, damit ihn nicht der Schwindel erfaßt. Das ist, wenn man so will, die tröstliche Seite der Zahlen, Arithmetik als Existenzberuhigung. Doch Zahlen haben auch noch eine andere, eine die Existenz aufstörende, ja diese verstörende Seite, doch davon später.

Das Buch, von dem ich Ihnen erzähle, und von dem ich, wenn ich hier flapsig sein dürfte, sagen würde, es ist ein echter Hammer, nicht mehr und nicht weniger, dieses Buch können Sie, verehrtes Publikum, noch nicht kennen. Es heißt *Die Vermessung der Welt*, erscheint erst im September im Rowohlt Verlag und liegt einstweilen nur als Fahne vor, die zu lesen ich den Vorzug hatte. Sie werden sich also noch vier Monate gedulden müssen, aber ich kann es mir nicht entgehen lassen, hier immer wieder auf die *Vermessung der Welt* zu sprechen zu kommen. Und das nicht nur, weil es ein einzigartig komischer und zugleich einzigartig intelligenter, ein hochspannender und ein überaus anrührender Roman ist. *Die Vermessung der Welt* scheint mir auch in geradezu teleologischer Weise das bisherige Schreiben Daniel Kehlmanns und seine verschiedenen Aspekte zusammenzuführen und zu verschmelzen.

Kehlmann, 1975 in München geboren, aber in Österreich aufgewachsen, wo er auch heute noch, in Wien nämlich, lebt, wo er Philosophie und Literaturwissenschaft studiert hat, dieses dann eben doch eher österreichische Wunderkind, gerade einmal dreißig Jahre alt, hat ja bereits fünf Romane und einen Erzählungsband geschrieben – und von keinem würde man sagen, es handle sich um Jugendsünden oder auch nur um allererste Suchbewegungen. Es sind vollausgebildete Bücher, und deshalb kann man bei sechs solchen Büchern mit Fug und Recht bereits von einem Werk reden. Und dieses Werk nun kennt bestimmte Motive und Fragestellungen, eine bestimmte Sprache, Tonart und Darstellungsweise und ein bestimmtes Erkenntnisinteresse. Im einen Buch wird mal mehr dieses Register gezogen, im anderen dafür jenes. Aber in *Die Vermessung der Welt* sind alle diese Register plötzlich zugleich da. Und man stellt fest: Zusammen tönen sie nur um so voller, sie gehören zusammen, und sie fügen sich so zu einem umfassenden Wohllaut.

Drei Aspekte sind es, an denen ich Ihnen gerne das Werk Daniel Kehlmanns (und damit meine ich jetzt und immerdar: das bisherige Werk, es soll keineswegs endgültig klingen) charakterisieren möchte. Da wäre erstens Kehlmanns Figurenauswahl: Er stellt bevorzugt menschliche Sonderlinge mit sie isolierender Ausnahmebegabung dar, entsprechend spielt ihre Einsamkeit eine ebenso große Rolle wie ihr Weltwille: Denn sie wollen alle etwas wissen, sie wollen etwas erreichen, und dafür gehen sie aufs Ganze. Zweitens und ganz zentral: Kehlmanns Interesse für die Naturwissenschaft. Vielleicht muß man sagen: Für eine Wissenschaft, die an ihren äußersten und radikalsten Punkten in Metaphysik umschlägt – und deshalb mit der Bulmahnschen[3] Welt der Drittmitteleinwerbung, der Standortsicherung, der Juniorprofessur und der Großforschungsgruppe nicht viel zu tun hat. Und drittens – ist das nicht eine bemerkenswerte Kombination? – Kehlmanns erschütterndes Talent für die wohlgesetzte Pointe sowohl wie für generell glucksende Komik. Was, wie immer wieder und vermutlich zu Recht gesagt wird, in deutschen Landen Seltenheitswert hat.

Das sah man schon im frühen 19. Jahrhundert so – wie eine Szene aus der *Vermessung der Welt* festhält: Da fahren Humboldt und sein Mitarbeiter Bonpland zusammen den Orinoko entlang, und die Rede kommt auf den wahnsinnigen Imperator Aguirre: «Dieser traurige Mann habe gar nichts erforscht, sagte Humboldt. Ebensowenig erforsche ein Vogel die Luft oder ein Fisch das Wasser. Oder ein Deutscher den Humor, sagte Bonpland. Humboldt sah ihn mit gerunzelten Brauen an. Nur ein Witz, sagte Bonpland. Aber ein ungerechter. Ein Preuße könne sehr wohl lachen. In Preußen werde viel gelacht. Man solle nur an die Romane von Wieland denken oder die vortrefflichen Komödien von Gryphius. Auch Herder wisse einen guten Scherz wohl zu setzen. Daran zweifle er nicht, sagte Bonpland müde.»[4] Hier weiß auch einer seine Pointen mit schlafwandlerischer Sicherheit zu setzen.

Aber das war nur eine kleine Abschweifung. Denn jetzt möchte ich sie erst einmal mit dem Themenfeld Wissenschaft bei Kehlmann ein wenig vertraut machen. Seit P.C. Snow und damit seit den fünfziger Jahren gibt es ja die Rede von den zwei Kulturen, den Geistes- und den Naturwissenschaften, und es ist viel Klage darüber geführt worden, daß es zwischen ihnen so überhaupt keine Verbindung, keinen Austausch und keinen Dialog gebe. Erst in den neunziger Jahren, so ist zumindest mein Eindruck, ist die Grenze deutlich durchlässiger geworden: Die Kulturwissenschaften machten für ihre eigenen Gegenstände die Evolutionstheorie fruchtbar, umgekehrt suchte die Hirnforschung bei der Sprachphilosophie um Rat, und wissenschaftliche Konzepte wie die Emergenztheorie waren geradezu von ihrer Idee her transdisziplinär. Es hat sich da manches getan – und heute spricht man geradezu von der Dritten Kultur – auch wenn damit meistens nur gemeint ist, daß Frankfurter Feuilletonisten über die sozialen und psychischen Folgen der Nanotechnologie spekulieren.

Gleichwohl: Daniel Kehlmann ist im besten Sinne ein Schriftsteller der Dritten Kultur. Einer, ich kann das selbst gar nicht abschätzen, aber vermute es voller Respekt, der sich in erstaunlicherweise mit Grundfragen und Problemen sowohl der Mathematik wie der Physik auseinandergesetzt hat – und dieses Interesse auf erstaunliche Weise literarisch fruchtbar zu machen versteht. Bevor ich das an einigen Beispielen veranschauliche, lassen Sie mich zu meiner eigenen Absicherung eine kleine Szene aus der *Vermessung der Welt* zitieren, deren nur eine Hauptfigur Alexander von Humboldt ist, die andere hingegen Carl Friedrich Gauß, der größte Mathematiker des Landes, ein völlig exzeptionelles Wunderkind. Der Roman erzählt in Parallelmontage Szenen aus beider Leben, sie korrespondieren auch miteinander – und einmal, in Berlin, treffen sie zusammen. Gelegentlich eines Gesprächs der beiden geht es um Magnetismus und wie man das Magnetfeld der Erde, so Gauß, mit Hilfe der Magnetkraft und des Inklinationswinkels der Nadel beschreiben könne. Er habe, wirft dann Humboldt Beifall heischend ein, immer eine Inklinationsnadel auf seinen Exkursionen bei sich geführt und mit dieser über zehntausend Messungen durchgeführt: «Herr im Himmel, sagte Gauß. Schleppen reiche nicht, man müsse auch denken. Die horizontale Komponente der Magnetkraft lasse sich als Funktion der geographischen Breite und Länge darstellen. Die vertikale Komponente entwickle man am besten in einer Potenzreihe nach dem reziproken Erdradius. Einfache Kugelfunktionen. Er lachte leise. Kugelfunktionen. Humboldt lächelte. Er hatte kein Wort verstanden.»[5]

Wenn ich jetzt über den Themenkomplex Wissenschaft bei Kehlmann rede, so mag es mir manchmal wie Humboldt mit Gauß ergehen. Hätte man besser einen Wissenschaftstheoretiker als Laudator engagieren sollen? Ich glaube nicht, denn schließlich geht es ja um die literarisch-philosophischen Effekte, die sich erzielen lassen, wenn man den Wissenschaftsdiskurs zum Stoff von Literatur macht: Die Wahrscheinlichkeitstheorie, die Statistik, der zweite Hauptsatz der Thermodynamik, die Quantenphysik – dies alles sind im Kontext der Literatur Metaphern für unsere Existenz und das Universum; für sehr literarische und humane Fragen nach Kausalität, Tod, Vergänglichkeit und Unendlichkeit, und nur in diesem metaphorischen Sinne kann ich beanspruchen, ihnen davon zu erzählen. Jetzt muß ich ein wenig ausholen.

Gott, wenn es erlaubt ist, im Einstein-Jahr an dieses zugegeben abgedroschene Zitat zu erinnern, Gott würfelt nicht. Einstein gebrauchte diese Formulierung immer wieder (vor allem in seinem hinreißenden Briefwechsel mit Max Born), um sich gegen die theoretischen Zumutungen, die für ihn von Niels

Bohrs Quantenphysik ausgingen, zu verwahren. In dieser ließen sich bestimmte Effekte der quantenhaften Licht-Absorption und Emission nicht vollständig kausal beschreiben, weshalb ein Moment der Statistik oder der Wahrscheinlichkeit in die Physik sich einmischte. «Der Gedanke», schreibt Einstein an Max Born, «daß ein einem Strahl ausgesetztes Elektron aus freiem Entschluß den Augenblick und die Richtung wählt, in der es fortspringen will, ist mir unerträglich. Wenn schon, dann möchte ich lieber Schuster oder gar Angestellter in einer Spielbank sein als Physiker.»[6] Er, der Entdecker der Relativitätstheorie, wollte am Prinzip strenger Kausalität festhalten. Alles andere wäre nämlich, wie es in einem anderen Brief heißt, mit dem Grundsatz unvereinbar, «daß die Physik eine Wirklichkeit in Zeit und Raum darstellen soll, ohne spukhafte Fernwirkungen». Tatsächlich ist die Physik seit Niels Bohr ein wenig spukhaft geworden, ambivalent, ja man könnte sagen: postmodern.

Gott würfelt nicht: Das meint in einem lebensweltlichen Sinne, daß Gottes Schöpfung, die Welt, der Kosmos, das Universum, nicht das Produkt der wechselhaften und ungerechten Launen des Glücks und des Zufalles ist. Die Welt ist kein Spielcasino. Es heißt auch, gewissermaßen als anthropologische Beruhigungsformel, daß auf die Welt Verlaß ist, weil alles, was der Fall ist, vorhersehbar ist und Gesetzen gehorcht, die immer und ausnahmslos gelten. Es heißt nicht unbedingt, daß die Welt gut ist, es wird ihr aber doch in Sachen Vertrauenswürdigkeit und Beständigkeit ein ordentliches Zeugnis ausgestellt, das ihr, der Schöpfung, auch moralisch zur Ehre gereichen soll. «Du Erde», sagt Faust am Beginn des zweiten Teils der Tragödie, wenn er nach einem langen Lethe-Schlaf (der Gretchen-Jammer ist wie nie geschehen) in der anmutigen Gegend erwacht, die Sonne aufgehen sieht und alles an seinem Ort vorfindet: «Du Erde warst auch diese Nacht beständig.» Eine Schöpfung, die immerzu der Willkür Gottes, seiner gleichsam kindischen Spielsucht ausgesetzt wäre, wäre eben nicht beständig, sie wäre weder berechenbar noch durch vernünftige und jederzeit erneut überprüfbare Aussagen zu beschreiben.

Der deistische Gott, den Einstein hier apostrophiert, würfelt also nicht, sondern hält sich peinlich genau – gleichsam, als ginge es um seine Ehre – an die Naturgesetze, ja letztlich ist er vermutlich sogar mit diesen Naturgesetzen identisch, und insofern Gott das Vollkommene und Widerspruchsfreie schlechthin ist, sind auch die Naturgesetze vollkommen.

Die Welt der Naturwissenschaft ist eine der Rationalität. Durch die Erkenntnisse der Naturwissenschaft wird die Welt klarer, nicht dunkler. Als Typus ist der Naturwissenschaftler entsprechend jemand, der sich nicht nur kein X für ein U vormachen läßt, sondern auch einer, der nicht an Gespenster glaubt, nicht an Wunder und auch nicht an dunkle Mächte. Die Welt, die der Naturwissenschaftler untersucht, ist dort, wo er sie erfolgreich zu erklären vermag, transparent und geheimnislos. Ausdruck dieser Welt ist die Zahl. Zahlen sind, anders als Worte, nicht deutungsbedürftig, haben keinen Hintersinn und eignen sich nicht für Verschwörungstheorien. Die Zahl ist insofern ein Symbol der Vernunft. Was durch Zahlen beschreibbar ist, ist gebannt und verliert seine numinose Macht. Möchte man meinen.

Der Schriftsteller Daniel Kehlmann hat ein großes Interesse für die Mathematik und ein beeindruckendes Wissen von den Naturwissenschaften. Viele seiner Figuren sind Zahlen- und Rechengenies. Aber sie haben sich mit ihrer Begabung bis in Bereiche der Zahlenwelt vorbewegt, wo diese Zahlen plötzlich selber teuflische Grimassen zu schneiden beginnen, als verberge ihr modern-aufgeklärtes, ihr schnörkellos-gläsernes Äußeres nur, daß sie in Wahrheit doch noch die dienstbaren Knechte eines alchimistisch-kabbalistischen Dämons sind und diesem dienen und gehorchen wie Ariel dem Prospero. Daß die Zahlen nicht immer auf der Seite der Vernunft, der Klarheit und der Deutlichkeit stehen, verrät im übrigen vielleicht auch ein Ausdruck wie «Zahlenteufel». Kehlmanns Figuren sind – in je ganz spezifischer Weise, aber dazu kommen wir dann von Fall zu Fall – vom Zahlenteufel besessen.

Und das heißt: Sie verbeißen sich in die Nachtseiten der modernen Naturwissenschaft. In Kehlmanns zweitem Roman *Mahlers Zeit* geht es genau darum. Sein Protagonist ist David Mahler. Vom jungen David sagt seine Lehrerin seinem Vater wütend: «Ihr Sohn, Herr Mahler, ist ... wie soll ich das sagen? Es tut mir leid, er ist ... so eine Art Genie.»[7] Tatsächlich kann er schon von frühen Jahren an ganz unwahrscheinliche Multiplikationen in sehr hohen Zahlenbereichen durchführen. Wenn er den Blick hinauf in den Nachthimmel wendet, dann sieht er da nicht einfach das Firmament, sondern eine ihm exakt vor Augen stehende Anzahl von Sternen. Man könnte sagen: Was für uns Menschen sonst anschauliche Einheitlichkeit ist, das löst sich für ihn unmittelbar in ein Zahlenverhältnis auf. Deshalb ist er beim Fußball, obschon ansonsten unsportlich und übergewichtig, unschlagbar im Tor, er hält jeden Ball, weil er intuitiv die Flugbahnen der Körper im Raum berechnet. Eine traurige Begabung, weil sie ihn dazu verflucht, immerzu die physikalisch-arithmetische Struktur der Dinge statt ihrer lebensvollen Erscheinung zu sehen – wie einer, der hinter der schönen, so artig herausgeputzten Gliederpuppe nur die schnöde quietschende Mechanik aus Federn und Zahnrädern erkennt.

Ist er, dieser hochbegabte Sonderling, mit diesem seinem Ausnahmeblick der Wahrheit näher? Der Roman kreist um einen abenteuerlichen, unheimlichen und zugleich verlockenden Gedanken: Was, wenn die Schöpfung nicht perfekt wäre? Und zwar nicht im moralischen Sinne (das ist sie offensichtlich nicht), sondern im naturwissenschaftlichen. Was, wenn die Schöpfung einen Fehler hätte? Gut versteckt natürlich vor lauter sich protzig zur Schau stellender Makellosigkeit, weshalb noch kein Forscher ihn entdeckte? Ein Fehler, der wie die Achillesferse des Universums wäre: An dieser Stelle ist der Kosmos verwundbar. Und David hätte ihn entdeckt?

«Die alte Regel, dachte er. Die Natur hat keine Lücke. Die älteste Regel. Keine Fugen, keine Sprünge, nirgendwo. Darauf ruht alles. Das weiß jeder.» Doch David hat die Lücke entdeckt. Er hat den Fehler entdeckt. «Denn glauben sie mir», sagt er – mittlerweile Dozent an der Uni – seinen Studenten, die ihm aber ziemlich entnervt und mit verdrehten Augen zuhören, «die Schöpfung enthält Fehler. Gott rechnet, aber ... manchmal rechnet er schlecht.»[8]

Das allerdings hatte Einstein nicht bedacht: Ein sich verrechnender Gott. Das allerdings nimmt dem Universum seine Beständigkeit, seine Härte, Strenge und Unhintergehbarkeit. Der Gedanke ist so unheimlich, weil er zuletzt paradox ist. Er setzt nämlich so etwas wie eine reine Logik voraus, die unabhängig von dem, was der Fall ist, gilt und an der gemessen sich das Universum als fehlerhaft erweisen könnte. Gott rechnet, aber er rechnet falsch.

Und dieser Fehler, und hier wird es jetzt geradezu theologisch und schwindelerregend, dieser Fehler ist unsere Chance. Durch diesen Fehler, so sieht es David Mahler, sind wir gerettet. Oder könnten wir zumindest gerettet werden. Der Fehler, der dem Schöpfer unterlaufen ist, ist nämlich wie ein loser Gitterstab, dank dem der Gefangene seiner Zelle zu entfliehen vermag. Das ist zu erläutern: In einem fehlerfreien Universum gelte der zweite Hauptsatz der Thermodynamik selbstverständlich unbedingt und ausnahmslos. Durch ihn kommt die Zeit ins Universum. Er besagt, daß die Unordnung in einem geschlossenen System nur gleich bleiben oder wachsen kann. Es sei denn, man führt Energie zu. «Ordnung kostet Energie, Unordnung bekommst du von selbst», heißt es in *Mahlers Zeit.*[9] Deshalb ist kein Perpetuum mobile möglich, und deshalb sind, in letzter Konsequenz, die

Dinge und die Menschen sterblich. Der zweite Hauptsatz erklärt die Zeit. Und die Zeit folgt dem Entropiegesetz – das eines der Vergänglichkeit ist.

In einem fehlerfreien und beständigen Universum gibt es keine Flucht aus der Unerbittlichkeit des zweiten Hauptsatzes der Thermodynamik. Aber, und das ist Davids abgründige Entdekkung, weil ein Fehler im System ist, können wir ihn nutzen, um uns dem Geltungsanspruch des Systems zu entziehen, um die Zeit zu überwinden und der Vergänglichkeit zu entkommen.

Dieser Fehler ist naturgemäß ein gut gehütetes Geheimnis. Ein Staatsgeheimnis des Universums, wenn man so will, höchste Sicherheitsstufe, Unbefugten ist der Zutritt streng verboten, wer sich ins Sperrgebiet verirrt, hat mit den härtesten und erbarmungslosesten Gegenmaßnahmen zu rechnen. Ja, David Mahler ist klar, daß sein Wissen um diesen Fehler eine gefährliche Bürde ist. Nie wird das Universum es zulassen, daß man es an seiner Achillesferse packt. Vorher schlägt das Universum zurück, um den zu vernichten, der sich auf seine Spur gesetzt hat. Und so wird aus dem Autisten David Mahler der Paranoiker. *Mahlers Zeit* ist auch ein Roman über den Verfolgungswahn, der in der Wissenschaft stecken kann. Ein Verfolgungswahn im übrigen – und dies ist eine weitere Pointe dieses klugen Buches –, in dem durchaus ein Moment tröstlicher Humanität mitschwingt. Denn die Vorstellung, die Physik selbst könnte ihren Entdecker verfolgen, zeigt vor allem, daß der Mensch die Kälte, Gleichgültigkeit und Seelenlosigkeit des Universums im Innersten nicht aushält. Dann schon lieber Paranoiker sein – da hat man wenigstens ständig Gesellschaft.

Nicht gänzlich der Tyrannei der Naturgesetze unterworfen zu sein, was uns Menschen zuletzt doch zu Sklaven macht, ist ein Motiv, das in fast allen Büchern Daniel Kehlmanns immer wieder auftaucht. In der *Vermessung der Welt* wird es Gauß wörtlich in den Mund gelegt. Sein Sohn nämlich ist vom allgemeinen patriotischen Völkerfrühling auf hochherzig-naive Weise erfaßt, er möchte das Fürstenjoch abschütteln. «Despotie», sagt da der alte Gauß, «Despotie, wenn er das schon höre! Fürsten seien auch nur arme Schweine, die lebten, litten und stürben wie alle anderen. Die wahren Tyrannen seien die Naturgesetze.»[10] Und, können wir ergänzen, der eigentliche Skandal und Stein des Anstoßes dieser Tyrannis der Naturgesetze ist der Tod.

Daniel Kehlmanns Debütroman heißt *Beerholms Vorstellung*. Darin geht es um einen Zauberkünstler. Wer meint, mit einem Zauberkünstler als Protagonisten sei man nun sehr weit entfernt von der Welt der Naturgesetze, der irrt. Im Gegenteil. Auch *Beerholms Vorstellung* ist ein physiko-theologischer Trotzakt. Für die Freiheit und gegen die Notwendigkeit. Und auch da ist die Freiheit des Geistes wieder nur um den Preis des Wahnsinns zu haben. Arthur Beerholm, nach seinen frühesten Erinnerungen befragt, erklärt: «Alle Bilder auf den ersten verblassenden Seiten meines Gedächtnisses zeigen bloß mich, immer nur mich. Oder richtiger: Sie zeigen nicht einmal mich; aber alle Dinge sind überschattet von meiner Anwesenheit, blicken auf mich, sind durch mich, für mich.»[11] Der Mensch ist eben nicht nur geozentrisch, insofern er die Erde gerne ins Zentrum des Alls stellt; er ist auch nicht nur anthropozentrisch, indem er die eigene Gattung für das höchste Ziel der Evolution hält; er ist vor allem egozentrisch, insofern ihm das ganze Universum nur durch sein Bewußtsein zu sein scheint. Daß sich das Universum um ein solches Bewußtsein nicht groß schert, ist eine narzißtische Kränkung, die der eine leichter, der andere weniger leicht wegsteckt.

Wenn jedenfalls einem solchen Bewußtsein wie dem Arthur Beerholms in Kinderjahren eines heiteren Frühlingnachmittags die über alles geliebte Stiefmutter durch einen statistisch zwar möglichen, aber höchst unwahrscheinlichen Blitzschlag entrissen wird, dann kann man sich das entweder wissenschaftlich oder theologisch erklären – und beides tröstet nicht wirklich.

«Ellas plötzlicher Tod», heißt es in *Beerholms Vorstellung*, «ereignete sich in einer Region, in der sich Schicksal, Irrsinn und Statistik auf das Unangenehmste berühren.»[12]

Auch Arthur Beerholm kommt auf dem Gymnasium mit der Zahlenwelt in Berührung. Und die Wirkung ist enorm. Was ist es, was ihn daran geradezu Schauder über den Rücken laufen läßt? Es ist das Irrationale in ihnen, das, was sie mit der Unendlichkeit in Verbindung treten läßt. Es ist die Asymptote, deren Krümmung stetig abnimmt und die doch nie, bis in alle Ewigkeit nicht, die Gerade berühren wird. Und es sind die irrationalen Zahlen, die sich nicht fassen lassen, für die man nur Näherungswerte angeben kann wie für Pi, «eine Drei mit unendlich vielen Stellen hinter dem Komma, und zwar unendlich vielen verschiedenen.»[13] Im Innern der Ziffern, erklärt Beerholm, gibt es etwas, «bei dessen Betrachtung es einem zumute werden kann wie jemandem, der zwischen zwei Spiegeln steht oder von einem hohen Aussichtspunkt in die Tiefe blickt. Glaub mir: Es gibt geringere Ursachen für Alpträume als die Entdeckung, daß im Herz der Mathematik der Keim des Wahnsinns liegt.»[14] Arthur Beerholm wird nach dem Abitur katholische Theologie studieren. Überrascht Sie das? Denken Sie an Pascal! In *Beerholms Vorstellung* lesen wir: «Auf keine Weise kommen wir dem Wunder so nahe wie in Begleitung von Zahlen. Die grauenhafte Unendlichkeit, die uns vom Jenseits trennt, wurde nur vom Auferstandenen überwunden und von der geometrischen Kurve; seltsam und erschreckend der Gedanke, daß sie eins sein könnten …»[15]

Aber das Theologiestudium wird ihm nicht helfen. Und so verläßt er den Orden und wird – Zauberer. Ich möchte hier nicht die sehr mannigfaltige, facettenreiche Geschichte von *Beerholms Vorstellung* nacherzählen, ich möchte nur einige Motive antippen, die sich durch Daniel Kehlmanns Werk ziehen. Als Figur nämlich ist der Zauberer der Naturwissenschaftler, der die Gesetze nicht nur erkennt, der diese sich sogar untertan macht.

«Was bedeutet Magie? Sie bedeutet schlicht, daß der Geist dem Stoff vorschreiben kann, wie er sich zu verhalten hat.»[16] Arthur Beerholm wird zu einem weltberühmten Zauberkünstler, seine Vorstellungen sind schwindelerregend – und selbstverständlich immer ausverkauft. Und wenn ihn jemand nach seinen Tricks fragt, wird er ungehalten. Aber wie sollte man auch wissen, daß die Zauberei für diesen einsamen Menschen das Mittel ist, die Ohnmacht des Subjekts zu widerlegen!

Denn auch für Arthur Beerholm gilt: Das Reich der Notwendigkeit ist demütigend. Freiheit muß auch die von den Naturgesetzen sein. Ist nicht die ganze Welt eine Emanation meines Bewußtseins, fragt sich Beerholm? Und am Ende will er es wissen. Er besteigt einen hohen Aussichtsturm und wird springen: «Wer bin ich, daß ich fallen soll!» Sieben Sekunden wird dieser Sturz – so es einer sein wird – dauern, sieben Sekunden also, sagt sich Beerholm, in denen er überprüfen kann, ob die Naturgesetze tatsächlich blind sind und keinen «Personalausgang» kennen oder ob er tatsächlich der Zauberer sein wird, der das Universum unter sich läßt.

Daß diese Geschichte des Übergangs in ein anderes Leben, in eine höhere Ordnung oder einfach nur ins Nichtsein niemals Teil einer Erzählung sein kann, sagt uns die einfachste Logik. Beerholm kann seine Lebensgeschichte niederschreiben nur, solange er noch nicht gesprungen ist. Was am Ende dieses Sprunges für eine Erfahrung steht, wir werden es nie erfahren. Der Tod ist außerhalb des Daseins.

Ist er das wirklich? Im Grunde schon. Aber es gibt so einen kleinen Schwellenbereich, nicht mehr lebendig, aber auch noch nicht tot, und den zumindest kann die Literatur erkunden, ohne esoterisch zu werden. Daniel Kehlmanns vierter Roman heißt *Der fernste Ort*. Und er beschreibt einen solchen Übergang vom Leben in den Tod. Und es wird Sie nicht überraschen, daß auch in diesem Roman Zahlen und Statistik eine eminente Rolle spielen. Und daß es auch hier einen Sprung gibt, diesmal aus einem Fenster – und soweit ich das abschätzen kann, endet er nicht als Triumph des Geistes über die Gravitation.

Sehr geehrte Damen und Herren! Daniel Kehlmanns Werk ist auf erstaunliche Weise motivisch miteinander verzahnt, und die Gedanken, die er anstößt, könnte man noch ewig, von Werk zu Werk, weiterverfolgen. Ich möchte Sie aber zum Ende meiner Laudatio noch mit einem anderen Aspekt des Schriftstellers Daniel Kehlmann vertraut machen – und der ist nicht weniger charakteristisch für ihn wie sein philosophisch-naturwissenschaftliches Interesse.

Die Komödie ist ja qua definitionem die Gattung, in der der Mensch zu unserem diebischen voyeuristischen Vergnügen immerfort stolpert und stürzt, weil die Materie einfach stärker und härter als der Geist ist und gegen die Glitschigkeit einer Bananenschale kein Kraut der Vernunft gewachsen ist – wenn Sie verstehen, was ich meine, und es vielleicht sogar aus eigener Erfahrung kennen. Die Komödie ist die Gattung der menschlichen Unzulänglichkeit und der die Götter allenfalls erheiternden Selbstüberschätzung. Ja, laß ihn nur springen, werden die Götter über Beerholm gesagt haben. Kehlmanns Figuren stürzen erstaunlich oft – und es ist kein Zufall, daß ihr Erfinder ein ganz außerordentlicher Komödiant ist.

Darf ich Ihnen ein Beispiel geben, das uns auf einen Schlag in eine ganz andere Welt führt? In eine sehr österreichische. Es gibt eine Erzählung von Kehlmann, die den Thomas-Bernhard-Kult in seinem Land auf die Schippe nimmt. Ich möchte Ihnen nur den ersten Absatz vortragen, damit Sie sehen, über welch komödiantisches Talent der Candide-Preisträger verfügt: «Es ist immer erfreulich, wenn ein Lehrer stirbt. Schulstunden fallen aus, Prüfungen werden verschoben, und dem Nachfolger kann man so ziemlich alles darüber erzählen, was man schon durchgenommen habe und was noch nicht. Der Lehrertod kommt unerwartet, unterbricht die Langeweile und bringt alles durcheinander.»[17]

Daniel Kehlmanns fünfter Roman, der sein bisher größter Erfolg war, er erschien 2003 im Suhrkamp Verlag und hat eine Endlos-Serie ihn euphorisch feiernder Kritiken ausgelöst, heißt *Ich und Kaminski. Ich und Kaminski* ist ein neues Genre für Kehlmann, es ist ein komödiantischer Roman – nämlich eine herrlich maliziöse Kunstbetriebsparodie. Dieses Buch zeigt uns Kehlmann plötzlich als geradezu kabarettistischen Beobachter des sozialen Rollentheaters, in dem wir alle stecken. In *Die Vermessung der Welt* wird Kehlmann dann, ich deutete es bereits an, diesen ironischen Komödienton mit seinem Herzensthema Wissenschaft verbinden – und auch das funktioniert fabelhaft. Aber zurück zu *Ich und Kaminski*. Es gehört zu dem zarten Masochismus der Medienbranche, daß wir besonders gerne das feiern, was uns ziemlich unerbittlich durch den Kakao zieht. Denn jenes Ich, das sich im Titel so rücksichtslos nach vorne drängt, ist ein Journalist, ein Kulturjournalist, der über einen einst berühmten, nun in Vergessenheit geratenen Maler der klassischen Moderne, eben den titelspendenden Kaminski, eine Biographie schreiben will, weil er auf dessen baldigen Tod spekuliert – und dann käme er als sein Biograph groß heraus. Entsprechend skrupellos sind Sebastian Zöllners, so heißt der Journalist, Methoden. Als er das erste Mal den hochbetagten, schwer erkrankten und blinden Maler zusammen mit dessen Tochter trifft, erklärt er großspurig: «‹Ich bin ein großer Anhänger Ihres Vaters, seine Bilder haben die Art verändert ... wie ich die Dinge sehe.› ‹Aber das stimmt doch nicht›, sagte Kaminski. Ich begann zu schwitzen. Natürlich stimmte das nicht, aber ich hatte noch nie einen Künstler getroffen, der diesen Satz nicht glaubte.›»[18]

Lieber Daniel Kehlmann, ich bin ein großer Anhänger Ihrer Bücher – das werden Sie mir ja wohl glauben. Lieber Literarischer Verein Minden, Sie haben einen sehr jungen Autor mit dem Candide-Preis geehrt. Ich glaube gleichwohl nicht, daß Sie damit ein großes Risiko eingegangen sind. Sehr lustig und hochintelligent, im Handwerklichen ein großer Könner und von einer geradezu schlafwandlerischen Sprachbegabung – wissen Sie, sehr gehrte Damen und Herren, es gehört nicht viel dazu, die unwiderstehliche Begabung dieses wunderbaren Schriftstellers zu erkennen und zu preisen. Lieber Daniel Kehlmann, ich gratuliere Ihnen von ganzem Herzen zum Candide-Preis.

Anmerkungen

1 Daniel Kehlmann: Masochist. In: Süddeutsche Zeitung vom 5. Oktober 2004.
2 Daniel Kehlmann: Die Vermessung der Welt. Roman. Reinbek bei Hamburg 2005, S. 39.
3 Edelgard Buhlman war von 1998 bis 2005 dt. Bundesministerin für Bildung und Forschung.
4 Ebd., S. 111.
5 Ebd., S. 224.
6 Albert Einstein/Max Born: Briefwechsel 1916–1955. München 1969, S. 128.
7 Daniel Kehlmann: Mahlers Zeit. Frankfurt am Main 1999, S. 51.
8 Ebd., S. 98.
9 Ebd., S. 31.
10 Daniel Kehlmann: Die Vermessung der Welt. A. a. O., S. 219 f.
11 Daniel Kehlmann: Beerholms Vorstellung. Wien 1997, S. 8. Zitiert wird im folgenden nach der überarbeiteten Neuausgabe (Reinbek bei Hamburg 2007, hier: S. 8).
12 Ebd., S. 15.
13 Ebd., S. 56.
14 Ebd., S. 58.
15 Ebd., S. 181.
16 Ebd., S. 40.
17 Daniel Kehlmann: Loden. In: Süddeutsche Zeitung vom 7. Februar 2004.
18 Daniel Kehlmann: Ich und Kaminski. Frankfurt am Main 2003, S. 23.

Uwe Wittstock

Die Realität und ihre Risse

Laudatio zur Verleihung des Kleist-Preises 2006
an Daniel Kehlmann

In einem seiner Essays erzählt Daniel Kehlmann von dem Dozenten Dr. S., dem er als junger Student an der Universität begegnet ist. Dr. S. war ein trauriger Mensch, der nur ungern las, der aber in literaturtheoretischen Fragen über sehr klare und krisenfeste Ansichten verfügte. Historische Romane solle man, erklärte er in seinem Seminar, als Germanist besser meiden, sie seien allesamt «unzuverlässig und trivial», letztlich also minderwertig. «Alle?» fragten die Studenten zurück. «Alle, antwortete Dr. S. Man lebe im Heute, und wer sich anderen Zeiten zuwende, verfalle dem Eskapismus.»[1]

Sicher, es wäre heute ein leichtes, sich über Dr. S. lustig zu machen, zumal einige der denkwürdigen deutschen Romane der jüngeren Zeit historische Romane waren, wie Sten Nadolnys *Entdeckung der Langsamkeit*, Patrick Süskinds *Parfum* oder Christoph Ransmayrs *Letzte Welt*. Doch damals, als diese Bücher erschienen, hätte Dr. S. mit seinem sehr pauschalen Urteil meiner Erinnerung nach keineswegs allein gestanden. Schließlich ist es gar nicht so lange her, als hierzulande von Literatur zuallererst erwartet wurde, sie habe innovativ zu sein. Oder experimentell. Oder sprachskeptisch bis hart an den Rand des Verstummens. Es war eine Zeit, in der die Doktrinen einer historisch gewordenen literarischen Moderne von vielen Kritikern noch immer brav und ohne viel Federlesens nachgebetet wurden. Glaubte man an das, was in ihren Rezensionen zu lesen war, dann gehörte es nach wie vor zu den vornehmsten Pflichten eines Schriftstellers, mit allen literarischen Traditionen zu brechen (zum Beispiel mit denen des historischen Romans) und die vermuteten Erwartungen der Leser nach Kräften wahlweise zu irritieren oder bloßzustellen, unbedingt aber zu enttäuschen. Und keinesfalls durfte ein Autor sich dabei ertappen lassen, neben seinen, oder genauer: in eins mit seinen ästhetischen Strategien das Ziel zu verfolgen, möglichst unterhaltsam, möglichst anziehend und zugänglich, also möglichst publikumswirksam zu schreiben. Denn der Verdacht, er habe sich von der Unterhaltungsindustrie korrumpieren lassen und stricke munter fort am universalen Verblendungszusammenhang, konnte für seine weitere literarische Karriere tödlich sein. So schnell kam man damals von ästhetischen Fragen zu politischen Antworten. Wohlgeordnete Zeiten.

Doch das ist, habe ich den Eindruck, inzwischen Vergangenheit, derart dogmatische Antworten wie von Dr. S. bekommt man nur noch selten. In unserer Literaturkritik hat sich während der letzten zehn, zwölf Jahre manches verändert, die Einsicht, daß literarisches Heil nicht allein nach dem Katechismus der Moderne zu erlangen ist, sondern auch auf anderen Wegen, wird allmählich immer selbstverständlicher. Denn schließlich kann die Forderung nach permanenter literarischer Innovation heute, in einer Phase rabiater technisch-ökonomischer Innovationsschübe, weder große Originalität für sich in Anspruch nehmen, noch birgt sie ein nennenswertes zeitkritisches Potential. Zudem ist es wohl keine Überraschung, wenn eine Literatur, die sich einer verschärften medialen Konkurrenz ausgesetzt sieht und händeringend um jeden Leser kämpft, nach ästhetischen Konzepten Ausschau hält, die es nicht als zentrale Aufgabe betrachten, Leser zu enttäuschen. Und schließlich sollte sich niemand wundern, wenn eine Gesellschaft, die mit Entsetzen registriert, in welchem Tempo bei vielen ihrer Bürger selbst die Erinnerung an elementare kulturelle Traditionen schwindet, darüber nachzudenken beginnt, ob nicht vielleicht das anhaltende traditionsfeindliche Trommelfeuer der Moderne zu diesem Gedächtnisschwund beigetragen haben könnte.

Als ein Indiz dafür, wie gründlich sich das literaturkritische

Klima hierzulande verändert hat, darf man auch die öffentliche Resonanz auf Daniel Kehlmanns jüngsten Roman *Die Vermessung der Welt* betrachten. Denn der ist all das nicht, was einst als unverzichtbar galt: Er ist nicht experimentell, nicht in aufdringlicher Weise sprachskeptisch und versucht nicht um jeden Preis mit lang gepflegten Erzähltraditionen zu brechen. Selbst die formalen Finessen des Romans, wie zum Beispiel seine konsequente Vorliebe für die indirekte Rede, werden vom Autor nie als spektakuläre Innovation in den Mittelpunkt gerückt, sondern sie dienen immer zugleich dazu, komische Effekte zu erzielen, also den Leser zu amüsieren. Kurz: Der Roman ist brillant geschrieben, dramaturgisch meisterhaft gebaut, schon deshalb höchst unterhaltsam und nachweislich enorm publikumswirksam. Dennoch wurde der Roman nicht nur bei zahllosen Lesern, sondern auch bei den Kritikern mit Begeisterung aufgenommen, von, soweit ich weiß, einer einzelnen, in ihrer Halsstarrigkeit schon wieder sympathischen Ausnahme abgesehen, die dem Buch – Dr. S. läßt grüßen – mangelnden «Gegenwartsbezug»,[2] also letztlich Eskapismus vorwarf.

Doch überzeugend ist dieser Vorwurf nicht. *Die Vermessung der Welt* erzählt von der Zeit eines geistigen Umbruchs, von der Konfrontation zweier sich grundlegend widersprechender Weltsichten, und natürlich erkennt man schon deshalb in der Geschichte des Buches zahllose Züge unserer Gegenwart wieder. Kehlmann stilisiert seinen Alexander von Humboldt zu einem zukunftsfrohen Aufklärer, der sein Leben mit erschreckender Emsigkeit und Willenskraft auf das Ziel reduziert, ungeheure Mengen von Meßergebnissen anzuhäufen. Hinter seinem Wunsch, die Natur zu erforschen, steht gut sichtbar der Drang, die Natur zu beherrschen – nicht zuletzt auch seine eigene Natur, er ist geradezu ein Monstrum an Selbstbeherrschung, ja Selbstverleugnung. Zweifel, seine wissenschaftlichen Ziele zu erreichen, kennt er nicht, zumindest könnte das Resümee, das er auf dem Berliner Naturforscherkongreß von 1828 zieht, optimistischer kaum sein: Bald schon, so kündigt er an, werde der Kosmos «ein begriffener sein, alle Schwierigkeiten menschlichen Anfangs, wie Angst, Krieg und Ausbeutung, würden in die Vergangenheit sinken [...]. Die Wissenschaft werde ein Zeitalter der Wohlfahrt herbeiführen, und wer könne wissen, ob sie nicht eines Tages sogar das Problem des Todes lösen werde.»[3]

Der satirische Reiz solcher Prophezeiungen rührt nicht nur daher, daß wir heute, knapp 180 Jahre später, gut überblicken können, wie gründlich sie die Realität verfehlten, und uns zugleich vielleicht erinnert fühlen an die vollmundigen Ankündigungen mancher Genforscher unserer Tage, die behaupten, mit der Entschlüsselung des menschlichen Chromosomensatzes die letzten Geheimnisse des Lebens gelüftet zu haben. Nein, Humboldts Resümee wirkt auch deshalb so komisch, weil Kehlmann zuvor gezeigt hat, wie unbekannt sich dieser unermüdliche Forscher selbst geblieben ist – und außerdem wie unerkennbar für andere: Kein Wahrsager, kein buddhistischer Lama, nicht einmal seine engsten Freunde können sagen, wie es im Innersten um ihn steht.[4] Denn über alles, was nicht zu seinem Idealbild eines Klassikers der Wissenschaft paßt, also über die manischen, fast wahnhaften und oft zerstörerischen Aspekte seiner Arbeit, geht Humboldt blind hinweg. Ja selbst seine düsteren Bruderkonflikte oder sein offenkundiges sexuelles Elend scheint er gekonnt zu übersehen und die entsprechenden seelischen Energien in seine Forschungsarbeit umzuleiten. Mit anderen Worten: Humboldt gelingt es, von der Welt konsequent nur das wahrzunehmen, was sich seinen Vorstellungen von der Welt fügt – und ist sich schon deshalb sicher, ein Weltbild von perfekter Harmonie entwerfen zu können.

Aus Carl Friedrich Gauß wiederum macht Kehlmann eine radikale Kontrastfigur zu diesem weitgereisten, gesellschaftlich gewandten Humboldt. Nicht allein weil sein Gauß so ungern reist, politisch vollständig desinteressiert ist und über so beeindruckend wenig soziale Intelligenz verfügt. Sondern vor allem weil Gauß frühzeitig durchschaut, daß die Welt zwar vermeßbar, aber deshalb noch lange nicht begreifbar ist.[5] Er erkennt, daß die Gesetze der Geometrie, wie sie Euklid formulierte, mit den Gesetzen des objektiven, physikalisch existierenden Raums nicht übereinstimmen. Das ist für ihn derart bestürzend, daß er sogar die qualvolle Reise nach Königsberg auf sich nimmt, um seine Überlegungen im Gespräch mit Kant zu überprüfen, der die euklidische Geometrie in seiner Erkenntnistheorie nicht zufällig zu den unverzichtbaren Voraussetzungen des Denkens zählt. Doch Kant ist senil geworden und nicht ansprechbar. So bleibt Gauß allein mit seinem heute vielfach bestätigten, aber noch immer schwer begreifbaren Wissen und bleibt allein auch mit seiner tiefen Melancholie, weil, wie er sagt, «die Welt sich so enttäuschend ausnahm, sobald man erkannte, wie dünn ihr Gewebe war, wie grob gestrickt die Illusion, wie laienhaft vernäht ihre Rückseite.»[6]

Gauß war einer der ersten Forscher, der mit mathematisch-physikalischen Mitteln zeigen konnte, daß Humboldts übersichtliches und so adrett gegliedertes Weltbild nur eine freundliche Täuschung war. Doch er blieb nicht der einzige. Von Darwin wird diesem Weltbild wenig später aus biologischer Sicht, so schreibt Kehlmann in einem Aufsatz, der «vernichtende Stoß zugefügt. Und weitere folgten: von Freud, von Einstein, von Gödel, schließlich von den Theoretikern der Quantenphysik, unter deren mitleidlosem Blick sogar die Kausalität selbst zu einer frommen Illusion werden sollte.»[7]

Man darf also die Konfrontation von Humboldt und Gauß in Kehlmanns Roman als durchaus exemplarisch verstehen. Das Buch beschreibt am Beispiel dieser Gegenüberstellung, wie die moderne Naturwissenschaft das alte Wunschbild eines durchschaubaren, wohlgeordneten Kosmos zerstört und statt dessen nachweist, daß der Mensch in einer chaotischen Welt lebt, die seinen Denkkategorien widerspricht, daß er sich nur als das zufällige Produkt blinder biologischer Prozesse betrachten darf und daß ihm nur wenig oder gar kein Spielraum mehr für eine religiöse Zuflucht bleibt. Wie man einen solchen Roman heute, also in einer Zeit, die fast täglich von Kontroversen zwischen westlich-aufklärerischem und religiös-fundamentalistischem Denken erschüttert wird, als eskapistisch bezeichnen und ihm mangelnden Gegenwartsbezug vorhalten kann, ist mir ein Rätsel.

Natürlich läßt sich einwenden, daß vieles von dem, was Kehlmann schreibt, nicht den historischen Tatsachen entspricht. Der Roman ist mit Sicherheit nicht authentisch. Authentizität – auch dies, Sie erinnern sich, ein Begriff, der einmal, während der Jahre der Neuen Subjektivität, in der deutschen Literaturkritik in hohen Ehren stand, obwohl doch nicht zu übersehen ist, daß jede literarische Darstellung in ihrem Kern immer fiktiv bleibt und also schwerlich authentisch sein kann. «Wer eine Geschichte ‹wahr› nennt», heißt es bei Nabokov, «beleidigt Kunst und Wirklichkeit zugleich».[8] Aber das nur nebenbei. Kehlmann setzt nicht auf Authentizität, sondern auf rigorose Künstlichkeit, er schreibt keine Romanbiographie, sondern einen Roman. Die belegbaren Daten und Fakten aus dem Leben seiner Helden geben ihm nur so etwas wie einen Grundrhythmus vor, den er dann für seine Geschichte sehr frei variiert. Natürlich ging – um nur ein paar wenige Beispiele zu nennen – die Rivalität zwischen den Brüdern Humboldt nicht so weit, daß der ältere dem jüngeren nach dem Leben trachtete, natürlich spielte der Franzose Bonpland bei der Amerika-Expedition keine so bedeutende Rolle wie im Roman, und natürlich hat Alexander von Humboldt während des Naturforscherkongresses keine spiritistische Sitzung besucht.[9] Ebenso ist Gauß weder jemals mit einem Heißluftballon gefahren noch zu Kant nach Königsberg gereist, noch war er ein so übellauniger Polterer wie bei Kehlmann, sondern, wenn man seinen Biographen trauen darf, ein «höflicher» Gelehrter, ja ein «wirklicher Weltmann».[10]

Aber hinter diesem freizügigen Umgang mit verbürgten Überlieferungen steckt weder Fahrlässigkeit noch der modische Mutwille eines Autors, der ohne jedes historisches Gespür, wie es in Kehlmanns Roman selbstironisch heißt, «seine Flausen an die Namen geschichtlicher Personen»[11] heftet. Dieses Verfahren hat vielmehr eine lange Tradition, es ist ein jahrhundertealtes Gewohnheitsrecht der Literatur: Schillers «Jungfrau von Orléans» hat wenig mit dem Schicksal der Jeanne d'Arc zu tun, Goethes «Egmont» kaum etwas mit dem tatsächlichen Grafen von Egmond, und daß die Schlacht von Fehrbellin einen anderen Verlauf nahm, als sie Kleist in seinem *Prinz Friedrich von Homburg* geschildert hat, ist weithin bekannt. Gerade weil Kehlmann nicht sklavisch am historischen Material klebt, gerade weil er dieses Material nach den kompositorischen Notwendigkeiten seiner Geschichte energisch durchknetet und modelliert, wird aus dem Buch mehr als eine Dokumentation und Illustration historischer Quellen, sondern eben ein sehr aktueller Roman eigenen Rechts und eigener Wahrheit.

Wer will, kann Kehlmanns Buch in formaler Hinsicht durchaus als Provokation verstehen. Es ist ein Roman, der die Demontage des traditionellen, vormodernen Weltbilds durch moderne naturwissenschaftliche Erkenntnisse beschreibt, dabei aber nicht auf dezidiert moderne literarische Mittel, sondern auf vergleichsweise traditionelle Erzählmuster zurückgreift. Läßt sich so etwas überhaupt ästhetisch rechtfertigen? Schließlich waren es unter anderem die revolutionären Erkenntnisse der Naturwissenschaftler, durch die sich manche Schriftsteller der Moderne zu ihren literarischen Neuansätzen genötigt sahen. Von Brecht[12] bis Broch,[13] von Musil[14] bis Kracauer[15] (und später dann von einigen Autoren des nouveau roman bis hin zu denen der Konkreten Poesie, ja bis hin zu Oskar Pastior) unterzogen sie die vorhandenen künstlerischen Ausdrucksmittel auch deshalb einer so einschneidenden und traditionsskeptischen Revision, weil sie überzeugt waren, daß die Literatur sonst hinter den Kenntnisstand der Bewußtseinswende durch Relativitätstheorie und Quantenphysik zurückfallen würde.[16]

Christa Wolf hat, um ein konkretes Beispiel zu nennen, diese Gedanken dann während jenes späten und weitgehend unkritischen Nachhalls, den die moderne Literaturtheorie bis vor wenigen Jahren in der deutschen Literatur fand, noch einmal nachvollzogen. In ihren Augen ist die klar strukturierte Romanfabel mit präzise umrissenen Figuren letztlich ein Produkt der vormodernen Himmelsmechanik Newtons. «Feste Objekte», schrieb sie, «bewegen sich fortgesetzt auf berechneten Bahnen und wirken nach berechenbaren Gesetzen aufeinander ein: abstoßend und anziehend, zuweilen auch, bei Himmelskatastrophen, zerstörend.»[17] Doch da unser Verständnis von Raum und Zeit über diese simple Vorstellung hinausgegangen ist, müssen wir Christa Wolfs Meinung nach auch die gewohnten Vorstellungen von einer Romanfabel hinter uns lassen. Das klingt zunächst logisch und sehr gewichtig. Aber genau betrachtet, ist es weder das eine noch das andere. Denn zum einen erlebte die Romanfabel ihre Hochblüte keineswegs zu der Zeit Sir Isaac Newtons, sondern viel später, als man über die Unzulänglichkeiten der klassischen Mechanik längst gut informiert war. Zum anderen nimmt keineswegs jeder Roman, der einer nach traditionellen Mustern gebauten Fabel folgt, deshalb automatisch für sich in Anspruch, den Lesern eine in jeder Hinsicht verläßliche Darstellung gesellschaftlicher oder auch psychologischer Gegebenheiten zu liefern. «Erzählen, das bedeutet», wie Kehlmann schreibt, «einen Bogen spannen, wo zunächst keiner ist, den Entwicklungen Struktur und Folgerichtigkeit gerade dort verleihen, wo die Wirklichkeit nichts davon bietet – nicht um der Welt den Anschein von Ordnung, sondern um ihrer Abbildung jene Klarheit zu geben, die die Darstellung von Unordnung erst möglich macht.»[18]

Gerade dieser Punkt läßt sich an Kehlmanns *Vermessung der Welt* problemlos demonstrieren. Die Illusion, der Roman wolle beschreiben, was sich während Humboldts Expedition tatsächlich abgespielt hat, kann sich nur bei sehr leichtgläubigen, oberflächlichen Lesern einstellen: Denn kaum daß in dem Buch irgendein klassisch klingender Satz wortwörtlich mitgeteilt wird, den der Roman-Humboldt in einem Brief oder einer Notiz niederschreibt, wird kurz darauf hinzugefügt, daß unglücklicherweise gerade eben dieser Brief oder jene Notiz vernichtet wurde, also den Biographen und der Nachwelt unwiederbringlich verlorenging. Wer unter solchen Umständen Kehlmanns Geschichte für bare Münze nimmt und ihr gläubig folgt, tut das auf eigene Verantwortung. Jedes in Anführungsstriche gesetzte vorgebliche Zitat in dem Roman ist, wie Kehlmann in einem Interview sagte, frei erfunden, und im Gegenzug hat er all das, was er aus historischen Quellen in sein Buch übernahm, als Zitat nicht kenntlich gemacht.[19] Er siedelt seinen Roman auf diese Weise in einem eigentümlich schwebenden, schwer festlegbaren Reich an, das irgendwo zwischen Fiktion und Fakten beheimatet ist, zwischen dreister Behauptung und historischer Rekonstruktion, zwischen glatter Lüge und klugem Kommentar. Die Vermessung dieser (Roman-)Welt, oder zumindest ihre exakte Ortsbestimmung zwischen den Polen Dichtung und Wahrheit, bleibt dem Leser selbst überlassen. Kehlmann scheint in seinem Roman auf den ersten Blick eine glaubwürdige Geschichte über historische Figuren zu erzählen, beginnt dann aber deren historische Glaubwürdigkeit systematisch zu unterminieren, er entwirft sein Bild gesellschaftlicher Realitäten, stellt es aber nie als Gewißheit hin, er belehrt oder bevormundet seine Leser nicht, sondern drängt sie immer wieder dazu, sich Rechenschaft darüber abzulegen, wie weit sie sich dem Buch und seinem Autor anvertrauen wollen oder eben nicht.

Daniel Kehlmann gehört heute mit Anfang Dreißig zu den reifsten deutschsprachigen Autoren nicht nur seiner Generation. Und das keineswegs erst seit der *Vermessung der Welt*. Schon sein Debüt *Beerholms Vorstellung* und *Ich und Kaminski*, beides zutiefst kunstskeptische Künstlerromane, zeigten sein außergewöhnliches Talent. Ihn treiben, soweit ich sehen kann, in seinen Büchern einige recht fundamentale und naturgemäß völlig unbeantwortbare Fragen um. Die Frage nach der rätselhaften Natur der Zeit zum Beispiel, die bei ihm mal stockt,[20] mal sich dehnt,[21] die mitunter unscharf oder verzerrt wird,[22] manchmal vor und zurück springt[23] oder sogar ganz aufhört.[24] Oder die Frage nach der rätselhaften, tödlichen Willkür eines chaotischen Kosmos, die er in seinen Romanen gern in Form von Gewitterstürmen vorführt, die den Figuren ihre Ohnmacht demonstrieren.[25] Oder die Frage nach der rätselhaften Unendlichkeit im Endlichen, die manche von Kehlmanns Figuren entdecken, weil sie eine Zahl durch Null zu teilen versuchen[26] oder weil sie zwischen zwei Spiegel treten, die einander gegenüberstehen und so Reflexionsschächte bis ins Bodenlose werfen,[27] oder die – wie Gauß – begreifen, daß Parallelen sich durchaus im Diesseits des physikalischen Raumes schneiden.

Natürlich muß man als Kritiker bei einem so jungen Schriftsteller wie Kehlmann vorsichtig sein. Schon jetzt die spezifischen Qualitäten seiner Arbeit auf den literaturkritischen Begriff bringen zu wollen erinnert ein wenig an den Versuch, ein Auto probezufahren, während sein Konstrukteur noch im Begriff ist, es zusammenzuschrauben. Die Wahrscheinlichkeit, dabei eine gute Figur zu machen, ist nicht sonderlich groß. Deshalb zum Abschluß hier nur eine recht vorläufige Beobachtung: Die Welt in Kehlmanns Geschichten wird, so scheint mir, von der Wissenschaft und von der Magie gleichermaßen beherrscht, sowohl vom kalten Kalkül wie von der Erfahrung, daß dieses Kalkül sehr rasch an seine Grenze stoßen kann. Kehlmann breitet vor seinen

Lesern eine entzauberte, rundum erforschte, eine vermessene Wirklichkeit aus und zeigt ihnen zugleich, daß diese Wirklichkeit wie ein Käse durchlöchert ist vom Geheimnisvollen, Mysteriösen, vom Unerforschlichen. Eine vergleichbare literarische Leidenschaft für das Unfaßliche inmitten des Gewöhnlichen, für den Einbruch des unbegreiflich Wunderbaren oder unbegreiflich Grauenvollen in den Alltag ist mir vor allem im magischen Realismus lateinamerikanischer Erzähler wie Borges oder García Márquez begegnet.[28] Doch Kehlmann gründet seinen magischen Realismus stärker noch als Borges auf naturwissenschaftliche Fundamente. Er holt so einen literarischen Export, der seinerzeit von Europa ausging und sich auf dem von Humboldt erforschten Kontinent entfaltete, nach Europa und in die europäischen Denktraditionen zurück.

Manchmal gibt Kehlmann jenem Unbegreiflichen absichtvoll einen Drall ins Grotesk-Komische: Wenn er seinen Humboldt kurz hinter Teneriffa ein Seeungeheuer sichten läßt oder über dem Orinoko eine Art fliegende Untertasse, wenn ein Matrose, der über Bord springt, erst wie eine Comic-Figur sekundenlang in der Luft zappelt, bevor ihn die Gravitation zu fassen kriegt, oder wenn Kehlmann seinem Gauß in einem paradiesischen Gärtchen sogar eine Audienz bei Gott höchstpersönlich gewährt, der in diesem Roman die Gestalt eines niedersächsischen Grafen angenommen hat. Doch dann wieder läßt Kehlmann keinen Zweifel daran, wie finsterernst es ihm mit diesem Thema ist. Wer seine Bücher liest, kann leicht auf die Idee verfallen, daß unser Verstand nicht sonderlich gut paßt zu dem, was wir verstehen müssen, und daß die Risse in der Realität uns nur zu leicht verschlingen können. Je tiefer Kehlmanns Gauß in die Rätsel der Welt vordringt, desto undurchschaubarer, heilloser, desto grausamer erscheint ihm diese Welt. «Lieber der Tod als ein solches Leben»,[29] hat der historische Gauß an den Rand eines seiner Manuskripte gekritzelt. Und diese Verzweiflung blieb, um das zum Schluß noch kurz hinzuzufügen, auch Kleist nicht erspart. Als Kleist, der mit Gauß das Geburtsjahr 1777 teilt, durch Kants Erkenntnistheorie zu begreifen begann, wie unzuverlässig unser Wissen über die objektive Welt ist, fühlte er sich um jedes Lebensziel, jeden Lebenssinn betrogen, und ihn erfüllte, wie er schrieb, eine «glühende Angst».[30] Sicher, Kehlmanns Roman schert sich oft nicht sehr um historische Tatsachen. Doch die emotionale Erschütterung, die von der ideengeschichtlichen Wende jener Epoche bis heute ausgelöst wird, fängt er so präzise ein, daß wir darin eben nicht nur Gauß, sondern genauso den Zeitgenossen Kleist wiederfinden können. Schon das ist in meinen Augen hoher literarischer Ehren wert, und um so mehr einer literarischen Ehrung, die den Namen Kleists trägt.

Anmerkungen

1 Daniel Kehlmann: Wo ist Carlos Montúfar? Über Bücher. Reinbek bei Hamburg 2005, S. 11.
2 Hubert Winkels: Als die Geister müde wurden. In: Die Zeit vom 13. Oktober 2005, S. 14.
3 Daniel Kehlmann: Die Vermessung der Welt. Roman. Reinbek bei Hamburg 2005, S. 238 f.
4 Ebd., S. 125, S. 286, S. 197.
5 Ebd., S. 220.
6 Ebd., S. 59.
7 Charles Darwin: Die Fahrt der Beagle. Mit einer Einleitung von Daniel Kehlmann. Hamburg 2006, S. 15 f.
8 Vladimir Nabokov: Die Kunst des Lesens. Meisterwerke der europäischen Literatur. Frankfurt am Main 1982, S. 30.
9 Vgl.: Douglas Botting: Alexander von Humboldt. Biographie eines großen Forschungsreisenden. München 1974; Herbert Scurla: Alexander von Humbold. Eine Biographie. Frankfurt am Main 1984; Kurt Schleucher: Alexander von Humboldt. Preußische Köpfe. Berlin 1988; Adolf Meyer-Abich: Alexander von Humboldt. Reinbek bei Hamburg 2006.

10 Walter K. Bühler: Gauß. Eine biographische Studie. Berlin, Heidelberg, New York, London, Paris, Tokio 1987, S. 127. Vgl. außerdem: Hans Wußling: Carl Friedrich Gauß. Leipzig 1989; Gerd Biegel / Karin Reich: Carl Friedrich Gauß. Braunschweig 2005.

11 Daniel Kehlmann: Die Vermessung der Welt. A. a. O., S. 221.

12 Brecht prägte für seine Theaterarbeit nicht zufällig die Formel vom «Drama des wissenschaftlichen Zeitalters». Literaturtheoretische Überlegungen zum Zusammenhang zwischen Naturwissenschaft und Ästhetik finden sich vielfach, zum Beispiel im «Messingknauf» (Bertolt Brecht: Gesammelte Werke. Bd. 16. Frankfurt am Main 1967, S. 577) oder im «Kleinen Organon» (ebd., S. 668 f.)

13 Siehe z. B.: Hermann Broch: James Joyce und die Gegenwart. In: Hermann Broch: Dichten und Erkennen. Essays. Zürich 1955, S. 183–210.

14 Siehe z. B.: Robert Musil: Der mathematische Mensch. In: Robert Musil: Essays und Reden. Kritik. Reinbek bei Hamburg 1983, S. 1004–1008.

15 Siegfried Kracauer: Die Biographie als neubürgerliche Kunstform. In: Siegfried Kracauer: Das Ornament der Masse. Essays. Frankfurt am Main 1963, S. 75–80.

16 Vgl.: Elisabeth Emter: Literatur und Quantentheorie. Die Rezeption der modernen Physik in Schriften zur Literatur und Philosophie deutschsprachiger Autoren (1925–1970). Berlin, New York 1995.

17 Christa Wolf: Die Dimension des Autors. Essays und Aufsätze, Reden und Gespräche 1959–1985. Darmstadt und Neuwied 1987, S. 483.

18 Daniel Kehlmann: Wo ist Carlos Montúfar? A. a. O., S. 14.

19 Ich kann nicht rechnen. Daniel Kehlmann im Gespräch mit Klaus Taschwer. In. Falter 38/2005 (http://www.falter.at/rezensionen).

20 Daniel Kehlmann: Die Vermessung der Welt. A. a. O., S. 80.

21 Ebd., S. 220.

22 Daniel Kehlmann: Mahlers Zeit. Frankfurt am Main 1999, S. 25 und S. 108. Als «verformbar» wird die Zeit bezeichnet in Daniel Kehlmann: Der fernste Ort. Frankfurt am Main 2001, S. 77.

23 Daniel Kehlmann: Die Vermessung der Welt. A. a. O., S. 161.

24 Daniel Kehlmann: Unter der Sonne. Erzählungen. Frankfurt am Main 2000, S. 99.

25 Gewitterstürme suchen Kehlmanns Figuren heim in Daniel Kehlmann: Unter der Sonne. A. a. O., S. 8 f.; Daniel Kehlmann: Mahlers Zeit. A. a. O., S. 128 f.; Daniel Kehlmann: Die Vermessung der Welt. A. a. O., S. 139–141. Die Stiefmutter von Kehlmanns erstem Helden Arthur Beerholm wird

vom Blitz erschlagen: Daniel Kehlmann: Beerholms Vorstellung. Wien 1997, S. 15, im folgenden zitiert nach der überarbeiteten Neuausgabe (Reinbek bei Hamburg 2007, hier: S. 15), siehe dazu auch S. 60. Sein Held Alexander von Humboldt installiert einen der ersten Blitzableiter Europas, damit er «vor dem Himmel sicher» ist: Daniel Kehlmann: Die Vermessung der Welt. A. a. O., S. 20.

26 Daniel Kehlmann: Beerholms Vorstellung. A. a. O., S. 55 und S. 181.

27 Daniel Kehlmann: Mahlers Zeit. A. a. O., S. 123 f.; Daniel Kehlmann: Ich und Kaminski. A. a. O., S. 53.

28 Die vorliegende Laudatio wurde bei der Verleihung des Kleist-Preises an Daniel Kehlmann in Berlin am 19. November 2006 gehalten. Am 8. und 9. November 2006 hielt Kehlmann an der Universität in Göttingen zwei Poetikvorlesungen. In der ersten verweist er auf Anregungen, die er einigen lateinamerikanischen Autoren verdankt. Die Vorlesungen erschienen im Frühjahr 2007 als Buch (Daniel Kehlmann: Diese sehr ernsten Scherze. Poetikvorlesungen. Göttingen 2007 – sein Hinweis auf Borges, García Márquez und andere findet sich auf Seite 14). Wären mir Kehlmanns Vorlesungen schon vor ihrer Publikation als Buch bekannt gewesen, hätte ich meine Überlegungen zur Nähe seiner Arbeit zum magischen Realismus weniger abrupt eingeführt. Doch da die Laudatio nun einmal so gehalten wurde, möchte ich den Text im nachhinein nicht ändern.

29 Daniel Kehlmann: Wo ist Carlos Montúfar? A. a. O., S. 25.

30 Heinrich von Kleist: Sämtliche Werke. Brandenburger Ausgabe. Hrsg. von Roland Reuß und Peter Staengle. Bd. IV/1: Briefe 1, Frankfurt am Main, Basel 1996, S. 506.

Marius Meller

Die Krawatte im Geiste

Der exorbitante Erfolg des Romans *Die Vermessung der Welt* des 1975 geborenen Autors Daniel Kehlmann läßt sich hierzulande nur vergleichen – was Kritikerurteil und Verkaufszahl angeht – mit Günter Grass' *Die Blechtrommel* (1959), mit Patrick Süskinds *Das Parfum* (1985) und Bernhard Schlinks *Der Vorleser* (1995). Anfang des Jahres ging das neunhunderttausendste Exemplar über den Bücherladentisch – im Hardcover, das Taschenbuchgeschäft hat noch nicht einmal begonnen. Damit gehört *Die Vermessung der Welt* zu den erfolgreichsten Romanen seit Gründung der Bundesrepublik, zumindest in demjenigen Sektor der Literaturproduktion, den man am praktischsten immer noch als Hochliteratur bezeichnet.

Zum Vergleich: *Die Blechtrommel* hatte bis 1962 eine Auflage von einhundertsiebzigtausend, *Das Parfum* zwei Jahre nach seinem Erscheinen sechshunderttausend, die Millionengrenze war 1990 erreicht, *Der Vorleser* verkaufte sich bis 1999 fünfhunderttausendmal im deutschsprachigen Raum. Berücksichtigt man die zunehmende Dynamik der Medienlandschaft und ein langfristig wachsendes (!) Lesepublikum,[1] dann kann man diese vier Exponenten des ambitioniert-literarischen Schreibens als mindestens gleich erfolgreich nebeneinanderstellen.

Die älteren drei Bestsellerromane haben gemeinsam, daß sie Bezug auf die Nazizeit, den Zivilisationsbruch, nehmen. *Die Blechtrommel* erzählt aus der Zwergenperspektive Oskar Matzeraths die Vor- und Nachgeschichte der zwölf Jahre, Süskind verlegt seine Allegorie der NS-Massenpsychose ins Frankreich des 18. Jahrhunderts, und *Der Vorleser* – schreibtechnisch und konstruktiv das schlichteste dieser Bücher – erzählt eins zu eins eine

Täter-Verdrängungsgeschichte. Daniel Kehlmanns *Die Vermessung der Welt* scheint auf den ersten Blick nicht in diese Reihe zu passen. Dieser historische Roman erzählt die verschränkte Doppelbiographie der deutschen Naturwissenschaftler Alexander von Humboldt und Carl Friedrich Gauß; erzählte Zeit ist also das ausgehende 18. und das frühe 19. Jahrhundert. Nicht Genie und Wahnsinn, eines der düsteren Sujets des 19. Jahrhunderts, das noch die literarischen Enkelkinder der Romantik umtrieb – Rainald Goetz' *Irre*, Thomas Bernhards *Auslöschung* –, sondern vielmehr Genie und Slapstick ist sein Thema.

Das war einigen sogar noch im Jahr 2005 zu respektlos gegenüber dem «deutschen Geist» (ein Begriff, der von Botho Strauß jüngst wieder etabliert wurde), so daß ein dezidiert altbürgerlicher Kritiker wie Tilman Krause in der *Welt* (4. März 2006) monierte, daß Kehlmann seinen Hauptfiguren nicht «gerecht» werde und im übrigen dem Deutschen gegenüber viel zu ironisch eingestellt sei sowie auch überhaupt gegenüber dem 19. Jahrhundert, in dem «nun mal die Maßstäbe für alles liegen, was wir heute als gut und richtig betrachten». Das Buch sei «professionell», in jenem glatten Sinne ‹gut geschrieben›, der heute so hoch im Kurs stehe. Allein, es fehle «Leidenschaft und Tiefe».

Gegenüber dieser Perspektive auf seinen Roman muß man Kehlmann kaum in Schutz nehmen. Die Kritik perlt an der Brillanz der ebenso slapstickhaften wie subtil-liebenswerten Schilderungen seiner notorisch genialen Protagonisten spurlos ab. Aber der Instinkt, daß es Kehlmann irgendwie ums Genie, gar ums deutsche Genie zu tun ist, ist nicht unberechtigt. Kehlmann hat fortgeführt, was Thomas Mann mit seiner Goethe-Figur aus *Lotte in Weimar* begonnen hatte, mit seinem *Doktor Faustus* aber nicht glücklich fortsetzen konnte, da die Folie des Nationalsozialismus das Konzept der Mannschen «liebenden Ironie» austrocknen mußte, wie bereits Walter Boehlich in seinem ausführlichen Rezensionsessay 1948 im *Merkur* (Nr. 10) diagnostizierte.

Thomas Manns Goethe ist ein behäbiger, skurriler, aber sympathischer Sonderling, der in der berühmten Kutschenszene Lotte in seine Abgründe schauen läßt, bevor er den Geheimratsmantel wieder hoch zuknöpft. Ein Meilenstein in der Geschichte der Säkularisierung des Genies. Adrian Leverkühn hingegen ist ein sakrales oder resakralisiertes Genie und droht als Allegorie des nationalsozialistischen Massenwahns semantisch und moralisch gleichsam zu platzen – so zumindest sah es die luzide Rezension Boehlichs.

Krause als Kritiker Kehlmanns hat bei genauerer Analyse den Braten also durchaus gerochen, wenngleich er ihn geschmacklich ablehnt. Eine der vielen sorgfältig eingearbeiteten Motivreihen der *Vermessung der Welt* betrifft das unheilvoll Deutsche. Einmal in der Schilderung der nachnapoleonischen Studentenbewegung, in deren Rede vom deutschen Wesen sich nicht ausschließlich freiheitlicher Geist manifestiert, sondern sich bereits die Urschemata nationalsozialistischen Unwesens herausbilden. Und in der Rücksichtslosigkeit der Hauptfigur Humboldt. Der humanistische Wissenschaftler ist wenig zimperlich mit seinen Experimenten, weder mit den Selbstversuchen noch mit denen an anderen Lebewesen. Des Barons Experiment in Havanna, bei dem er zwei Krokodile mit einem Rudel Hunde zusammensperrt, läßt in seiner Kaltblütigkeit den französischen Assistenten Bonpland erschauern. Humboldt verweist wie immer auf die Erfordernisse der Wissenschaft: «Natürlich hätten sie ihm leid getan. Aber die Wissenschaft habe es verlangt, nun wisse man mehr über das Jagdverhalten der Krokodile. Außerdem seien es Mischlinge gewesen, unedel und ziemlich räudig.»

Solche diskreten Anspielungen auf die Rassenideologie der Nazis bedeuten nicht etwa, daß Kehlmann in seinem historischen Roman deutsche Geschichte als Vorgeschichte des Dritten Reichs erzählt, also Fernerinnerung durch hypertrophe Nahererinnerung an die Nazizeit eintrübt. Vielmehr legt er ein subtiles mentalitätsgeschichtliches Mosaik in seinen Text, das auf die Ingredienzien des späteren faschistischen Höllencocktails verweist, ohne in eine zweifelhafte Zwangsläufigkeit der geschichtlichen Entwicklung einzurasten und die gängige anachronistische Vergangenheitsbewältigung zu betreiben.

Selbstverständlich ist der Titel des Romans doppeldeutig zu verstehen. Vermessen wird die Welt durch Humboldt und Gauß im physikalischen Sinn. Sie «existiert» erst nach ihrer Vermessung. Die Welt ist aber auch durch die beiden Wissenschaftler auf dem Weg, vermessen zu werden, im Sinne von Hybris. Die Heroen der Aufklärung – auch der schon schwer verkalkte Kant hat in Kehlmanns Roman einen sehr komischen, denkwürdigen Auftritt – werden aus der Froschperspektive gezeigt; die Komik, die eben auch in dem übergründlichen, immer ein wenig streberhaft-beflissenen Werk Alexander von Humboldts liegt, hat Kehlmann instinktsicher auf der Suche nach einem Stoff erkannt.

Und auch das Genie Carl Friedrich Gauß wird nicht dadurch geschmälert, daß es im Roman überzeugend komisch erscheint. Die Komik hat hier nicht den geringsten abwertenden Charakter. Dem das 19. Jahrhundert besonders schätzenden Kritiker Krause muß der Kunstgriff Kehlmanns nur deshalb so an die Nieren gegangen sein, weil seine Art der Hommage die Entheroisierung zuläßt und voraussetzt. Das ungeheure Lebenswerk von Humboldt und Gauß bleibt in Kehlmanns Welt ungeschmälert, wenngleich man aller Wahrscheinlichkeit nach, spätestens wenn *Die Vermessung der Welt* Schullektüre geworden ist, die beiden vornehmlich als Kehlmannsche Figuren wahrnehmen wird.

Die Dialektik der Aufklärung – und der Autor illustriert mit seinem Buch eines ihrer interessantesten Kapitel – wird entpathetisiert. Radikaler Szientismus kündigt sich in der fiktiven Rede Humboldts 1828 an, und die abschüssige Bahn der metaphysischen Kränkungen des Menschen: «Die zweitgrößte Beleidigung des Menschen sei die Sklaverei. Die größte jedoch die Idee, er stamme vom Affen ab. [...] Das Ende des Wegs sei in Sicht, die Vermessung der Welt fast abgeschlossen. Der Kosmos werde ein begriffener sein. [...] Die Wissenschaft werde ein Zeitalter der Wohlfahrt herbeiführen, und wer könne wissen, ob sie nicht eines Tages sogar das Problem des Todes lösen werde.»[2]

Der Roman gefällt mit zahlreichen Kabinettstückchen, etwa dem Treffen Humboldts mit Präsident Thomas Jefferson, bei dem sich in den strategischen Fragen des Präsidenten die USA als künftig verspätete Nation verraten. Oder wenn eine spiritistische Sitzung im bürgerlichen Berliner Salon geschildert wird. Der Roman gefällt auch in der literarischen Beschreibung der mathematischen und physikalischen Entdeckungen Gauß' und der geographischen, bio- und geologischen Humboldts. Aber das letztlich Überzeugende an Kehlmann ist das ebenso leichtfüßige wie subtile Motivgefüge, das vom Freiheitsthema und der Entzauberung der Welt über den Konstruktivismus der Naturgesetze bis zu Wissenschaft als Ideologie reicht – und einige mentalitätsgeschichtliche Hinweise auf den deutschen Nationalismus gibt. Wie in einem Experiment von Gauß setzt Kehlmann diese Motive mit seinem Roman in einen ästhetisch geglückten Zusammenhang.

Es ist schwer oder gar nicht zu erklären, warum ein Buch zum Kultbuch wird. Die Feststellung der Qualität – auf welcher Ebene auch immer, ob Ratgeber, Erbauungsbuch, Thriller oder Hochliteratur – ist natürlich nicht hinreichend. Die Tatsache, daß circa 1,1 Prozent der deutschen Bevölkerung, inklusive Säuglinge und Sieche, im Besitz eines Exemplars der *Vermessung der Welt* sind oder 2,3 Prozent aller deutschen Haushalte, bietet aber bei Umkehrung der Fragestellung interessante Implikationen. Wie muß eine Bevölkerung beschaffen sein, die sich *Die Vermessung der Welt* zum Kultbuch wählt?

Eine Antwort lautet, daß es wieder oder noch immer eine breite Bildungsschicht in Deutschland gibt, die man mit einer vorsichtigen Modifizierung des Begriffs als bürgerlich bezeichnen könnte. Der Publizist Joachim Fest hat in einem Gespräch den «langen Abschied vom Bürgertum» beklagt,[3] und bei Fests Tod 2006 wurde vielerorts behauptet, nun sei «der letzte Bürger» gestorben. Maliziös und sehr amüsant schreibt über Joachim Fests Autobiographie *Ich nicht* wiederum Tilman Krause in der *Welt* (30. Dezember 2006): «Der Herold des Bürgerlichen, der Möchtegern-Großbürger in der Palladio-Villa, er war der Sohn eines Volksschullehrers! Der Vater nicht mal ein richtiger Akademiker! Das Wort ‹Volksschullehrer› fällt kein einziges Mal, ist nur den abgebildeten Dokumenten zu entnehmen. Um so lauter wird das Schweigen, wenn man die dröhnende Selbstinszenierung des Vorzeigebürgers in diesem Memoirenbuch im Detail anschaut. Bis zum Schluß blieb Fest befangen im Horizont seines Herkommens, mit dieser unentspannten Anstrengung, alles richtig zu machen, die richtigen Autoren zu lesen, die richtige Musik zu hören – aber bitte mit Goldschnitt. Und diesen Mann mit dem lächerlichen Durchhaltepathos (‹Ertrage die Clowns›: lieber hätte er mal über sie lachen sollen!) stilisierten seine musterschülerhaften Adepten im Abgang zum ‹Künstler› empor, als Nachfolger Thomas Manns – einfach köstlich absurd!»

Seit 1968 finden alle paar Jahre in Deutschland Debatten über das Bürgertum statt. Der Radikalismus der Achtundsechziger, für die die Bürger der Ermöglichungsgrund der Naziherrschaft waren, wollte das Bürgerliche am liebsten gleich ganz loswerden. Walter Boehlich schrieb 1968 in seinem berühmten Manifesttext *Autodafé* im *Kursbuch*: «Die Kritik ist tot. Welche? Die bürgerliche, die herrschende. Sie ist gestorben an sich selbst, gestorben mit der bürgerlichen Welt, zu der sie gehört, gestorben mit der bürgerlichen Literatur, die sie schulterklopfend begleitet hat, gestorben mit der bürgerlichen Ästhetik, auf die sie ihre Regeln gegründet hat, gestorben mit dem bürgerlichen Gott, der ihr seinen Segen gegeben hat.»[4]

Seitdem hat sich vieles beruhigt, man sieht vieles gelassener. In den frühen Achtzigern, unter der gerade angetretenen Regierung Kohl, war das Bürgertum für die etablierten Intellektuellen (außer Fest, für den das Bürgertum sowieso 1933 endete) gleichbedeutend mit NS-Verführbarkeit, verklemmter Moral und politischer Ignoranz. Etwa für Jürgen Habermas war der Philosoph Hermann Lübbe, den man als neubürgerlich bezeichnen könnte, weil er eine liberale postideologische Gesellschaftstheorie der Gewaltenteilung mit Bildungswerten verbindet, noch ein gefährlicher «Neokonservativer». Habermas empfand es damals als faschismusverdächtigen Skandal, daß «die Christdemokraten keine Hemmung haben, die Bundesrepublik zu verkabeln».[5]

Mitte der neunziger Jahre publizierte die *Frankfurter Rundschau* eine Serie, in der unter anderen Odo Marquard zum «Mut zur Bürgerlichkeit» aufrief. Seit 2002 kann man, was die Veröffentlichungen angeht, eigentlich von einer permanenten Bürgerlichkeitsdebatte sprechen. Der Bundesverfassungsrichter Udo di Fabio publizierte 2005 sein brillantes neubürgerliches Manifest *Die Kultur der Freiheit*. Und mit dem Tod Fests 2006 erfuhr die Bürgerlichkeitsdebatte erneut eine personale Akzentuierung.

Nicht zuletzt das Phänomen *Die Vermessung der Welt* zeigt, daß es offenbar eine breite Schicht gibt, für die der altbürgerliche Bildungskanon wieder, oder immer noch, von Interesse ist. Aber mit dem wichtigen, vielleicht entscheidenden Unterschied, daß sie das kunst-, geist- oder nationalreligiöse Pathos des alten Bürgertums, das von Turnvater Jahn bis Hans Sedlmayr ein Konstituens der ästhetischen und lebenswirklichen Bürgerlichkeit war, weit hinter sich gelassen hat. Diese leichte, aber bedeutungsvolle Begriffsverschiebung müßte bei einer Neudefinition der Bürgerlichkeit berücksichtigt werden. Es könnte hilfreich sein, den Begriff Säkularisierung auch auf die bürgerliche Gesellschaft anzuwenden: Ihre rest- und parareligiösen Anteile wurden in Deutschland durch die «Aufarbeitung» der Nazizeit und die antibürgerlichen Achtundsechziger säkularisiert. Das bedeutet nicht, daß ein Neubürger kein Interesse für religiöse Erfahrung entwickeln dürfte oder für die esoterische Erhabenheit einer Installation von Rebecca Horn. Sondern eben nur, daß er strukturell nicht mehr anfällig ist für quasireligiöse Ideologie – zumindest ist das zu hoffen.

Für die Einsicht, daß die Achtundsechziger längst wieder Bürger geworden sind und als solche wiederum antibürgerlich kritisiert werden können, genügt ein knapper Blick in die Popliteratur. Diese hat nichts gegen Neubürger als solche, sondern strenggenommen hat sie nur etwas gegen die Doppelmoral und die Stillosigkeit der Achtundsechziger. Die Achtundsechziger wird man zukünftig vielleicht als eine etwas übertriebene, aber funktionierende Katharsisphase von Bürgerlichkeit verstehen und nicht als deren zweites schlimmes Ende nach 1933.

Man könnte *Die Vermessung der Welt* also vor diesem Hintergrund gut als neubürgerlich bezeichnen und den fulminanten Erfolg als Symptom der Selbstorganisation und Selbstformierung einer neuen bürgerlichen Schicht, die eher Sloterdijk als Habermas, eher di Fabio als Fest, eher Kehlmann als Botho Strauß liest. Darüber hinaus einer «Subkultur» anzugehören – man sollte eher Parallelkultur sagen –, schließt sich nicht aus, sondern ist geradezu Voraussetzung für postmoderne, neubürgerliche Differenz und Individualität.

In dem Gesprächsband *Der lange Abschied vom Bürgertum* ist immer wieder die Rede von der berühmten Krawatte des Bürgers. Wolf Jobst Siedler schließt gar eine Wette ab, daß in zwanzig Jahren auf dem Kurfürstendamm keine Krawattenträger mehr anzutreffen seien. Die Hippies bezeichnete Hermann Lübbe einst treffend als krawattenlose «wandelnde Rousseau-Zitate». Die Krawatte scheint beim oft schmerzhaften «Abschied von den Kriegsteilnehmern» (Hanns-Josef Ortheil) eine eminente Rolle zu spielen, vielleicht, weil sie ein Symbol der nicht zwangsläufig bellizistischen Männlichkeit darstellt. Alle Bürgerlichkeitsdiskurse lassen sich heute aber mit oder ohne dieses Accessoire vorstellen – ganz wie es gefällt. Lübbe trägt immer eine, Habermas manchmal, Langhans nie, Kehlmann manchmal. Daß aus Symbolen wieder Kleidungsstücke werden – was für eine Erleichterung! Auch eine Art von Gewaltenteilung.

Anmerkungen

1 Vgl. Stiftung Lesen (Hrsg.): Leseverhalten im neuen Jahrtausend. Hamburg 2001.

2 Daniel Kehlmann: Die Vermessung der Welt. Reinbek bei Hamburg 2005, S. 238 f.

3 Joachim Fest/Wolf Jobst Siedler: Der lange Abschied vom Bürgertum. Ein Gespräch mit Frank A. Meyer. Berlin 2005.

4 «Kursbogen» zum Kursbuch 15, 1968.

5 Vgl. Jürgen Habermas: Die Kulturkritik der Neokonservativen in den USA und in der Bundesrepublik. In: Ders.: Die Neue Unübersichtlichkeit. Frankfurt am Main 1985, S. 30–56, hier: S. 53.

Julia Stein

«Germans and humor in the same book»

Die internationale Rezeption der «Vermessung der Welt»

Mit dem Roman *Ich und Kaminski* hat Daniel Kehlmann die Geschichte eines Kulturjournalisten geschrieben, dem nichts ferner liegt als genaue Recherche. Es entbehrt also nicht der Logik, daß die Berichterstattung über Kehlmanns Roman *Die Vermessung der Welt* und dessen Geschicke im Ausland in der deutschen Presse vor Fehlern nur so strotzt. *Wie die Welt auf die Vermessung der Welt reagiert* überschrieb die *Frankfurter Allgemeine Zeitung (FAZ)* im März 2007 eine Seite, auf der sie Auslandskorrespondenten über die Reaktionen auf die mittlerweile publizierten Übersetzungen schreiben ließ. Dirk Schümer vermeldete über fünfzigtausend verkaufte Exemplare in den Niederlanden.[1] In Wahrheit waren dort nur knapp fünfzehntausend Bücher abgesetzt worden – offenbar, so die Vermutung des Querido-Verlags, ein Hörfehler des Journalisten am Telefon. Jürg Altweggs Artikel über die französischen Reaktionen sprach von einem Überraschungserfolg «an den Rändern des Literaturbetriebs».[2] Als Beweis, daß das «große Feuilleton» das Buch zunächst ignoriert habe, führte er an, in *Le Monde* sei «noch immer keine Besprechung erschienen». Tatsächlich hatte diese Zeitung den Roman bereits in der Erscheinungswoche positiv rezensiert.[3] Der amerikanische Korrespondent Jordan Mejias berichtete davon, wie die «hochgespannten» Erwartungen «im Verlag Random House» durch mäkelnde Kritiken und niedrige Absatzzahlen enttäuscht worden seien.[4] Zum Beleg zitierte er aus dem *San Francisco Chronicle*, der die einzige negative Kritik zu *Measuring the World* in den USA veröffentlicht hatte. «So ähnlich», schrieb er dann in eindeutiger Verzerrung der Tatsachen, «urteilt auch Ron Charles in der *Washington Post*».

Dabei hatte Charles das Buch ohne Einschränkung gelobt und als «charmant», «geistreich» und «verstörend» bezeichnet.[5] Was aber kann man auch von einem Korrespondenten erwarten, der nicht einmal einen Verlagsnamen korrekt nennen kann: Kehlmanns Roman war nämlich keineswegs bei Random House, sondern beim Knopf-Imprint Pantheon erschienen. Zwar gehören beide jenem deutschen Konzern an, der früher Bertelsmann und seit einiger Zeit Random House heißt, aber zugleich ist Random House immer noch ein amerikanischer Verlag mit eigenständigem Programm, der mit Kehlmanns Buch nicht das geringste zu schaffen hatte.

Diese Beispiele zeigen, wie schwierig es ist, internationale Reaktionen korrekt zusammenzufassen: Der Rechercheaufwand ist groß, und ohne zumindest rudimentäre Kenntnisse des lokalen literarischen Feldes lassen sich die Äußerungen schwer einordnen und bewerten. Es ist, selbst wenn man sich mehr Mühe macht als die *FAZ*-Korrespondenten, natürlich unmöglich, einen auch nur halbwegs erschöpfenden Aufriß des Schicksals der *Vermessung der Welt* in den mehr als vierzig Ländern zu geben, in die Übersetzungslizenzen verkauft wurden. Wir können uns hier nur auf einige wichtige Sprachen und auf ein paar Knotenpunkte jenes Systems, das man die zeitgenössische Weltliteratur nennen kann, beschränken. Das Ausmaß des deutschen Verkaufserfolgs wurde nirgends übertroffen, in den meisten Ländern allerdings erreichte das Buch gute Absatzzahlen und fand eine interessierte kritische Rezeption.

So stimmt es tatsächlich, daß die Aufnahme in Amerika eher zurückhaltend ausfiel, nicht aber, daß die – wie Mejias schreibt – «hochgespannten Erwartungen» des Verlags enttäuscht worden seien. Übertragen von der renommierten Übersetzerin Carol Brown Janeway, wurde der Roman bei Pantheon weit hinten in der Vorschau, ohne Anzeigen, Leseexemplar und Werbemittel angekündigt – so hochgespannt waren die Erwartungen also nicht.

Dennoch hatte die traditionsreichste amerikanische Literaturzeitschrift, *The Paris Review*, bereits in der Sommernummer ein Kapitel vorabgedruckt,[6] das auf Vorabrezensionen spezialisierte Magazin *Kirkus-Review* hatte einen «brillanten» Roman angekündigt,[7] und die Besprechungen kamen sofort mit Erscheinen. Am Erstverkaufstag behandelte bereits die Buchbeilage der *New York Times* den Roman.[8] Der Schriftsteller Tom LeClair bezeichnete Deutschland als ein «wunderbares Land», in dem ein Roman über Wissenschaft und Alter auf den ersten Platz der Bestsellerlisten aufsteigen könne. LeClair fand viel zu loben – den Witz einerseits, andererseits die einfühlsame Darstellung des Alters und körperlichen Verfalls und auch Kehlmanns literarische Methode, die man sich als Parallaxe vorstellen solle, «die es ermöglicht, mit scharfem Blick unterschiedliche Methoden der Weltvermessung zu betrachten, darunter auch seine eigene fiktionale Form» –, aber er monierte auch, der Roman halte nicht ganz den Vergleich mit Thomas Pynchons *Mason & Dixon* stand; er sei im Vergleich zu verknappt, und das komplexe historische Material hätte nach ausführlicherer Behandlung verlangt. Ungleich hymnischer Tim Rutten, der in der *Los Angeles Times* von einem «suchterregend lesbaren und zutiefst komischen» Buch berichtete,[9] das in seinem Umgang mit historischen Fakten Winckelmanns Forderung, durch Nachahmung unnachahmlich zu werden, erfülle: «ein meisterhaft geschriebener, wunderbar unterhaltender und zutiefst befriedigender Roman». Ruttens Begeisterung hievte den Titel auch prompt auf Platz fünfzehn der *L.A.-Times*-Bestsellerliste, wo es sich allerdings nur für eine Woche halten konnte. Mit gleichem Tenor lobte Ron Charles in der Buchbeilage der *Washington Post*[10] Kehlmanns «leichten, surrealen Stil» als «eine Mischung des Komischen, Romantischen und Makabren, mit Blitzen von magischem Realismus, die sich liest wie Borges im Schwarzwald».[11] Einzig der von Jordan Mejias als repräsentativ angeführte *San Francisco Chronicle* war bis zur Feindseligkeit reserviert. Aaron Britt vermißte da die Tiefe und sprach von einem «Mangel an Substanz», der das Buch einer «bleibenden Wirkung oder wahrer künstlerischer Größe» beraube.[12]

Zu einem Bestseller wurde *Measuring the World* mit knapp zwanzigtausend verkauften Exemplaren in den USA nicht. Zum Jahreswechsel 2006/07 listete die Europaausgabe von *TIME* das Buch auf Platz neun seiner Liste der zehn wichtigsten Neuerscheinungen des vergangenen Jahres, und Stephanie Kirchner empfahl es als «zugleich klug und unterhaltend, manchmal vergnüglich, manchmal herzzerreißend».[13] Einige Aufmerksamkeit zog es noch im Jahr darauf auf sich, als die *New York Times* eine vom Magazin *Publishing Trends* erhobene Liste der weltweit bestverkauften Romane des vergangenen Jahres abdruckte. *Measuring the World* hatte es, zweifellos aufgrund der deutschen Verkäufe, nach Dan Browns *Digital Fortress* und vor Browns *Da Vinci Code* auf den zweiten Platz geschafft.[14] Nur wenige Tage später druckte die traditionsreiche politische Zeitschrift *The Nation* eine umfangreiche Analyse des Germanisten Mark Anderson ab. «Es ist wahr», so versuchte er das Werk in einen historischen Kontext zu stellen, «daß Kehlmann zu einer anderen Generation gehört und sich nicht gebunden fühlt vom Gefühl des Tabus und der Schuld, das die nahe dem Ende des Zweiten Weltkriegs geborenen Deutschen verfolgt. Außerdem verkompliziert sein zum Teil jüdisches Erbe – sein Vater war in einem Arbeitslager interniert und zahlreiche Verwandte wurden deportiert und getötet – die Frage seiner ‹Deutschheit› noch weiter, ohne allerdings eine alternative Identität zu schaffen. Auf jeden Fall ist Kehlmanns *Measuring the World* nicht weniger mit der ‹deutschen Frage› befaßt; es bietet nur ein ganz anderes Verfahren an, um die Geister aus dem nationalen Schrank zu vertreiben. Man könnte seine Satire der Klassik mit Christos und Jeanne-Claudes Verpackung des Reichstags im Jahr 1995 vergleichen, als diese ernste historische Stätte plötzlich spielerisch und leicht wurde – für einen Moment.»[15]

Enthusiastischer gestaltete sich die Rezeption in dem Land, das von jeher die größte Affinität zu spleenigen Forschern und trockenem Humor hatte, in Großbritannien. Schon zehn Monate vor der Publikation hatte Luke Harding, der Deutschland-Korrespondent des *Guardian*, sich mit Kehlmann getroffen und den englischen Lesern in einem Porträt von dessen Vorliebe für magischen Realismus und die Fernsehserie *Die Simpsons* berichtet: «Ein unwahrscheinlicher Bestseller bringt Leichtigkeit und Humor zurück ins deutsche Erzählen» verkündete die Überschrift.[16] «Jahrzehntelang galt deutsche Literatur als ernsthaft, würdig und ein wenig langweilig», meinte Harding, der den englischen Lesern deshalb ausführlich Kehlmanns Kritik an der Gruppe 47 referierte.[17] Der *Guardian* war es auch, der Kehlmann zum Erscheinen des Romans eine ganze Seite einräumte, um über seine historischen Recherchen zu berichten,[18] und in dem Giles Foden von einem «grandiosen Roman» sprach, dessen Konstruktion von einer «zeit- und raumverbiegenden Genialität» künde.[19]

Lange vor dem Publikationstermin hatte das *Times Literary Supplement* bereits seine Besprechung veröffentlicht. Marco Roth sprach da in eigentümlich mäandernder Argumentation von einem «faszinierenden, verstörenden Buch, einem anti-historischen Roman, verkleidet als historische Fiktion».[20] Kehlmann sei typisch für den Wunsch der deutschen Nachkriegskultur, nicht mehr von der kürzlich überstandenen Geschichte des Landes belastet zu sein. Davon spreche seine «besorgniserregende und berührende Intention, der Aufklärung die Leichtigkeit zurückzugeben» und dem «Alptraum der Geschichte» zu entfliehen. Der Roman sei ein Symptom für das Bedürfnis, «von der Geschichte unterhalten zu sein und dabei vergessen zu können, auf welche Art die Geschichte uns, wohl oder übel, geformt hat».

Vier Monate später brachte der Quercus-Verlag, ein neugegründetes Unternehmen mit großen Ambitionen, *Measuring the World* als einen der ersten Titel seiner neuen Fiction-Liste heraus, mit großem Werbeaufwand, der außer Anzeigen noch zwei aufwendig gedrehte Filmclips unter Mitwirkung des Theaterschauspielers Anthony Sher umfaßte.[21] Dementsprechend interessiert waren die Rezensenten. *A major new German novelist* überschrieb der *Daily Telegraph* seine Besprechung,[22] in der Daniel Johnson seiner Begeisterung über einen Roman voller «köstlich respektloser Vignetten» Ausdruck gab. «Lange ist es her, seit Deutschland einen bedeutenden Roman hervorgebracht hat. [...] Dieser hochintelligente Roman verdient seinen Erfolg. [...] Wie der größte Praktiker dieser Kunst, Thomas Mann, ist Kehlmann ein Meister der Ironie, der sanft die Erwartungen des Lesers unterläuft.» Johnson hob in seinem enthusiastischen Lob besonders den ideologiekritischen Aspekt hervor: «Wie W. G. Sebald, der nach England auswandern mußte, um ein großer deutscher Schriftsteller zu werden, mußte auch Kehlmann Deutschland entkommen – er lebt in Wien –, um dessen Eskapismus zerlegen zu können. Er ist jetzt schon eine Figur von europäischer Statur, ganz genau darum, weil er nicht als amorpher europäischer Autor, sondern als uneingeschüchtert deutscher schreibt. [...] Kehlmann könnte der große deutsche Romancier sein, auf den zu warten die Welt schon aufgegeben hatte.»

In ähnlichem Ton rühmte der *Observer* einen «täuschend schlauen Roman – zugleich untertreibend und kühn»,[23] und der Literaturkritiker des *Independent*, Boyd Tonkin, traf Kehlmann in London zu einem ausführlichen Gespräch. Sein Artikel, erschienen unter dem Titel *Eine weltweite literarische Sensation*,[24] enthielt die wohl genaueste Auseinandersetzung mit Kehlmanns Roman in den britischen Medien. «An den fiktionalen Grenzen der bemessenen Welt, die Humboldt und Gauß erschaffen, findet sich noch das Mysteriöse. Das Zeitalter der Wunder ist nicht ganz vorbei. [...] Dies ist ein seltenes Juwel von einem Roman, zugleich virtuos unterhaltend und bewegendes Doppelporträt zweier wundersamer Geister, die unsere kalibrierte, berechnete Welt schmiedeten. […] Bei Kehlmann entspricht das große Bild den vorgegebenen Quellen, aber die Details streunen ins Fiktionale davon. […] In diesem Kraftfeld vibriert *Measuring the World* auf das vergnüglichste zwischen Einfühlung und Satire – und eben dies Vibrieren, genau wie Gauß es wohl vorhergesehen hätte, erzeugt ein sehr modernes Summen.»

Die Modernität des Romans hoben auch die französischen Medien hervor – «ein wahrhaft reicher und bahnbrechender Roman», schrieb etwa Catherine David im *Nouvel Observateur*,[25] besonders aber war es ihnen um die komischen Aspekte der Charakterzeichnung zu tun. *Les Arpenteurs du Monde* wurde in Frankreich in der vielgelobten Übersetzung von Juliette Aubert vom Verlag Actes Sud mit großem Werbeaufwand veröffentlicht. Acht Wochen hielt es sich auf der nationalen Bestsellerliste von *Livres Hebdo*, drei auf jener von *L'Express* und vier auf der von *Le Figaro*, mit vierzigtausend abgesetzten Büchern war es wohl seit Jahren einer der größten Erfolge eines deutschen Autors in diesem deutscher Literatur gegenüber von jeher skeptischen Land. Die Rezensionen waren allesamt positiv. Zu dem Zeitpunkt, als Thomas Steinfeld in der *Süddeutschen Zeitung* ohne nähere Angaben von den «eher verhaltenen» Reaktionen in Frankreich berichtete,[26] waren dort bereits dreißigtausend Bücher abgesetzt und zwanzig Besprechungen erschienen, darunter in *L'Humanité*, in *Le Monde*, in *L'Express* und in den wichtigen Kulturzeitschriften *Transfuge* und *Le Matricule des Anges*. In *L'Express* schrieb André Clavel von einem «gelehrten und talentierten» Autor,[27] und in *L'Humanité* pries Jean-Claude Lebrun Kehlmanns «beeindruckende Gelehrsamkeit», der man einen Roman verdanke, der «vor Intelligenz nur so funkelt».[28]

Zwei Genies und ein großes Talent überschrieb auch der Doyen der französischen Literaturkritik, Bernard Pivot, seinen Artikel im *Journal du dimanche*: «Daniel Kehlmann hat das Talent, klar darzustellen, was kompliziert scheint, spielerisch, was ernst sein müßte, lebendig und impertinent, was unter einer anderen Feder steif und respektvoll wäre.»[29] Und *Libération* entsandte ihre Berlin-Korrespondentin zu Kehlmanns Kleist-Preis-Verleihung im Berliner Ensemble und berichtete von einem jungen Autor, der «für eine leichtere und burleskere Literatur» stehe, als die der deutschen Nachkriegszeit es gewesen sei, und dessen historischer Roman sich eben auch wie «eine Form des Exorzismus» lesen lasse. «Vor Hitler konnten die Deutschen spirituell sein. Sechzig Jahre danach haben sie auch wieder das Recht zur Komik.»[30]

Um die angebliche Diskrepanz zwischen deutscher Kultur und einem komischen Roman war es auch den italienischen Medien immer wieder zu tun. Übersetzt von Paola Olivieri hielt *La misura del mondo* als Spitzentitel des Verlags Feltrinelli sich acht Wochen auf der Bestsellerliste des *Corriere della Sera*, und diese Zeitung hob auch die «gleichsam musikalische Weisheit der Komposition» hervor, die das Buch «in die beste Erzähltradition der deutschen Sprache» stelle.[31] Über fünfzigtausend Exemplare wurden verkauft; eine auf dem italienischen Buchmarkt nicht gerade alltägliche Größenordnung. In *La Repubblica* erkannte Vanna Vannuccini etwas typisch Deutsches in den beiden Helden darin, daß sie «mit der Sexualität ihre Probleme» hätten. «Beide sind *weltfremd*, auch das ein sehr deutsches Konzept».[32] Und der auflagenstarken *Gazetta dello Sport* gab niemand anders als der studierte Vermessungskundler und Event-Bergsteiger Reinhold Messner ein Interview über Kehlmanns Roman, den er mit allem Nachdruck den italienischen Lesern empfahl.[33] Auf die Frage, ob sein Enthusiasmus daher rühre, daß er sich in Kehlmanns Figuren wiedererkenne, wehrte er jedoch ab: «Nein, nein! Aber sie erinnern mich an Dinge, die ich gemacht habe, das schon.»

In den Niederlanden lobte Michael Zeeman, der durch das Fernsehen prominenteste Literaturkritiker, den Roman im

Klappentext der Übersetzung als «sehr amüsantes und zugleich lehrreiches Buch». Für *De Volkskrant*, der bedeutendsten überregionalen Tageszeitung, führte er mit Kehlmann nach dem Erscheinen ein langes Interview und wies bei dieser Gelegenheit den oft vorgenommenen Vergleich mit Patrick Süskinds *Das Parfum* als ungerecht zurück: «Kehlmann ist ohne jeden Zweifel viel geistreicher.»[34] Auch in den zahlreichen niederländischen Regionalzeitungen wurde das Buch ausführlich und durchweg lobend besprochen. Selbst die Boulevardzeitung *De Telegraaf*, das niederländische Pendant zur *Bild-Zeitung*, riet ihren Lesern zur Lektüre dieses «faszinierenden Romans».[35] Der für niederländische Verhältnisse sehr gute Absatz von fünfzehntausend Exemplaren veranlaßte den Verlag inzwischen, eine preisreduzierte Sonderausgabe zu veröffentlichen.

Weniger Erfolg war *La medición del mundo* in der spanischsprachigen Welt beschieden. In der Übersetzung von Rosa Pilar Blanco wurde es vom auf massenwirksame Unterhaltungsliteratur spezialisierten Verlag Maeva veröffentlicht, großformatig und mit der seltsamen Versprechung *Un fascinante encuentro entra la literatura y la ciencia* auf dem Cover. Was auch immer das heißen sollte, die Rechnung ging nicht auf, der Etikettenschwindel blieb erfolglos, und das Buch tauchte weder auf den Bestsellerlisten auf – keine zehntausend Exemplare wurden verkauft –, noch bekam es mehr als nur ein paar Besprechungen im Feuilleton. Zwar lobte die Zeitung *ABC* das «gefällige und intelligente Werk» als «subtile Landkarte zweier Passionen und zweier fesselnder Persönlichkeiten»,[36] und die Wochenendbeilage von *El Pais* empfahl in fast den gleichen Worten einen «unterhaltsamen und intelligenten Roman»,[37] aber in solcherlei Empfehlungsphrasen erschöpfte sich auch schon die kritische Rezeption. Einzig die katalonische Zeitung *La Vanguardia* brachte es zu einer ausführlicheren Auseinandersetzung: Zum einen erschien ein ganzseitiges Interview, das der Deutschlandkorrespondent Marc Bassets mit Kehlmann geführt hatte,[38] zum anderen gab es eine Kritik in der Wochenendbeilage, in der gelobt wurde, das Buch lasse sich leicht lesen, aber bemängelt, daß einer der größten Forscher aller Zeiten, wie Humboldt es nun einmal sei, «eine bessere Behandlung verdient habe. Eine liebevollere, humanere und psychologischere Annäherung.»[39]

In dem so sehr mit Humboldt verbundenen Kontinent Südamerika war dem Roman kein besseres Schicksal vergönnt. Zwar legten die Verlage Diana (in Mexiko) und Emecé (in Argentinien), beide Imprints der mächtigen Planeta-Gruppe, Rosa Pilar Blancos Übersetzung in einer eigenen Südamerika-Ausgabe vor, und der Roman wurde auf den Buchmessen von Bogotá und Buenos Aires präsentiert. Ebendort räumte auch *La Nacion*, eine der zwei großen Tageszeitungen Argentiniens, Kehlmann eine Seite ein, um seine narrative Vorgehensweise zu beschreiben,[40] während die andere, *Clarin*, ihn ausführlich interviewte.[41] Doch auch hier blieb eine tiefere Auseinandersetzung mit dem Roman aus, und weder in den Buchhandlungen noch auf der Website des Verlages ließ oder läßt sich *La medición del mundo* auffinden.

Ganz anders in Schweden. Für die wöchentliche Bestenliste der Zeitung *Dagens Nyheter* wählten die führenden Literaturkritiker des Landes *Världens mått* vor den neuen Romanen von Haruki Murakami, Ian McEwan und J. M. Coetzee auf Platz eins.[42] Zuvor hatte dieselbe Zeitung den Roman bereits als «ein Stück Wissenschaftsgeschichte in Gestalt eines Romans» empfohlen, er sei «als solcher einer der intelligentesten und unterhaltsamsten, die man überhaupt lesen kann».[43] Die in Südschweden erscheinende Zeitung *Sydsvenskan* lobte «den Klang von Updike, Nabokov und den Lateinamerikanern»,[44] und *Svenska Dagbladet* pries ihn als eine «unwiderstehliche spirituelle Parabel darüber, wie der Mensch die Konstruktion von Erde und Universum vermißt, während das Leben doch so unverständlich und unvollständig bleibt, wie es immer gewesen ist.»[45]

Zum Zeitpunkt der Niederschrift dieses Beitrags lagen weder die osteuropäischen noch die meisten der asiatischen Ausgaben vor, auch in Brasilien und in Rußland steht das Erscheinen noch aus. Ob es in diesen so unterschiedlichen kulturellen Umgebungen zu einer erhellenden Auseinandersetzung kommen wird, muß sich also erst erweisen. Auch beziehen sich die hier genannten Auflagenhöhen auf die Hardcover- oder Hochpreisausgaben; die Verbreitung im Taschenbuch wird wahrscheinlich ein Vielfaches davon ausmachen.

Eine ganz andere, partiell außerliterarische Form der internationalen Rezeption erfuhr der Roman durch die internationalen Fachmagazine der Wissenschaft. Jene auf Genauigkeit und Faktentreue fixierten Medien blickten mit besonderem Interesse auf ein Buch, das sich mit solchem Nachdruck in seiner Behandlung wissenschaftlicher Größen der Forderung der Faktentreue entzog. So bat etwa der *American Scientist* den renommierten Wissenschaftspublizisten Ken Alder, Autor einer Kehlmanns Buch im Titel sehr ähnlichen Monographie über die Urmeterkonvention *The Measure of All Things*, um eine Besprechung.[46] «Als eingetragenes Mitglied der Wissenschaftshistorikerzunft», bemerkt Alder selbstironisch, «habe ich die Verpflichtung zu verzeichnen, daß das Buch zahlreiche kleine Abweichungen von den historischen Aufzeichnungen enthält. Mit großer Freude aber darf ich berichten, daß Kehlmann eine skrupulöse erfinderische Treue zu seinen Figuren und ihrer Ära einhält. Daraus resultiert, daß der Roman eine Meditation über die Kreativität ist, nicht bloß in der Wissenschaft, sondern in jedem menschlichen Unterfangen. Der Leser ergreift eher Partei für Kehlmann als für die Protagonisten, wenn die beiden Männer die Romanciers anschwärzen. [...] Doch Kehlmanns Selbstherabsetzung und seine wohlbeabsichtigten Anachronismen vertiefen nur unsere Wertschätzung für seine Behandlung der Figuren, die so hoffnungsvoll in die Zukunft schauen, obwohl ihnen klar ist, daß der wissenschaftliche

Fortschritt, den sie so begeistert vorantreiben, bloß ihre Entdekkungen und ihren Ruhm umstürzen wird.»

Ähnlich, doch etwas kühler, äußerte sich schließlich John Whitfield in *Nature*, dem angesehensten Wissenschaftsmagazin der Welt.[47] «Kehlmann setzt die beiden Männer als archetypische und entgegengesetzte Beispiele dafür ein, wie man ein Wissenschaftler sein kann. [...] Humboldt ist undurchschaubar. Das hat den Effekt, daß Gauß' wissenschaftliche Art nobler und authentischer wirkt. Sie ist es nicht, aber es ist eine elegante Wendung, da normalerweise die Mathematiker als die Sonderlinge porträtiert werden. Sich zu beschweren, daß Gauß und Humboldt wahrscheinlich gar nicht so waren, wäre, als würde man gegen Peter Shaffers Stück *Amadeus* den Einwand erheben, daß Salieri vermutlich gar nicht versucht hat, Mozart um die Ecke zu bringen. [...] Geschickt vermeidet es Kehlmann, daß *Measuring the World* zu einer intellektuellen Geschichte über verrückte Professoren wird. Denn seine Professoren sind eher melancholisch als verrückt. [...] Jeder von ihnen lernt, daß kein Grad der Intelligenz oder der Vertiefung in die Wissenschaft einem Immunität verleiht oder auch nur irgendwie helfen kann, sobald es ums verwickelte Geschäft von Leben und Tod geht. [...] Kehlmann ist gut darin, die Seltsamkeit und die Komödie der Wissenschaft einzufangen sowie auch das machtvolle Gefühl der Vergeblichkeit, das Forscher von Zeit zu Zeit überkommen kann. Aber er erklärt nicht, warum die Wissenschaft trotz ihrer Seltsamkeit solch zuverlässige und schöne Antworten auf unsere Fragen anbietet, oder wieso die Mathematik solch eine unheimliche Macht hat, diese Antworten hervorzubringen. Auch bekommen wir keine Idee davon, wieso einige Leute, wie eben Gauß, mathematische Fähigkeiten haben, die für den Rest von uns übernatürlich aussehen, oder warum andere, wie Humboldt, bereit sind, ihr Vermögen, ihre Bequemlichkeit und manchmal ihr Leben aufzugeben und zu sehen und zu messen, was jenseits des Horizonts liegt.»

1 147 Zentimeter. In: Frankfurter Allgemeine Zeitung vom 30. März 2007.
2 Ohne jeden Komplex. Ebd.
3 Jean Soublin: Un va-et-vient de génies. In: Le Monde (Paris) vom 5. Januar 2007.
4 Wunderbares Land. In: Frankfurter Allgemeine Zeitung vom 30. März 2007.
5 Weird Science. In: Washington Post vom 26. November 2007. Mejias berichtet in der *Frankfurter Allgemeinen Zeitung*, Ron Charles habe das Buch «weniger gescheit als närrisch» gefunden und lieferte damit ein beachtliches Beispiel von Manipulation durch Entkontextualisierung, lautet der betreffende Satz doch: «This sounds like something to be printed on graph paper, but it's actually more zany than brainy, and laughter almost drowns out the strains of despair running beneath the story.»
6 The Paris Review (New York), Nr. 177 / 2007, S. 98–108.
7 O. A. und o. T. In: Kirkus Review (New York) vom 1. September 2006.
8 Geniuses at Work. In: New York Times vom 5. November 2006.
9 Germans and humor in the same book. In: Los Angeles Times vom 1. November 2006.
10 Ron Charles. A. a. O.
11 Eben jenes Zitat, aus dem lobenden Kontext gelöst, brachte Jordan Mejias in der *Frankfurter Allgemeinen Zeitung* als Beweis für das angebliche Mißfallen der amerikanischen Medien.
12 Aaron Britt: Weird Science in Germany. In: San Francisco Chronicle vom 12. November 2006.
13 10 Best Books. In: Time Magazine (European Edition) vom 25. Dezember 2006/1. Januar 2007.
14 Dan Brown, Harry Potter and other international megasellers ... In: New York Times vom 15. April 2007. Auf dem vierten Platz der Liste steht Ildefonso Falcone de Sierras *The Cathedral of Spain*, gefolgt von Carlos Ruiz Zafóns *The Shadow of the Wind*, Dan Browns *Deception Point* und J. K. Rowlings *Harry Potter and the Half-Blood Prince*.
15 Humboldt's Gift. In: The Nation (New York), Volume 284, Number 17 vom 30. April 2007.
16 Unlikely bestseller heralds the return of lightness and humour to German literature. In: Guardian (London) vom 19. Juli 2006.

17 Daniel Kehlmann: Seid vermessen! Was Weimar mich gelehrt hat. In: Frankfurter Allgemeine Zeitung vom 20. Juni 2006.

18 Daniel Kehlmann: Out of this world. In: Guardian (London) vom 21. April 2007. Es handelt sich um eine modifizierte Fassung seines Essays *Wo ist Carlos Montúfar?*, auf deutsch erschienen in Kehlmanns gleichnamigem Essayband, erneut abgedruckt in diesem Band, S. 11–25.

19 The long and the short of it. In: Guardian (London) vom 14. April 2007.

20 An escape from history. In: Times Literary Supplement (London) vom 15. Dezember 2006.

21 http://www.measuringtheworld.com.

22 Daily Telegraph (London) vom 12. April 2007.

23 Ian Beetlestone: Well met. In: The Observer (London) vom 1. April 2007.

24 Boyd Tonkin: Daniel Kehlmann: A global literary sensation. In: The Independent (London) vom 20. April 2007.

25 Catherine David: Des chiffres et des lettres. In: Le Nouvel Observateur (Paris) vom 22. Februar 2007.

26 Thomas Steinfeld: Teutonische Angst vor der Freiheit. Was hat das mit uns zu tun? Das Ausland liest Daniel Kehlmann. In: Süddeutsche Zeitung (München) vom 29. Januar 2007.

27 André Clavel: Place aux grand hommes. In: L'Express (Paris) vom 18. Januar 2007.

28 Jean-Claude Lebrun: Daniel Kehlmann, un gai savoir étincelant. In: L'Humanité (Paris) vom 18. Januar 2007.

29 Deux génies et un grand talent. In: Le journal du dimanche au quotidien (Paris) vom 25. März 2007.

30 Odile Benyahia-Kouider: Le mètre du monde. In: Libération (Paris) vom 8. Februar 2007.

31 Paola Capriolo: Numeri e viaggi per misurare il mondo. In: Corriere della Sera (Mailand) vom 19. Juni 2006.

32 Vanna Vannuccini: Storie parallele di due geni tedeschi. In: La Repubblica (Rom) vom 17. Juni 2006.

33 Sandro Filippini: Nella ‹Misura del Mondo› c'è la mia ricerca sull'uomo. In: La Gazetta dello Sport (Mailand) vom 18. Juni 2006.

34 «Wiskundige wonderkinderen fascineren mij». In: De Volkskrant (Amsterdam) vom 10. Februar 2006..

35 Meten als Zingeving. In: De Telegraaf (Amsterdam) vom 3. Februar 2006.

36 Anonym: Alexander von Humboldt y Carl Gauss: media vida tomando medidas. In: ABC (Madrid) vom 27. November 2006.

37 Anonym: La medición del mundo. In: El Pais Semanal (Madrid) vom 10. Dezember 2006.

38 La literatura seria tiene que atender lo elevado y lo profano. Entravista a Daniel Kehlmann, autor de ‹La medición del mundo›. In: La Vanguardia (Barcelona) vom 16. November 2006.

39 Marti Dominguez: Emociones de alma. In: La Vanguardia Semanal (Barcelona) vom 29. November 2006.

40 Entre Weimar y Macondo. In: La Nacion (Buenos Aires) vom 22. April 2006. Auch dies, wie sein Aufsatz im *Guardian*, eine modifizierte Fassung von Kehlmanns Essay *Wo ist Carlos Montúfar?*.

41 Andrés Hax: Kehlmann, el nuevo niño mimado de los alemanes. In: Clarin (Buenos Aires) vom 26. April 2007.

42 Dagens Nyheter (Stockholm) vom 20. Oktober 2007.

43 Stefan Jonsson: Daniel Kehlmann: «Världens mått». In: Ebd., 7. Oktober 2007.

44 Torbjörn Flygt Storslaget om stora män. In: Sydsvenskan (Skåne) vom 4. Oktober 2007.

45 Martin Lagerholm: Underhållande parabel om universums utforskare. In: Svenska Dagbladet (Stockholm) vom 5. Oktober 2007.

46 A Passion for Precision. In: American Scientist (New York), Volume 95, Number 3, Mai/Juni 2007.

47 Opposites attract. In: Nature (New York), Volume 445 vom 15. Februar 2007.

Gunther Nickel

Von «Beerholms Vorstellung» zur «Vermessung der Welt»

Die Wiedergeburt des magischen Realismus aus dem Geist der modernen Mathematik

> «Wirst Du noch einmal behaupten,
> daß Mathematik und Leben einander
> fremd sind?»
> *Arthur Beerholm*[1]

«Ich kann», schrieb Heinrich von Kleist am 7. Januar 1805 an seinen Freund Ernst von Pfuel, «ein Differentiale finden, und einen Vers machen; sind das nicht die beiden Enden der menschlichen Fähigkeit?»[2] Hier Mathematik, dort Poesie – die Feststellung legt nahe, beides habe so gut wie nichts miteinander zu tun. In diesem Sinne äußert sich Kleist nochmals am 10. Dezember 1810 in einem Beitrag für die *Berliner Abendblätter*: «Man könnte die Menschen in zwei Klassen abteilen; in solche, die sich auf eine Metapher und 2) in solche, die sich auf eine Formel verstehn. Deren, die sich auf beides verstehn, sind zu wenige, sie machen keine Klasse aus.»[3] Diese Ansicht ist bis heute weit verbreitet und findet sogar in der Einteilung von Gymnasien in mathematisch-naturwissenschaftliche, musische sowie alt- und neusprachliche ihren Ausdruck. Dabei haben Bereiche der Mathematik – allen voran die Stochastik – und bestimmte literarische Texte durchaus etwas gemeinsam: Sie befassen sich mit der Möglichkeit von Unwahrscheinlichem.

Damit beschäftigt sich auch Daniel Kehlmann ausgesprochen gern, weshalb in seinen Romanen – angefangen mit seinem Debüt *Beerholms Vorstellung* aus dem Jahr 1997 bis hin zu dem 2005 erschienenen Bestseller *Die Vermessung der Welt* – häufig von Mathematik die Rede ist. «Ellas plötzlicher Tod», heißt es zum

Beispiel gleich auf den ersten Seiten von *Beerholms Vorstellung*, «ereignete sich in einer Region, in der sich Schicksal, Irrsinn und Statistik auf das Unangenehmste berühren. Ella Beerholm, die Frau, die ich vermutlich einmal ‹Mama› genannt habe, wurde an einem freundlichen Frühlingstag vom Blitz erschlagen. Ich weiß, wie klein die Wahrscheinlichkeit ist, daß einem Menschen so etwas zustößt.» (S. 15) Die Wahrscheinlichkeit, im Laufe eines Jahres von einem Blitz erschlagen zu werden, beträgt 1:10 000 000. Doch so unwahrscheinlich es auch ist: Es gibt immer wieder Menschen, die tatsächlich ein Blitzschlag trifft. Das geschieht allerdings derart selten ausgerechnet an freundlichen Frühlingstagen, daß es geboten erscheint, nicht alles für bare Münze zu nehmen, was Kehlmanns Erzähler dem Leser auftischt.

«Mathematik ist blind», heißt es in *Beerholms Vorstellung*. Für den Ich-Erzähler hat diese Blindheit «etwas Beruhigendes» (ebd.). «Schon in der Grundschule» war er «wenig interessiert in Deutsch und exzellent nur im Rechnen» (S. 19 f.). Bald muß er entdecken, daß im Herzen der Mathematik entweder der Keim des Wahnsinns liegt oder der Keim der Offenbarung. Er studiert Theologie, obwohl er einräumt, sein «Streben zu Gott» sei «in seiner Wurzel ein mathematisches» (S. 58). Erst bei seiner Abschlußarbeit über den Mathematiker, Physiker, Philosophen und Schriftsteller Blaise Pascal wird ihm das zum Verhängnis: «Das ist Mathematik [...] und nicht Theologie» (S. 98), befinden gleich zwei Professoren, mit denen man des wenigen zum Trotz, was man über die Abschlußarbeit erfährt, gern streiten würde. Denn ist es mit dem Verhältnis von Mathematik und Theologie nicht ganz ähnlich bestellt wie mit dem von Mathematik und Literatur? Naturwissenschaftlern bereitet es jedenfalls schon seit geraumer Zeit metaphysische Kopfschmerzen, daß man über bestimmte Bereiche der Wirklichkeit lediglich mit Hilfe der Wahrscheinlichkeitsrechnung etwas aussagen kann, weil dort Bestimmungen wie Kausalität und Determination, die das neuzeitliche Weltbild entscheidend geprägt haben, nicht gelten. Bei der physikalischen Untersuchung sogenannter Nichtgleichgewichtsprozesse lassen sich etwa Momente ausmachen, in denen ein System willkürlich verschiedene Richtungen einschlagen kann. Es herrscht dann ein Zustand der Wahlfreiheit. Oder mit Worten aus Daniel Kehlmanns zweitem Roman *Mahlers Zeit* (1999): «Der Kosmos [...] fügt sich nicht nur den Naturgesetzen, sondern auch jenen der Statistik. Und das ist wohl sein eigentliches Rätsel.»[4] Denn wenn etwas nur wahrscheinlich ist, ist es nicht sicher. Und wenn etwas nicht sicher ist, ist auch das Unwahrscheinliche möglich, zum Beispiel das Zusammenspiel mehrerer für den Protagonisten in Kehlmanns Erzählung *Bankraub* überaus glücklicher Umstände: Weil die Bankangestellte Elvira Liebeskummer hat und nicht aufmerksam ist, unterläuft ihr ein Fehler am Computer. «Sofort, unaufhaltsam, rasten Impulse durch Millionen von Schaltkreisen, und in den Tiefen einer unsichtbaren und elektronischen Welt fanden große Veränderungen statt.»[5] Sie machen Markus Mehring, die Hauptfigur, zu einem vermögenden Mann. Das sei sehr unwahrscheinlich? Sicher, aber nicht unmöglich.

Die beiden ersten Romane Kehlmanns handeln von der Grenze zwischen dem Unwahrscheinlichen und dem Unmöglichen. Wer sie überschreitet, täuscht sich, betrügt oder ist wahnsinnig. Aber es ist nicht immer leicht auszumachen, wo sie liegt und wann sie durchbrochen wird. Bei Kehlmann wirkt sie zudem verstörend durchlässig, in jedem Fall so verschwommen, daß sich ihr exakter Verlauf nicht klar ausmachen läßt. Der dadurch erzielte Effekt ist der eines magischen Realismus. Er hat in der deutschsprachigen Literatur Vorläufer bei Hermann Kasack, Ernst Kreuder, Alfred Kubin, Elisabeth Langgässer, Alexander Lernet-Holenia, Hans Henny Jahnn, Ernst Jünger und Leo Perutz. Kehlmann studierte ihn vor allem in der lateinamerikanischen Literatur: bei Jorge Luis Borges, Alejo Carpentier, Gabriel García Márquez und Juan Rulfo. Von allen diesen Autoren unterscheidet er sich durch seinen

Rückgriff auf mathematisch-naturwissenschaftliche Theorien von Blaise Pascal bis Ilya Prigogine.[6] Während dem Ich-Erzähler in *Beerholms Vorstellung* auf abenteuerliche Weise allmählich Zaubertricks, Magie und Wissenschaft verschwimmen, ist sich der Protagonist in *Mahlers Zeit* sicher, den zweiten Hauptsatz der Thermodynamik umkehren zu können. Dieser besagt, wie David Mahler einem Freund etwas plakativ, aber zutreffend erläutert, daß die Unordnung in einem geschlossenen System nur gleich bleiben oder wachsen könne. «Das heißt, daß ein Schreibtisch von selbst unordentlicher wird, aber niemals ordentlicher. Daß ein Gas sich von selbst nur ausbreitet und niemals konzentriert. Daß das All sich ausdehnen und abkühlen muß. Daß kein Perpetuum Mobile gebaut werden kann, niemals.» (S. 31) David Mahler aber glaubt mit Hilfe von vier Formeln Bedingungen schaffen zu können, durch die Schreibtische von selbst ordentlicher werden und Gase sich konzentrieren. «Das wäre das Ende der Welt» (S. 32), kommentiert sein Gegenüber diese Aussichten mit Worten, die wohl nicht zufällig an den Schluß von Kleists Aufsatz *Über das Marionettentheater* erinnern.[7]

Wie die meisten Hauptfiguren in Kehlmanns Romanen ist David Mahler hochbegabt. Schon im Alter von vier Jahren errichtete er aus Bausteinen einen Torbogen mit einer fast einen Meter hohen Wölbung, der «so konstruiert war, daß die Steine sich gegenseitig durch Druck und Gegendruck festhielten. So hatte er, bevor er noch in ganzen Sätzen sprach, das Prinzip des Schlußsteins entdeckt.»[8] Daß ein solches Wunderkind später bahnbrechende Entdeckungen macht, ist nicht ungewöhnlich. Dennoch wachsen bei fortgesetzter Lektüre die Zweifel an Mahlers Theorie, denn seine Fachkollegen halten sie für grotesken Humbug. Haben sie recht? Oder ist das Ergebnis einfach nur so verstörend wie 1931 der Beweis Kurt Gödels, es könne kein formales axiomatisches System geben, das vollständig und zugleich frei von Widersprüchen sei? Selbst Gustav Hilbert, einer der bedeutendsten Mathematiker des 20. Jahrhunderts, hatte sich zunächst geweigert, Gödels Ergebnisse zu akzeptieren. «Das Ganze», erklärte Palle Yourgrau die Gründe für diese anfängliche Reserviertheit Hilberts, «war Logik, war Mathematik, sah aber weder nach Logik noch nach Mathematik aus. Eher nach Kafka.»[9] Ist also David Mahler vielleicht ein zweiter Kurt Gödel? Das bleibt am Ende ungewiß, was den Autor eines Lexikonartikels über Kehlmann gleichwohl feststellen ließ, Mahlers Berechnungen seien «wahrscheinlich korrekte».[10]

Beobachtungen, die dem Wortlaut der Texte widersprechen, machen Rezensenten bei Büchern Kehlmanns besonders häufig. Über eine wiederholt nachlässige Lektüre seiner Novelle *Der fernste Ort* (2001) durch Literaturkritiker berichtet er in seinen Göttinger Poetikvorlesungen.[11] Julian, die Hauptfigur der Novelle, geht am Anfang schwimmen und ertrinkt. Diesen entscheidenden Sachverhalt haben eine Reihe von Kritikern jedoch nicht verstanden und damit nicht bemerkt, daß die Geschichte, von der die Novelle im weiteren handelt, sich nur im Kopf Julians abspielt – in dem kurzen Moment, bevor er endgültig das Bewußtsein verliert. So stellte Peter Henning in der *Weltwoche* vom 13. September 2001 fest: «Kurz entschlossen nutzt der mehr gelangweilte denn frustrierte Schreibtischhocker Julian einen Badeunfall, um sich aus den alten Zusammenhängen davonzustehlen.» Ähnlich Susanne Meister in der *tageszeitung* vom 22. Januar 2002: «Julian [...] beschließt, den eigenen Tod zu fingieren.» Bei Fritz Rudolf Fries (*Neues Deutschland*, 10. September 2001) und Susanne Schaber (*Die Presse*, 2. Februar 2002) findet sich der gleiche Irrtum. Die Aufmerksamkeit, mit der das Buch von Literaturkritikern gelesen wurde, ähnelt der seines Helden, über dessen Doktorarbeit der Rezensent einer Fachzeitschrift urteilte, «daß ‹alles, was dieser Autor übersehen, mißverstanden oder vergessen hat, bereits ein eigenes Standardwerk ergäbe›».[12] So ist auch niemandem aufgefallen, daß Kehlmann in *Der fernste*

Ort eine Idee adaptiert, die schon der Erzählung *Baron Bagge* von Alexander Lernet-Holenia zugrunde liegt: Bagge wird als Soldat im Ersten Weltkrieg durch zwei Schüsse verwundet, fällt ins Koma und träumt einen Traum, der immer phantastischere Züge annimmt. Erstaunt es da, daß die ästhetischen Maximen beider Autoren verblüffend ähnlich sind? «Denn in Wahrheit», läßt Lernet-Holenia Bagge sagen, «so zuwider Phantastereien sonst mir sind, ist mir im Innersten der Traum noch Wirklichkeit und die Wirklichkeit eigentlich nur mehr wie ein Traum.»[13] Das Interessanteste in der Literatur, so Kehlmann, sei «die Öffnung des Traumbereichs, die Verwischung der Grenze zwischen Tages- und Nachtwirklichkeit».[14]

Eine solche Ansicht steht im Widerspruch zur literarischen Entwicklung im deutschsprachigen Raum seit dem Zweiten Weltkrieg – mit «Lautpoesie und sozialem Engagement» als den beiden «bedrückenden Eckpfeilern»[15] –, eine Entwicklung, für die schon Lernet-Holenia nur Hohn, Spott und Verachtung übrig hatte. Er galt deswegen als altmodisch, und auch von Kehlmann hat man immer wieder behauptet, er bediene sich lediglich traditioneller Erzählformen, ja sogar, er lasse es «an literarischem Mut, Spiellaune, Erfindungsfreude» fehlen.[16] Dabei knüpft er durchaus an die Moderne an, denn er bezieht sich direkt und indirekt immer wieder auf Autoren wie Borges, Kafka oder Nabokov. Neben Lernet-Holenias *Baron Bagge* war zum Beispiel Borges' Erzählung *Der Süden* aus dem 1944 veröffentlichten Band *Fiktionen* ein Vorbild für die Novelle *Der fernste Ort.*

«Je traumhafter die Bilder», lautet Kehlmanns Credo, «desto besser. Das eben hat das Schreiben dem Film voraus: Es ist nicht gebunden an die physischen Wirklichkeiten unseres Daseins.»[17] Womit wir schon wieder bei der Mathematik wären, die sich ja ebenfalls nicht mit Wirklichkeiten befaßt. Deshalb handelt auch *Der fernste Ort* von Mathematik. Allerdings brilliert nicht Julian, sondern sein Bruder Paul in diesem Fach: Paul wird bei einem

Programmierwettbewerb ausgezeichnet, weil er mit Hilfe eines Commodore 64 ein besonders elegantes Verfahren zur Berechnung von Primzahlen entwickelt hat. Mit 17 gewinnt er für die Ableitung einer Sinuskurve auf dem Commodore Amiga nochmals einen zweiten Preis. «‹Hätte auch der erste sein können›, sagte er, ‹aber ich hatte zuviel Zeit, es war langweilig. Wen interessieren schon Kurven!›» (S. 47)

Paul hilft seinem Bruder beim Mathematiklernen für das Abitur. «Nachmittag für Nachmittag saßen sie am Eßtisch [...]. Und das half.» (S. 54 f.) Julian studiert dann sogar Mathematik, hält im Seminar des (fiktiven) Professors Kronensäuler ein Referat über den (ebenfalls fiktiven) Begründer der Statistik Vetering. Julian ist jedoch mehr ein verträumter Müßiggänger als ein gründlicher Arbeiter. Während seines Referats kommen ihm seine Notizen «schwerfällig und erbärmlich vor, zu seiner Überraschung hörte er sich improvisieren, Formeln erfinden, Werke zitieren, die es nicht gab; er war sicher, daß man ihn hinauswerfen würde [...].» (S. 57) Doch statt ihn aufzufordern, das Seminar zu verlassen, bietet Professor Kronensäuler Julian an, bei ihm eine Doktorarbeit zu schreiben. Dieser Aufgabe entledigt er sich auf bewährte, also unzuverlässige Weise. Als seine wissenschaftliche Nachlässigkeit endlich auffliegt, reicht die erworbene Qualifikation immerhin, um bei einer Versicherungsgesellschaft Unterschlupf zu finden. Als was man ihn genau beschäftigt, wird nirgends gesagt. Alle Indizien deuten aber darauf hin, daß man ihn als Versicherungsmathematiker engagiert hat, ausgerechnet ihn, der es nicht fassen kann, daß sich mit Hilfe von Wahrscheinlichkeitsrechnungen Voraussagen über Scheidungsraten oder die Anzahl von Unfällen machen lassen. Darüber spricht er mit seinem Kollegen Mahlhorn: «‹Woran liegt es›, fragte Julian, ‹daß die Ergebnisse nie auffällig abweichen?› [...] ‹Statistik›, sagte Mahlhorn. ‹Wenn sie richtig ist, stimmen auch die Voraussagen.› ‹Aber es ist doch nicht *zwingend*, daß sie stimmen!› ‹Wenn die Anzahl der Daten gegen unendlich geht …›, Mahlhorn wischte sich umständlich den Mund ab, ‹… nähert sich das Durchschnittsergebnis dem Erwartungswert.› Er ließ die Serviette fallen. ‹Aber warum halten wir uns daran? Sie und ich und jeder? Verstehen Sie, was ich meine?› ‹Also, um ehrlich zu sein …› Mahlhorn schwieg einen Moment. Dann schob er seinen Stuhl zurück und griff nach dem Tablett. ‹Ich habe nicht die geringste Ahnung.›» (S. 95)

Julian und sein Kollege reden aneinander vorbei. Denn in der Tat tritt nicht notwendig ein, was die Versicherungsmathematik errechnet. Mahlhorn, den Pragmatiker, kümmert das nicht weiter, Julian bleibt es Anlaß zu Zweifeln. Die Tragik seines Lebens besteht schließlich darin, sich des Ungeheuren im statistischen Denken bewußt zu sein, aber selbst Opfer eines Unfalls zu werden, der sich ganz im Rahmen der versicherungsmathematischen Voraussagen bewegt.

Versuchen wir ein Zwischenresümee: In *Beerholms Vorstellung*, *Mahlers Zeit* und *Der fernste Ort* greift Kehlmann mathematisch-physikalische Fragen auf, unterschreitet dabei nie unzulässig das dort erreichte Reflexionsniveau und zieht die literarisch naheliegende Konsequenz, an den magischen Realismus anzuknüpfen. Das gestattet ihm, Dimensionen der Wirklichkeit sinnfällig werden zu lassen, die jenseits realistischer Darstellbarkeit liegen, aber keineswegs einer futuristischen Phantastik zuzurechnen wären. Kehlmanns Bücher sind keine Science Fiction.

Mit der Kritikersatire *Ich und Kaminski* (2003), seinem dritten Roman, begibt er sich stofflich und handwerklich auf ein neues Terrain: Von Mathematik, Naturwissenschaft und magischem Realismus findet sich nicht die leiseste Spur. Im Unterschied zu seinen früheren Büchern dominiert nicht eine einzelne Erzählerstimme, sondern über weite Strecken der Dialog. Damit einher geht eine Hinwendung zum Komödiantischen. Nimmt man noch hinzu, daß das Buch mit rund 30 000 verkauften Exemplaren der gebundenen Ausgabe Kehlmanns erster merkantiler Erfolg auf dem Buchmarkt war und seinen Namen einem breiteren Publikum bekannt machte, hat man damit fast alle Zutaten beisammen, die es für den Erfolg seines Romans *Die Vermessung der Welt* brauchte. Dort knüpfte er stofflich wieder an seine ersten Bücher an, weil zwei entgegengesetzte Formen wissenschaftlicher Welterkenntnis im Mittelpunkt stehen. Wie in *Ich und Kaminski* sind die dialogischen Passagen zahlreich, werden jedoch nicht in direkter, sondern in indirekter Rede wiedergegeben. Erneut hat der Text stark komödiantische Züge, ist sehr unterhaltsam und war wohl nicht zuletzt deshalb so ungeheuer erfolgreich. Einige Kritiker schlossen aus dem Vergnügen, das die Lektüre bereitet, das Buch sei ein Unterhaltungsroman – ein sehr guter, versicherten sie zwar, aber mehr sei er eben auch nicht. Sie ignorierten dabei tapfer die beträchtliche Komplexität des Textes, mit der bloße Unterhaltungsromane niemals aufwarten. Gespickt mit Anspielungen auf Autoren und Werke der Weltliteratur, läßt er sich als Roman über das Altern lesen, als Auseinandersetzung mit dem Geniegedanken,[18] als Spiel mit dem Genre des historischen Romans[19] und als Entgegensetzung zweier divergierender Formen von Welterfahrung und Welterkenntnis. Diese werden durch die beiden Hauptfiguren personifiziert: Carl Friedrich Gauß setzt auf Quantifizierung, Berechenbarkeit und induktive Beweisverfahren; Alexander von Humboldt dagegen legt Sammlungen an, leitet aus dem empirischen Material aber keine Gesetze oder Meßgrößen ab, sondern versucht mit einem weiten, nicht auf das Instrumentelle reduzierten Begriff von Vernunft den Zusammenhang zwischen Naturphänomenen zu ergründen. Gauß vertritt ein modernes mathematisch-naturwissenschaftliches Weltbild. Doch Humboldts nicht nur quantifizierendes Vorgehen führt ebenfalls zu brauchbaren Resultaten. Seine bedeutendste Entdeckung sind die Klimazonen der Erde, die bis heute in der von Humboldt praktizierten Form isothermischer Linien aufgezeichnet werden. Man kann sie jeden Abend auf der Wetterkarte der Tagesschau sehen. Wem am Ende wissenschaftlich der Vorzug zu geben ist, ist daher keineswegs ausgemacht.

Den Gegensatz zwischen Humboldt und Gauß verstärkt Kehlmann, indem er ihn auch auf Bereiche jenseits der Wissenschaft überträgt. Gauß schickt er regelmäßig ins Bordell, und er läßt ihn seinem Dienstherrn gegenüber zu einer Aufmüpfigkeit neigen, die über die Grenze des damals Schicklichen geht (S. 143–147). Bei Humboldt dagegen muß die junge Prostituierte Inés trotz eifriger Bemühungen unverrichteter Dinge wieder abziehen (S. 75–77); anders als Gauß ist er obrigkeitshörig («Der Obrigkeit», meint er, «müsse man Folge leisten», S. 139). Trotz ihrer Verschiedenheit haben beide aber auch einiges gemeinsam: Die Konzentration auf die Wissenschaft ist bei ihnen gleichermaßen mit einer partiellen Ignoranz gegenüber der Wirklichkeit verbunden. Gauß ist «blind für Dinge, die sonst jeder sehe» (S. 152), womit die eklatanten politischen Umwälzungen in Folge der Napoleonischen Kriege gemeint sind; Humboldt übersieht in seinem botanischen Sammeleifer schon mal, daß er sich in Lebensgefahr begibt: direkt vor die Nase eines Raubtiers (S. 107). Beide sind mit Situationen konfrontiert, die sie geistig und emotional überfordern und nicht zu Erfahrungen verarbeiten können – Humboldt bei der Inspektion einer Höhle in Neuandalusien (S. 74; vgl. auch S. 255) und der Besteigung des Chimborazo (S. 175–179), Gauß angesichts eines «quälenden Traums» (S. 184 f.). Von Gauß heißt es bezeichnenderweise nach einer Begegnung mit dem Grafen von der Ohe zur Ohe (S. 181–184), er könne das Gefühl nicht loswerden, «daß er jene Wirklichkeit, in die er gehörte, um einen Schritt verfehlt hatte» (S. 185).

Es lohnt sich, diese Szene genauer unter die Lupe zu nehmen, läßt sich hier das Verhältnis von literarischer Fiktion und historischer Wirklichkeit doch auf das schönste studieren. Kehlmann stützt sich bei seiner Darstellung auf einen Brief von Gauß an den Astronomen Heinrich Christian Schumacher, der mit «Barlhof, 29. September 1822» datiert ist: «Ganz so schlecht, wie ich gefürchtet hatte, ist der Aufenthalt hier doch nicht, ohne Vergleich besser wie in Ober-Ohe, von wo aus ich den Hausselberg und Breithorn bestritt. Dort lebte eine Familie, deren Haupt ‹Peter Hinrich von der Ohe zur Ohe› sich schreibt (falls er schreiben kann), dessen Eigentum vielleicht 1 Quadratmeile groß ist, dessen Kinder aber Schweine hüten. Manche Bequemlichkeiten kennt man dort gar nicht, z. B. einen Spiegel, einen A[bor]t und dergleichen.»[20] Amüsanterweise wurde diesen Mitteilungen der Wahrheitsgehalt abgesprochen. Im Kommentar der Dokumentation von Gaußschen Briefen und Gesprächen von Kurt-R. Biermann heißt es dazu: «Dieser Bericht erhielt 157 Jahre danach eine Richtigstellung durch den Dipl.-Ing. Heinrich-Hermann von der Ohe zur Ohe (gest. 1979), einen Urenkel des ungefälligen Gastgebers: Peter Hinrich von der Ohe zur Ohe konnte lesen und schreiben, in seiner Wohnung standen kostbare Möbel des ehemaligen Schlosses Celle, eine Toilette war sehr wohl vorhanden (aber für die Familie und willkommene Gäste reserviert), und die drei Ohe-Höfe (sie waren damals noch Erblehen) umfaßten etwa 3000 Hektar, ungefähr eine halbe Quadratmeile. Offenbar hatte Peter Hinrich von der Ohe zur Ohe in Gauß einen lästigen Hungerleider erblickt und ihn daher von der ‹Bequemlichkeit› des Hofes ausgeschlossen. Er brachte Gauß wahrscheinlich in der ‹Reuterkammer› unter, die gewöhnlich militärischer Einquartierung vorbehalten war.»[21]

Kehlmann hat sich entschlossen, den Namen des Grafen, auch das Detail des vermeintlich fehlenden Aborts zu übernehmen («ein Abort war nicht zu sehen» [S. 183]). Alles weitere ist seine Erfindung, allerdings keine freie, denn er schildert Gauß' Ankunft in Anlehnung an den Beginn von Kafkas Roman *Das Schloß*. Dort erreicht der Landvermesser K. ein Dorf, das in der Nähe von K.s eigentlichem Ziel liegt, dem Schloß des Grafen Westwest. Weil es schon spät ist, will er dort nicht mehr stören und quartiert sich in einem Gasthaus ein. Nach kurzer Zeit weckt ihn ein junger Mann und verlangt, daß er eine Erlaubnis des Grafen vorweise, die ihm gestatte, im Einzugsgebiet des Schlosses zu übernachten. Da er sie nicht besitzt, der junge Mann aber auf ihren Nachweis besteht, stellt K. ironisch fest, es bleibe ihm dann wohl nichts anderes übrig, als sie sich vom Grafen zu holen. «‹Jetzt um Mitternacht die Erlaubnis vom Herrn Grafen holen?›» ruft daraufhin entsetzt der junge Mann. «‹Ist das nicht möglich?› fragte K. gleichmütig. ‹Warum haben Sie mich also geweckt?›» Nun gerät der junge Mann außer sich. «Landstreichermanieren!» ruft er. «Ich verlange Respekt vor der gräflichen Behörde!»

In Kehlmanns Roman ist es Gauß, der nicht nur Respekt verlangt, sondern sich ihn durch forsches Auftreten auch verschafft: «Er sei Leiter der staatlichen Meßkommission, und wenn man ihn von der Schwelle weise, kehre er in Begleitung wieder. Ob man ihn verstehe? Der Diener trat einen Schritt zurück. Ob man ihn verstehe? Jawohl, sagte der Diener.» Gauß verlangt daraufhin, zum Grafen geführt zu werden, wogegen sich der Diener nicht zu widersetzen wagt. Weshalb er ihn habe wecken lassen, fragt Graf von der Ohe zu Ohe. Er habe sich, antwortet Gauß, «bloß vorstellen wollen und für die Gastfreundschaft bedanken», nichts weiter. «Jetzt wünsche er eine gute Nacht!» Gauß ist zufrieden mit sich. «Diese Leute würden ihn nie wieder wie einen Domestiken behandeln!»

Kehlmann treibt das so erst begonnene Spiel mit Kafkas Landvermesser K. und dem Landvermesser G. auf abgründige Weise weiter, indem er dem Leser zu verstehen gibt, was sein Gauß nicht bemerkt: Graf von der Ohe zu Ohe ist bei ihm nichts Geringeres als eine Inkarnation Gottes. Genauso, als göttliche Instanz, interpretierte die frühe Kafka-Forschung den Grafen in Kafkas Roman, den K. nie zu Gesicht bekommt, dessen Schloß ihm noch nicht einmal zu betreten gelingt. Kehlmanns Gauß ist mithin K.s andere Möglichkeit. Im Ergebnis läuft das jedoch für beide auf das Gleiche hinaus, denn Gauß spricht zwar mit dem Grafen, aber er erkennt seine wahre Identität nicht.

Die Begegnung mit Gott führt bei Gauß immerhin zu einer Verstörung. Seinen Mit- und Gegenspieler Humboldt irritieren dagegen noch nicht einmal spukende Geister (S. 21, vgl. auch S. 260) oder ein Seeungeheuer mit «deutlich erkennbaren Edelsteinaugen» (S. 45). Diese Passagen zeigen: Mit Realismus hat Kehlmann ungefähr soviel im Sinn wie Shakespeare, als er in seinem *Sommernachtstraum* Feen, Elfen und Kobolde auftreten ließ. In der *Vermessung der Welt* korrespondieren die Ausflüge ins Magische und Märchenhafte mit einer bis zur Wirklichkeitsverweigerung konsequenten Wissenschaftlichkeit, die einen Nationalcharakter kennzeichnen soll: «Müsse man immer so deutsch sein?» fragt Bonpland (S. 80). Mit ihrer Hilfe kommt zudem etwas genuin Literarisches zu seinem Recht: das Fabulieren. Absichts- und lustvoll überzeichnet Kehlmann, karikiert, spitzt zu. Selbstverständlich hat Wilhelm von Humboldt seinem Bruder nie Rattengift ins Essen gemischt (S. 21), jedenfalls gibt es keine Quelle, die eine solche Tat belegen würde, genausowenig, wie sich nach gegenwärtigem Kenntnisstand der Satz beweisen ließe: «Er [Humboldt] entschied, die Ereignisse im Tagebuch so zu beschreiben, wie sie sich hätten abspielen sollen» – nicht also, wie sie sich abgespielt haben (S. 108). Doch wie harmonisch war das Verhältnis der beiden Humboldt-Brüder wirklich? Und was hat Humboldt in seinen Aufzeichnungen weggelassen, geschönt, hinzuerfunden? Weiß man es?

Man weiß es nicht. Mit viel Mut, großer Spiellaune und diebischer Erfindungsfreude überläßt sich Kehlmann dem, was Robert Musil in seinem Roman *Der Mann ohne Eigenschaften* den Möglichkeitssinn genannt hat. «Wer ihn besitzt», erläuterte Musil, «sagt beispielsweise nicht: Hier ist dies oder das geschehen, wird geschehn, muß geschehen; sondern er erfindet: Hier könnte, sollte oder müßte geschehn; und wenn man ihm von irgend etwas erklärt, daß es so sei, wie es sei, dann denkt er: Nun, es könnte wahrscheinlich auch anders sein. So ließe sich der Möglichkeitssinn geradezu als Fähigkeit definieren, alles, was ebensogut sein könnte, zu denken und das, was ist, nicht wichtiger zu nehmen als das, was nicht ist.»[22]

Menschen mit Möglichkeitssinn sind in der Lage, sich das Unwahrscheinliche auszumalen, also auch Situationen, wie sie der Zufall mit sich bringen kann, den Kehlmanns Gauß als «Feind allen Wissens» bezeichnet, einen Feind, «den er immer habe besiegen wollen» (S. 13). Gauß rechnet zwar mit dem Unwahrscheinlichen, aber er mag es nicht, weder in der Mathematik noch im Leben und schon gar nicht in Kunst und Literatur. Deshalb ist ihm, dem für die Versicherungsmathematik bis heute bedeutsamen Entdecker der «Gaußschen Normalverteilung», in Kehlmanns Roman auch die Wahrscheinlichkeitsrechnung nicht geheuer. Denn Wahrscheinlichkeiten lassen auch extreme Abweichungen vom Üblichen zu – einen Intellekt wie seinen zum Beispiel, wie Gauß so unbescheiden wie zutreffend anmerkt. «Manchmal vermute er sogar, daß auch die Gesetze der Physik bloß statistisch wirkten, mithin Ausnahmen erlaubten: Gespenster oder die Übertragung der Gedanken.» Ob das ein Scherz sei, fragt Gauß' Sohn Eugen daraufhin. «Das wisse er selber nicht», antwortet sein Vater, schließt die Augen und fällt in tiefen Schlaf (S. 13).

Diese erfundene Episode enthält in nuce das literarische Programm, das Kehlmann in der *Vermessung der Welt* verfolgt. Anders als John Barth in dem Roman *Der Tabakhändler* und nach ihm Thomas Pynchon in *Mason & Dixon* simuliert er nicht mit ironischen Brechungen ein historisches Geschehen samt des ihm zugehörigen Erzähltons,[23] sondern er rückt das Unwahrscheinliche als erzählbare Möglichkeit ganz ins Zentrum. Nichts anderes hat schon Aristoteles im neunten Kapitel seiner Poetik als Wesensmerkmal von Literatur ausgemacht: Der Geschichtsschreiber und der Dichter, heißt es dort, «unterscheiden sich nicht dadurch voneinander, daß sich der eine in Versen und der andere in Prosa mitteilt [...]; sie unterscheiden sich vielmehr dadurch, daß der eine das wirklich Geschehene mitteilt, der andere, was geschehen könnte.» Ein von keiner Quelle bezeugtes Ereignis wie der von Kehlmann imaginierte Besuch von Gauß bei Immanuel Kant (S. 94–97) entspricht diesem Begriff von Dichtung.[24] Es ist zwar nicht wahrscheinlich, daß diese Begegnung stattgefunden hat, ohne jede Spur zu hinterlassen (etwa in Form eines Kalendereintrags oder einer schriftlich festgehaltenen Erinnerung), aber möglich ist es durchaus, bewegt sich sozusagen im Randbereich der Gaußschen Normalverteilung.

Einem literarischen Verfahren, dessen sich schon E. L. Doctorow in dem Roman *Ragtime* und Wolfgang Hildesheimer in seiner fiktiven Biographie *Marbot* bedient haben, die Abweichung von der historischen Faktizität anzukreiden, ist grotesk und töricht. In Gestalt einer Online-Rezension auf den Internetseiten der Wochenzeitung *Die Zeit* blieb Kehlmann der Vorwurf des Schluderns trotzdem nicht erspart.[25] Nicht minder merkwürdig ist der Gebrauch, den der Fernsehjournalist Gero von Böhm von der *Vermessung der Welt* machte. In einem Beitrag für die ZDF-Serie *Giganten* gab er erfundene Zitate Kehlmanns als originäre Äußerungen Humboldts aus, und das, obwohl die Sendung ausdrücklich damit beworben wurde, sie zeige «Humboldt, wie er wirklich war».

Dieser seltsame Umgang mit einem fiktiven Text ist nicht zuletzt deshalb erstaunlich, weil Kehlmann den fiktionalen Charakter mehrfach unterstreicht. So läßt er Gauß schon gleich zu Beginn des Romans gegen das, was ihm darin widerfahren wird, aufbegehren: Jeder Dummkopf, empört er sich, könne «in zweihundert Jahren sich über ihn lustig machen und absurden Unsinn über seine Person erfinden» (S. 9). Auch Humboldt hält es für ein «albernes Unterfangen, wenn ein Autor, wie es jetzt

Mode werde, eine schon entrückte Vergangenheit zum Schauplatz wähle» (S. 27) und regt sich über Romane auf, «die sich in Lügenmärchen verlören, weil der Verfasser seine Flausen an die Namen geschichtlicher Personen binde» (S. 221). Gauß quittiert diese Bemerkungen sofort und bekräftigend: «Abscheulich». Humboldt will sogar «Listen der Eigenschaften wichtiger Persönlichkeiten» erstellen, «von denen abzuweichen dann nicht mehr in der Freiheit eines Autors liegen dürfe» (S. 222). Phantasien dieser Art, bei denen es ihm allerdings in erster Linie um eine exakte Darstellung typischer Merkmale in Naturbeschreibungen und in der Landschaftsmalerei ging, hatte der historische Humboldt tatsächlich.[26] Kehlmann überträgt diese Forderungen, die dem aristotelischen Mimesisbegriff und Goethes typologischer Gestaltlehre verpflichtet sind, auf die künstlerische Darstellung von Menschen, um erst Humboldt, dann aber auch sich selbst zu ironisieren. Denn da er in seinem Roman zum Adressaten der Humboldtschen Überlegungen wird, gerät die Szene ebenso zu einem Vexierbild wie erfundene Werke des von Kehlmann erfundenen Malers Manuel Kaminski, auf denen, «wie aus Versehen, noch Details des Malers zu erkennen» sind: «eine Hand mit einem Pinsel, die Ecke einer Staffelei, scheinbar zufällig von einem Spiegel festgehalten und vervielfacht.»[27] Für solche Volten hätte der Magier Arthur Beerholm zweifellos sehr viel übrig gehabt. Führt nicht überhaupt ein verblüffend gerader Weg von *Beerholms Vorstellung* zur *Vermessung der Welt*?

Anmerkungen

1 Daniel Kehlmann: Beerholms Vorstellung. Wien 1997, S. 280. Zitiert wird im folgenden nach der überarbeiteten Neuausgabe (Reinbek bei Hamburg 2007, hier: S. 245).

2 Heinrich von Kleist: Sämtliche Werke. Brandenburger Ausgabe. Hrsg. von Roland Reuß und Peter Staengle. Bd. IV/2: Briefe 2, Frankfurt am Main, Basel 1999, S. 335.

3 Ebd., Bd. II/7: Berliner Abendblätter I, Frankfurt am Main, Basel 1997, S. 310.

4 Daniel Kehlmann: Mahlers Zeit. Frankfurt am Main 1999, S. 75.

5 Daniel Kehlmann: Unter der Sonne. Wien 1998, S. 8.

6 Prigogine ist das Vorbild für den Nobelpreisträger Valentinov in *Mahlers Zeit*.

7 «Mithin, sagte ich ein wenig zerstreut, müßten wir wieder von dem Baum der Erkenntniß essen, um in den Stand der Unschuld zurückzufallen? Allerdings, antwortete er; das ist das letzte Capitel von der Geschichte der Welt.» (Heinrich von Kleist: Sämtliche Werke. Brandenburger Ausgabe. Hrsg. von Roland Reuß und Peter Staengle. Bd. II/7: Berliner Abendblätter I, Frankfurt am Main, Basel 1997, S. 329) Kehlmann zitiert diese Sätze in seiner Dankesrede zur Verleihung des Kleist-Preises 2006, abgedruckt in der *Frankfurter Allgemeinen Zeitung* vom 25. November 2006 sowie im Kleist-Jahrbuch 2007, S. 9–16.

8 Daniel Kehlmann: Mahlers Zeit. A.a.O., S. 45. – Auch in dieser Passage verbirgt sich eine Kleist-Reminiszenz: «Da gieng ich», schrieb Kleist im November 1800 an seine Verlobte Wilhelmine von Zenge, «in mich gekehrt, durch das gewölbte Thor, sinnend zurück in die Stadt. Warum, dachte ich, sinkt wohl das Gewölbe nicht ein, da es doch *keine* Stütze hat? Es steht, antwortete ich, *weil alle Steine auf einmal einstürzen wollen* […].» (Heinrich von Kleist: Sämtliche Werke. Brandenburger Ausgabe. Hrsg. von Roland Reuß und Peter Staengle. Bd. IV/2: Briefe 1, Frankfurt am Main, Basel 1996, S. 386)

9 Palle Yourgrau: Gödel, Einstein und die Folgen. Vermächtnis einer ungewöhnlichen Freundschaft. München 2005, S. 76.

10 Lexikon der deutschsprachigen Gegenwartsliteratur seit 1945. Hrsg. von Thomas Kraft. München 2003, Bd. 2, S. 656 f.

11 Daniel Kehlmann: Diese sehr ernsten Scherze. Poetikvorlesungen. Göttingen 2007, S. 18–20.

12 Daniel Kehlmann: Der fernste Ort. Frankfurt am Main 2001, S. 86.

13 Alexander Lernet-Holenia: Der Baron Bagge. Novelle. Berlin 1936, S. 141.

14 Gespräch von Helmut Gollner mit Daniel Kehlmann. In: Helmut Gollner (Hrsg.): Die Wahrheit lügen. Die Renaissance des Erzählens in

der jungen österreichischen Literatur. Innsbruck, Wien, Bozen 2005, S. 29-38, hier: S. 33.

15 Daniel Kehlmann: Diese sehr ernsten Scherze. A. a. O., S. 14.

16 Hubert Winkels: Als die Geister müde wurden. In: Die Zeit vom 13. Oktober 2005.

17 Daniel Kehlmann: Diese sehr ernsten Scherze. A. a. O., S. 14.

18 Vgl. dazu den Beitrag von Ulrich Fröschle in diesem Band, S. 186–197.

19 Vgl. dazu den Beitrag von Friedhelm Marx in diesem Band, S. 169–185.

20 Carl Friedrich Gauss. Der «Fürst der Mathematiker» in Briefen und Gesprächen. Hrsg. von Kurt-R. Biermann. München 1990, S. 103.

21 Ebd.

22 Robert Musil: Der Mann ohne Eigenschaften. Reinbek bei Hamburg 1978, S. 16.

23 Der Astronom Mason und der Landvermesser Dixon, die Protagonisten in Pynchons Roman, werden in *Die Vermessung der Welt* allerdings einmal ebenso beiläufig wie absichtsvoll erwähnt (S. 143). «Daniel Kehlmann wußte sehr genau», kommentierte der Kulturwissenschaftler Friedrich Kittler diese Passage in einem Artikel zum 70. Geburtstag Pynchons, «warum seine ‹Vermessung der Welt› einmal die Wissenschaftler Charles Mason, Jeremiah Dixon und Nevil Maskelyne (in dieser Pynchon-treuen Reihenfolge) aufführt. Sein Gauß schreibt Dixon weiter, sein Humboldt Mason. Nur können deutsche Kritiker schlecht lesen.» (Vanity Fair vom 4. Mai 2007) Diese Bemerkung zeugt freilich ebenfalls von keiner genauen Lektüre, denn in Kehlmanns Roman lautet die Reihenfolge «Maskelyne, Mason, Dixon», gefolgt noch vom Namen des italienischen Astronomen Giuseppe Piazzi, der in Pynchons Roman nicht die geringste Rolle spielt.

24 Aristoteles: Poetik. Übersetzt und hrsg. von Manfred Fuhrmann. Stuttgart 1982, S. 29.

25 http://www.zeit.de/online/2007/16/L-Kehlmann.

26 Vgl. Alexander von Humboldt: Kosmos. Entwurf einer physischen Weltbeschreibung. Frankfurt am Main 2004, S. 189–239.

27 Daniel Kehlmann: Ich und Kaminski. Frankfurt am Main 2003, S. 35.

Friedhelm Marx

«Die Vermessung der Welt» als historischer Roman

> «Der historische Roman ist erstens Roman und zweitens keine Historie.»
> *Alfred Döblin*[1]

Die Anfänge des historischen Romans im frühen 19. Jahrhundert fallen zusammen mit dem Beginn einer kritischen Geschichtsforschung, die sich von einer langen, bis auf die Antike zurückgehenden Tradition ästhetisch inspirierter Geschichtsschreibung löst. Seither existieren kritische Quellenforschung und historischer Roman nebeneinander. Deren Voraussetzungen und Verfahren haben allerdings im Verlauf der letzten zwei Jahrhunderte einige Erschütterungen erfahren. Auf der einen Seite haben Hayden White und andere gezeigt, daß sich auch die scheinbar objektive Historiographie fortwährend narrativer, mithin literarischer Deutungsmuster bedient.[2] Auf der anderen Seite reklamieren viele historische Romane ein quellenkritisches Maß an Genauigkeit, das die Gattung an den Rand der Trivialliteratur geführt hat.[3] In einem Interview hat Daniel Kehlmann diese Absturzgefahr der Gattung genau bezeichnet: «Der historische Roman ist normalerweise ein Genre der Trivialliteratur. Wir kennen das. In jeder Großbuchhandlung gibt es ein Regal mit der Aufschrift ‹Historischer Roman›, und da stehen Bücher, die so tun, als könnten sie zeigen, wie das Vergangene gewesen ist. Der Reiz dieser Bücher besteht in einer Art fernsehverwandtem Vergnügen, nämlich dabeizusein bei großen Augenblicken und zu sehen und zu empfinden, wie alles wirklich war.»[4]

Daniel Kehlmanns Roman *Die Vermessung der Welt* sperrt sich gegen eine solche «fernsehverwandte» Form der Rezeption der Geschichte. Er stellt mit Alexander von Humboldt und Carl

Friedrich Gauß zwei historische Wissenschaftlerfiguren in den Mittelpunkt, ohne zu behaupten, daß alles genau so war, wie es hier geschrieben steht. Das verbindet ihn mit anderen historischen Romanen der Gegenwartsliteratur wie Uwe Timms *Morenga* (1978), Sten Nadolnys *Die Entdeckung der Langsamkeit* (1983), Christoph Ransmayrs *Die letzte Welt* (1988), Antje Rávic Strubels *Tupoloew 134* (2004), Ilija Trojanows *Der Weltensammler* (2006), Felicitas Hoppes *Johanna* (2006), Christof Hamanns *Usambara* (2007) und Michael Lentz' *Pazifik Exil* (2007): Jenseits der teils prekären, teils trivialen Gattungsgeschichte zeichnet sich seit einigen Jahren eine Renaissance des historischen Romans ab. Sie steht im Zeichen metafiktionaler Selbstreflexion[5] und einer offensiv ausgestellten Unzuverlässigkeit des Erzählers.[6] Wer immer historische Irrtümer und Ungenauigkeiten dieser Texte in einer Art von Mängelliste aufführt, zielt an der genuin literarischen Signatur des historischen Romans vorbei.

Der erste Satz der *Vermessung der Welt* läßt noch eine herkömmliche, um Genauigkeit bemühte Darstellung jenes historischen Anlasses erwarten, bei dem sich zwei Berühmtheiten der zeitgenössischen Wissenschaft begegneten: «Im September 1828 verließ der größte Mathematiker des Landes zum ersten Mal seit Jahren seine Heimatstadt, um am Deutschen Naturforscherkongreß in Berlin teilzunehmen.» (S. 7)[7] Bereits der zweite Satz: «Selbstverständlich wollte er nicht dorthin», wechselt zur Innensicht, reklamiert mit dem Signalwort «selbstverständlich» eine Kenntnis der inneren Vorgänge, die einem Historiker nicht zu Gebote steht, und deutet an, daß innerhalb des Romans die Größe des «größten Mathematikers» (wie auch die seiner Komplementärfigur Alexander von Humboldt) durch Skurrilität ausbalanciert wird. Das historisch verbürgte Treffen im Herbst 1828, bei dem Gauß für ein paar Tage bei Humboldt in Berlin zu Gast war, liefert denn auch das einzige Datum des Romans. Es bildet den Rahmen der Handlung, die in den folgenden Kapiteln in fortwährendem Wechsel Kindheit und Jugend der beiden Protagonisten, erste wissenschaftliche Erkundungen, spektakuläre und prekäre Erfolge, schließlich die sich einstellende Altersmelancholie schildert.

Mit einer Metapher aus dem Forschungsgebiet seiner Figuren bezeichnet Daniel Kehlmann die Notwendigkeit einer angemessenen Distanz zum Sujet der Geschichte: «Der historische Mensch selbst ist gewissermaßen ein Magnet, und um ihn herum ist ein Feld, in dem man sich erfindend bewegt. Kommt man der ursprünglichen Gestalt zu nahe, dann schreibt man einfach eine Biographie, und das ist nicht der Sinn der Sache. Entfernt man sich aber so weit, daß die Kraft ihres Feldes nicht mehr spürbar ist, so hat man das künstlerische Recht verloren, diese Namen zu verwenden, und man unternimmt etwas ganz Sinnloses.»[8] Die *Nähe* zu den Figuren wird innerhalb des Romans bereits dadurch etabliert, daß nicht nur die spektakulären Entdeckungen, sondern auch die (allerdings erfundenen) Umstände dieser Entdeckungen dargestellt werden: Die Formel zur Korrektur von Meßfehlern der Planetenbahnen etwa, so will es der Roman, findet Gauß in seiner Hochzeitsnacht und verläßt sogleich Braut und Bett für einen Moment, um sie zu notieren. Auch die jeweiligen Familiendramen werden erfindend miterzählt: Gauß erscheint als kalter, ungeduldiger Vater gegenüber seinem Sohn Eugen, Humboldt wächst in einer prekären Rivalität zu seinem Bruder Wilhelm auf. Dabei verzichtet der Roman auf auktorial vermittelte Einblicke in die inneren Bewegungen und Gefühle der Figuren. Was in Gauß und Humboldt vorgeht, äußert sich in Handlungen oder Gesprächen, die von keinem Erzähler kommentiert werden.

Der Roman setzt vor allem auf Dialoge, rückt diese allerdings dadurch in eine gewisse *Distanz*, daß sie im Modus der indirekten Rede wiedergegeben werden. Als Vorbild für diesen Kunstgriff einer distanzierenden Vermittlung führt Daniel Kehlmann bezeichnenderweise historiographische Werke an: «Ein Fachhistoriker geht nicht zu nah ran an die Figuren, an das, was er berichtet, und – und das ist der entscheidende Punkt – er würde nicht behaupten zu wissen, was wörtlich gesagt wurde. Er würde keine wörtliche Rede verwenden, es sei denn, er hat Dokumente und Briefe, aus denen er zitiert.»[9] Die indirekte Rede des Romans verweigert den Eindruck unmittelbarer, unvermittelter Wahrheiten, wie sie gerade im trivialen historischen Roman mitunter geboten werden. Und sie lehnt sich zugleich an genuin literarische Vorbilder wie Thomas Bernhards Roman *Das Kalkwerk* an, wo gleichfalls (und ausschließlich) im Modus der indirekten Rede von bizarrer Genialität berichtet wird. Darüber hinaus trägt die Struktur des Romans dazu bei, daß der Leser keiner der beiden Figuren zu nahe kommt. Nach dem ersten Kapitel, das die Berliner Begegnung von Gauß und Humboldt eröffnet, wechseln sich Rückblenden in die Lebensgeschichten von Humboldt und Gauß kapitelweise ab, bis der Faden des Berliner Treffens wiederaufgenommen wird. Der harte Schnitt zwischen den Humboldt- und Gauß-Kapiteln sowie der überraschende Schluß, der den ungeliebten Eugen Gauß auf der Fahrt nach Amerika zeigt, stehen jeder vorschnellen Identifikation mit einer der beiden Figuren entgegen.

Die Verbindung komplementärer Lebensgeschichten folgt einem biographisch-historiographischen Vorbild der Antike: Wie in den Parallelbiographien Plutarchs, in denen bedeutende Männer der griechischen und römischen Geschichte einander gegenübergestellt werden, bietet Kehlmanns Roman ein Doppelleben: Auf der einen Seite Alexander von Humboldt, der seit seiner ersten Reise unausgesetzt Fernerkundung betreibt, in aller Welt Daten sammelt und verzeichnet, auf der anderen Seite dessen Zeitgenosse Carl Friedrich Gauß, der für seine mathematischen und astrologischen Entdeckungen ausschließlich Denkbewegungen vollzieht.

Verbunden sind diese divergenten Lebensformen durch einen radikalen Vermessungsenthusiasmus, der ins Grenzenlose vorzustoßen sucht, um schließlich von Unbestimmtheit und Melancholie eingeholt zu werden. In Berlin kommen zwei alte Männer zusammen, deren Welt- und Selbstwahrnehmung sich im wörtlichen Sinne relativiert hat. Humboldt entwirft zwar am Ende seiner letzten großen Expedition, im vorletzten Kapitel des Romans, noch einmal eine Vision der Genauigkeit: «Tatsachen, wiederholte Humboldt, die verblieben noch, er werde sie alle aufschreiben, ein ungeheures Werk voller Tatsachen, jede Tatsache der Welt, enthalten in einem einzigen Buch, alle Tatsachen und nur sie, der ganze Kosmos noch einmal, entkleidet von Irrtum, Phantasie, Traum und Nebel; Fakten und Zahlen, sagte er mit unsicherer Stimme, die könnten einen vielleicht retten.» Aber diese Hoffnung erfüllt der Roman nicht. Wenig später ist ihm bei einem Gedanken an Gauß nicht mehr klar, «wer von ihnen weit herumgekommen war und wer immer zu Hause geblieben» (S. 293). Gauß wird schon im ersten Kapitel die Vermutung zugeschrieben, «daß auch die Gesetze der Physik bloß statistisch wirkten, mithin Ausnahmen erlaubten: Gespenster oder die Übertragung der Gedanken» (S. 13). In seinen alten Tagen ist ihm bei seinen Messungen mitunter zumute, «als hätte der den Landstrich nicht bloß vermessen, sondern erfunden, als wäre er erst durch ihn Wirklichkeit geworden» (S. 268).

Die Erfindung der Wirklichkeit

Der Roman trägt die Verunsicherung literarisch aus, die die beiden Protagonisten im Verlauf ihres Lebens erfasst. Er setzt nicht auf «alle Tatsachen», die über Humboldt und Gauß aufzulisten sind, sondern ausschließlich auf jene Tatsachen, die innerhalb eines literarischen Rahmens sinnvoll und signifikant erscheinen. Carlos Montúfar etwa, einer der Begleiter Humboldts bei der Besteigung des Chimborazo, taucht im Roman nicht auf. In einem Essay mit dem Titel *Wo ist Carlos Montúfar?* hat Daniel Kehlmann diese Auslassung begründet. Nach dem Muster des *Don Quijote* benötigt der Roman anstelle der vielen, historisch verbürgten Begleiterfiguren nur eine einzige, um die Signatur des «uniformierten, unverwüstlichen, ständig begeisterten und an jeder Kopflaus, jedem Stein und jedem Erdloch interessierten Preußen»[10] Humboldt erkennbar zu machen: den Franzosen Aimé Bonpland, der zu einem «Widerpart» Humboldts avanciert.[11] Das zeigt sich vor allem im Umgang mit der Fremde, dem Fremden und Unheimlichen, das für den Protagonisten (wie für die breite Spur des literarischen Exotismus) weiblich kodiert ist. Bei den ersten Erkundungs- und Selbstversuchen in der Freiberger Miene sieht der unter Sauerstoffmangel geratene, halb ohnmächtige Humboldt «tropische Schlingpflanzen, welche unter seinem Blick zu Frauenkörpern» werden (S. 34), und entwickelt sogleich eine Respirationsmaschine, die derartige Halluzinationen unterbindet. Sein Verhältnis zu den Tropen ist mit dieser Episode genau bezeichnet, noch bevor er die Tropen überhaupt erreicht hat: Humboldt verfolgt alle erdenklichen und entlegenen Spuren des Lebens, um deren Unheimlichkeit zu kassieren. «Das Leben schien nirgendwo aufzuhören, überall fand sich noch eine Form von Moos und Wucherung, irgendeine Art verkümmerter Gewächse. Sie waren ihm unheimlich, und darum zerlegte und untersuchte er sie, ordnete sie nach Klassen und schrieb eine Abhandlung darüber.» (S. 30) Bonpland dagegen öffnet sich dermaßen der gemeinsam bereisten Fremde, der Unsicherheit und Unordnung, daß er nicht mehr dauerhaft nach Europa zurückzukehren vermag. Am sichtbarsten wird diese Konfrontation zweier Lebensformen beim gemeinsamen Aufstieg auf den Chimborazo, dessen Schilderung durchaus nicht mit den Berichten konkurrieren will, die Humboldt selbst 1837 und 1853 publiziert hat.[12] Das Chimborazo-Kapitel des Romans liefert gerade nicht jene «Fakten und Zahlen», wie sie der historische Humboldt auch in seinen Chimborazo-Texten reichlich präsentiert. Aber es zielt auch nicht darauf ab, Humboldts eigenwilligen Reise-Essay zu überbieten oder zu usurpieren. Statt dessen füllt der Roman einige Leerstellen, die Humboldts Bericht läßt: Er malt mit einem «bergsteigerischen Realismus»[13] die körperlichen Leiden des Aufstiegs aus, die Humboldt zwar erwähnt, aber sogleich souverän zu einem Krankheitsbild ordnet.[14] Er verstärkt die im Reisebericht absichtsvoll gedämpfte Spannung, indem er die Schilderung einer lebensgefährlichen Wanderung über eine Schneebrücke einfügt, die der historische Humboldt beim Aufstieg zum Rucu Pichincha mit viel Glück überlebte. Und vor allem gibt er Gespräche zwischen den Antipoden Humboldt und Bonpland wieder, die mit zunehmender Höhe immer absurder und zugleich im literarischen Sinn immer genauer werden.

Literarische Genauigkeit

Innerhalb des Romans verbindet Humboldt und Gauß eine substantielle Kunstfeindlichkeit, die die Vermessungseuphorie gewissermaßen flankiert: Bei ihrem Treffen in Berlin bemerkt Humboldt: «Ihm selbst habe Literatur ja nie viel gesagt. Bücher ohne Zahlen beunruhigten ihn. Im Theater habe er sich stets gelangweilt.

Ganz richtig, rief Gauß.

Künstler vergäßen zu leicht ihre Aufgabe: das Vorzeigen dessen, was sei. Künstler hielten Abweichungen für eine Stärke, aber Erfundenes verwirre die Menschen, Stilisierung verfälsche die Welt. Bühnenbilder etwa, die nicht verbergen wollten, daß sie aus Pappe seien, englische Gemälde, deren Hintergrund in Ölsauce schwimme, Romane, die sich in Lügenmärchen verlören, weil der Verfasser seine Flausen an die Namen geschichtlicher Personen binde.

Abscheulich, sagte Gauß.

Er arbeite an einem Katalog von Pflanzen- und Naturmerkmalen, an welche zu halten man die Maler gesetzlich verpflichten müsse. Ähnliches sei für die dramatische Dichtung zu empfehlen. Er denke an Listen der Eigenschaften wichtiger Persönlichkeiten, von denen abzuweichen dann nicht mehr in der Freiheit eines Autors liegen dürfe.» (S. 221 f.)

In dieser Bemerkung wird Humboldts Sorge erkennbar, irgendwann werde auch über seine Person Unrichtiges verbreitet. Auch Gauß befürchtet, daß irgendein Dummkopf in zweihundert Jahren absurden Unsinn über seine Person erfinden könne (vgl. S. 9). Es gehört zur spielerischen Gattungsreflexion des Romans, daß die Figuren selbst Vorkehrungen treffen gegen ihre Darstellung im Medium des historischen Romans. Humboldt setzt denn auch gleich bei der Ankunft seines Gastes auf das neue Medium der Photographie, das seiner Überzeugung nach eines Tages die Künste überflüssig machen werde (vgl. S. 222). Um den historischen Moment der Berliner Begegnung festzuhalten, stellt Daniel Kehlmann seiner Humboldt-Figur mit Louis Jacques Daguerre die prominenteste Pionierfigur des neuen Mediums zur Seite: ein Anachronismus, der als Beleg für Kehlmanns prekären Umgang mit den historischen Fakten gewertet wurde.[15] Dabei trägt der Versuch Humboldts, die Begrüßungsszene zwischen ihm und Gauß festzuhalten, von Anfang an groteske Züge: Die entnervten Ankömmlinge werden von Humboldt gebeten, in der Begrüßungspose für 15 Minuten zu erstarren, um den historischen Augenblick der fliehenden Zeit zu entreißen (vgl. S. 15). Humboldts photographischer Archivierungsversuch läuft allerdings ins Leere: Als er in der Nacht die belichtete Kupferplatte untersucht, erkennt er darauf gar nichts, nach einer Weile ein Gewirr gespenstischer Umrisse, «die verschwommene Zeichnung von etwas, das aussah wie eine Landschaft unter Wasser. Mitten darin eine Hand, drei Schuhe, eine Schulter, der Ärmelaufschlag einer Uniform und der untere Teil eines Ohres. Oder doch nicht?» (S. 17)

Mit der Photographie wird gleich zu Beginn des Romans ein Erinnerungsmedium der Moderne ins Spiel gebracht, das sich nicht nur in technischer Hinsicht als unzureichend erweist. Als die Gruppe der Photographierten nach wenigen Minuten auseinander läuft, reagiert der Photograph ungehalten: «Daguerre stampfte mit dem Fuß auf. Jetzt sei der Moment für immer verloren.» (S. 16) Die Pointe dieser (fiktiven) Episode besteht darin, daß der Moment eben nicht für immer verloren, sondern im Medium der Literatur, im Medium des Romans aufgehoben ist. Der Roman behauptet damit eine spezifisch literarische Genauigkeit, die der photographischen Genauigkeit überlegen erscheint. Die Beschreibung der Szene enthält nicht nur den statischen, bewegungslosen Moment der Ankunft, sondern auch das, was Daguerre aus dem Bild zu drängen versucht: den ahnungslosen Polizisten, der eine Zusammenrottung befürchtet und mit Amtshandlungen droht (ein Vorklang auf die Schwierigkeiten, in die Gauß' Sohn Eugen in den letzten Kapiteln des Romans geraten wird), und den ungeschönten Mißmut des berühmten Gastes, der sich schließlich aus der Umarmung befreit, kurz: ein bewegtes Bild, das mehr über den Moment der Begegnung von Humboldt und Gauß bewahrt, als eine gestellte Photographie es je könnte.

Die Daguerre-Episode will nicht als historisches Faktum, sondern in ihrem poetologischen Doppelsinn gelesen werden. Sie eröffnet einen Roman, der auf Momente des Kontrollverlustes inmitten der Vermessungsaktivitäten seiner Figuren aufmerksam macht – wie bei dem späten Treffen der Brüder Humboldt, wo beide einmal völlig vergessen, «geradezusitzen und klassische Dinge zu sagen» (S. 263). Mit ihr erscheint der historische Roman über Humboldt und Gauß als literarische Beobachtung von Beobachtungen.

Der Photographie wird denn auch im Verlauf des Romans eine zweite Form der Beobachtung zur Seite gestellt: die des Journalismus. Humboldt sieht sich schon während seiner Expeditionen zunehmend von Journalisten umgeben. Mit Gomez, Wilson und Duprés stellen sich nacheinander drei Reporter ein, die für internationale Journale und eine interessierte Weltöffentlichkeit zu schreiben vorgeben (vgl. S. 195, 199 u. 206). Humboldt diktiert ihnen mit zunehmender Routine, was immer er für überlieferungswürdig hält, und zitiert später aus den (vermeintlich authentischen) Sachbüchern der drei Reporter, etwa aus Wilsons *Scientist and Traveller: My Journeys with Count Humboldt in Central America* (S. 217). Daß er bei seiner letzten Expedition schon von einem Dutzend Journalisten verfolgt wird (S. 269), markiert noch zu Lebzeiten den Übergang zum Fossil. Wolodin, einer der Begleiter auf der Rußlandreise, nimmt Humboldt wie eine Figur aus dem Geschichtsbuch wahr, der denn auch zuletzt die Herrschaft über die Schrift entzogen wird (vgl. S. 288).

Es gehört zur literarischen Genauigkeit des Romans, die Genauigkeit der zeitgenössischen Wahrnehmungen in Gestalt des Sensationsjournalismus und der schon zu Lebzeiten einsetzenden Geschichtsschreibung in Frage zu stellen. Daniel Kehlmanns *Vermessung der Welt* entlarvt die Fiktion im scheinbar Authentischen und behauptet demgegenüber das Authentische der Fiktion.

Neben der spielerischen Kritik des Journalismus und der Geschichtsschreibung zu Lebzeiten kreuzt Kehlmanns Roman mindestens zwei literarische Traditionen.[16] Die erste literarische Spur führt zu Thomas Manns Goethe-Roman *Lotte in Weimar* von 1939: Wie bei Thomas Mann wird eine historisch verbürgte (und im Eröffnungssatz datierte) Begegnung literarisch ausphantasiert. Und wie bei Thomas Mann geht es nicht nur um eine Auseinandersetzung mit der deutschen Klassik, sondern auch um eine kritische Revision der deutschen Klassik-Rezeption.

Goethe erscheint in der *Vermessung der Welt* nur am Rande, allerdings mit einem prekären Missionsauftrag für den Weltreisenden Humboldt: «Er solle bedenken, wer ihn geschickt habe. [...] Von uns kommen Sie, sagte Goethe, von hier. Unser Botschafter bleiben Sie auch überm Meer.» (S. 37)[17] Wie sehr Humboldt als radikaler, humor- und ironieloser Botschafter der Weimarer Klassik scheitert, zeigt nicht nur seine bizarre Rezitation des Goethe-Gedichts *Wanderers Nachtlied* auf dem Rio Negro, von dem, frei ins Spanische übersetzt, nur noch das thematische Gerüst stehen bleibt: «Oberhalb der Bergspitzen sei es still, in den Bäumen kein Wind zu fühlen, auch die Vögel seien ruhig, und bald werde man tot sein.» (S. 128) Bei Bonpland wie bei den Ruderern, die sich fortwährend Geschichten erzählen, hinterläßt die Rezitation eine gewisse Fassungslosigkeit. Zur prekären Seite der Größe Humboldts gehört es, daß er mit zäher Entschlossenheit eine kulturelle Botschaft in alle Welt trägt, ohne die Botschaften der anderen Welt wahrzunehmen.

Daniel Kehlmann hat die dem Roman eingeschriebene Kritik an dieser genuin deutschen Tradition mehrfach betont: «Die Humboldt-Brüder, sowohl Alexander als auch der ungleich erschreckendere Wilhelm, waren gewiß die Zähesten, die am hartnäckigsten zur Klassizität Entschlossenen unter den Weimarern. Ob sich der eine nun auf den Chimborazo quälte oder der andere mit der Striktheit eines Brigadegenerals die deutsche Universität neu erfand, immer blieben sie Klassiker aus reiner Willensanstrengung. Ebendiese ihr ganzes Leben charakterisierende Anspannung, die sie bei aller Humanität ihrer Ansichten den Maschinenmenschen E. T. A. Hoffmanns ähnlich macht, war für die deutsche Öffentlichkeit so oft das Vorbildliche an ihnen [...].»[18] Dieser Zähigkeit korrespondiert im Roman eine eurozentristische Wahrnehmung der Fremde: Als Wissenschaftler versteht Kehlmanns Humboldt nicht, wie sehr es die Indianer verstört, daß er mehrere Leichen aus einer Grabhöhle entwendet (vgl. S. 120 ff.).[19]

Die Vermessung der Welt zielt nicht darauf ab, die Weimarer Klassik in ihrer weltläufigsten und bizarrsten Verkörperung zu diskreditieren. Vielmehr richtet sich der Roman gegen eine prekäre Verengung der Klassik-*Rezeption*, die deren spielerische, anti-pathetische und ironische Aspekte ausblendet. Darin trifft er sich mit Thomas Manns Goethe-Roman, der nicht Goethe selbst, sondern die (nationalistische) Goethe-Wahrnehmung der Zeitgenossen demontiert. Während Thomas Mann allerdings im siebenten Kapitel seines Romans Goethe selbst in einem großen inneren Monolog zu Wort kommen läßt, verzichtet Daniel Kehlmann kategorisch auf jede Art von Zitatmontage, die den Abstand zwischen Erzähler und Figur verschwimmen lassen könnte.[20] Statt dessen stellt er seinem Protagonisten eine ganz andere, eine magische Weltwahrnehmung entgegen.

Die zweite literarische Spur des Romans führt zur südamerikanischen Tradition des Magischen Realismus. Je weiter sich Humboldt von seiner Heimat entfernt, desto weniger gelingt es ihm, die Tatsachen «entkleidet von Irrtum, Phantasie, Traum und Nebel» wahrzunehmen, wie er es sich bis zuletzt wünscht (vgl. S. 293). Bei der Passage in die Neue Welt sieht er vor Teneriffa ein Seeungeheuer, über das er nichts aufzuschreiben beschließt (vgl. S. 45). In der «Höhle der Toten» glaubt er seine verstorbene Mutter (S. 74), später auf dem Orinoko eine Art UFO zu sehen (vgl. S. 74 u. 135): Während er selbst diese Dinge als Einbildungen abtut, sie zu unterdrücken sucht und nicht schriftlich festhält, stellt der Roman sie unkommentiert in den Raum seiner erzählten Welt.

Als Botschafter der Weimarer Klassik reist Humboldt in eine Welt, in der ihm das Unheimliche auch in literarischer Gestalt begegnet. Die Ruderer erzählen sich (und ihm) Geschichten über Zwerghunde mit Flügeln, über sprechende Fische und Menschen, die rückwärts sprechen (vgl. S. 106 f.). Unversehens gerät Humboldt in den Sog dieses Magischen Realismus, zumal er beim Botanisieren mit dem ganz Anderen in Gestalt eines Jaguars Bekanntschaft gemacht hat: «Die Ruderer hörten nicht auf, einander wirre Geschichten zuzuflüstern, die sich in seinem Bewußtsein festsetzten. Und jedesmal, wenn er es doch schaffte, die fliegenden Häuser, bedrohlichen Schlangenfrauen und Kämpfe um Leben und Tod beiseite zu schieben, sah er die Augen des Jaguars.» (S. 109) Anstatt es beiseite zu schieben, feiert der Roman geradezu das Befremdliche und Unheimliche des Magischen Realismus in Gestalt «winziger Verschiebungen in der Wirklichkeit, wenn die Welt für Momente einen Schritt ins Irreale» macht (vgl. S. 117). Im Unterschied zur magisch-realen Romanwelt des Gabriel García Márquez werden diese «Verschiebungen in der Wirklichkeit» hier allerdings sowohl für die Figuren wie auch für den Leser als solche deutlich. Kehlmanns erzählte Welt bleibt nicht dauerhaft und fraglos im Modus des Irrealen.

Gauß begegnet dem scheinbar Unmöglichen von Anfang an ungleich beweglicher als Humboldt. Aus einem Vermessungsbesuch beim Grafen von der Ohe zur Ohe, dessen Namen Kehlmann in einem Brief von Gauß gefunden hat, macht der Roman eine metaphysische Begegnung: Gauß sieht sich unversehens jemandem gegenüber, der all die Fragen kennt, die er im Falle eines Jüngsten Gerichts Gott stellen wollte.[21] Und im vorletzten Kapitel verständigen sich Gauß und Humboldt über weite Strekken, als gäbe es jene Gedankenübertragung, von deren Möglichkeit Gauß auf dem Weg nach Berlin vermutungsweise spricht. Damit stellt Daniel Kehlmann seinen Roman in magisch-metaphysisch-phantastische Erzähltraditionen, ohne die ganz anders ausgerichteten, epochalen Vermessungsleistungen seiner Protagonisten zu schmälern.

Ein «albernes Unterfangen»?

Die Skepsis gegenüber der Gattung des historischen Romans ist der *Vermessung der Welt* eingeschrieben: Humboldt schließt im Gespräch mit Lichtenberg historische Stoffe für einen Roman kategorisch aus: «Das Romanschreiben, sagte Humboldt, erscheine ihm als Königsweg, um das Flüchtigste der Gegenwart für die Zukunft festzuhalten. [...] Somit sei es ein albernes Unterfangen, wenn ein Autor, wie es jetzt Mode werde, eine schon entrückte Vergangenheit zum Schauplatz wähle. Lichtenberg betrachtete ihn mit schmalen Augen. Nein, sagte er dann. Und ja.» (S. 27)

Lichtenbergs Ja *und* Nein ist bezeichnend: *Die Vermessung der Welt* ist historischer Roman und Gegenwartsroman zugleich. Der Roman wählt eine entrückte Vergangenheit zum Schauplatz und sucht zugleich «das Flüchtigste der Gegenwart für die Zukunft festzuhalten». Humboldt und Gauß erscheinen als historische Figuren auf der Schwelle zur Gegenwart, insofern sie sich im Verlauf des Romans von der Vorstellung einer eindeutigen Vermeßbarkeit der Welt verabschieden: Kein albernes Unterfangen, ein seltenes Kunststück.

1 Alfred Döblin: Der historische Roman und wir. In: Ders.: Aufsätze zur Literatur. Hrsg. von Walter Muschg. Olten, Freiburg i. Br. 1963, S. 169.
2 Vgl. Hayden White: Auch Klio dichtet oder die Fiktion des Faktischen. Stuttgart 1986. – Ders.: Metahistory. Die Historische Einbildungskraft im 19. Jahrhundert in Europa. Frankfurt 1994. – Ders.: Der historische Text als literarisches Kunstwerk. In: Geschichte schreiben in der Postmoderne. Hrsg. von Christoph Conrad u. Martina Kessel. Stuttgart 1994.
3 Zur Gattungsentwicklung der letzten Jahrzehnte vgl. Ralph Kohlpeiß: Der historische Roman der Gegenwart in der Bundesrepublik Deutschland. Ästhetisches Konzept und Wirkungsintention. Stuttgart 1992. – Hugo Aust: Der historische Roman. Stuttgart 1994. – Travellers in Time and Space. Reisende durch Zeit und Raum. The German Historical Novel. Der deutschsprachige historische Roman. Hrsg. von Osman Durrani u. Julian Preece. Amsterdam 2001. – Neue Rundschau, Jg. 118 (2007), H. 1 (Themenheft *Historische Stoffe*).
4 Sebastian Kleinschmidt: Gespräch mit Daniel Kehlmann. Jg. 58 (2006), Nr. 6, S. 786–799, hier: S. 792.
5 Mit dem Begriff «historiographische Metafiktion» werden historische Romane bezeichnet, die – wie *Die Vermessung der Welt* – das Verhältnis von Dichtung und Wahrheit nicht nur literarisch austragen, sondern auch explizit thematisieren. Vgl. hierzu Ansgar Nünning: Von historischer Fiktion zu historiographischer Metafiktion. 2 Bände. Trier 1995. – Franz K. Stanzel: Historie, historischer Roman, historiographische Metafiktion. In: Sprachkunst. Beiträge zur Literaturwissenschaft 26 (1995), S. 113–123.
6 Vgl. etwa Antje Rávic Strubels Beschreibung ihres Romans *Tupolew 134*: «Er unterläuft die Hoheit einer Perspektive mit einer anderen, ersetzt eine Behauptung durch konträre andere und zeigt die Unzuverlässigkeit der ganzen Geschichte. [...] Er zeigt, daß das, was gewesen ist, nicht *ist*, sondern immer an dem Ort und in dem Moment entsteht, wo es erzählt wird. Geschichte ist flüchtig, weil sie aus der Gegenwart heraus begriffen wird, die Gegenwart jedoch mit jeder Sekunde, die verstreicht, sich in Geschichte hinein auflöst.» Antje Rávic Strubel: Ausgestorben lebendig. In: Neue Rundschau. Jg. 118 (2007), H. 1, S. 7–13, hier: S. 13.
7 Darauf hat Daniel Kehlmann selbst hingewiesen: Ich wollte schreiben wie ein verrückt gewordener Historiker. Gespräch mit Felicitas von

Lovenberg, in diesem Band S. 26–35. Seitenzahlen im fortlaufenden Text beziehen sich auf Daniel Kehlmann: Die Vermessung der Welt. Reinbek 2005. Und mit «Humboldt» und «Gauß» sind in der Regel die Romanfiguren gemeint.

8 Daniel Kehlmann: Diese sehr ernsten Scherze. Poetikvorlesungen. Göttingen 2007, S. 26.

9 Daniel Kehlmann: Ich wollte schreiben wie ein verrückt gewordener Historiker. A. a. O.

10 Daniel Kehlmann: Wo ist Carlos Montúfar? In: Ders.: Wo ist Carlos Montúfar? Über Bücher. Reinbek 2005, S. 9–27, hier: S. 15.

11 Vgl. hierzu den Beitrag von Stephanie Catani in diesem Band (S. 198–215), besonders den Abschnitt «Über ‹Größe und Komik› der Weimarer Klassik».

12 Humboldts in großem zeitlichen Abstand zur Besteigung gedruckte Chimborazo-Berichte, sein Reisetagebuch und einschlägige Briefe sind kürzlich in einer sorgfältigen Edition erschienen: Alexander von Humboldt: Ueber einen Versuch den Gipfel des Chimborazo zu ersteigen. Hrsg. und mit einem Essay versehen von Oliver Lubrich und Ottmar Ette. Berlin 2006.

13 Daniel Kehlmann: Wo ist Carlos Montúfar? A. a. O., S. 21.

14 Bei Humboldt heißt es: «Wir fingen nun nach und nach an, alle an grosser Ueblichkeit zu leiden. Der Drang zum Erbrechen war mit etwas Schwindel verbunden und weit lästiger als die Schwierigkeit zu athmen. […] Wir bluteten aus dem Zahnfleisch und aus den Lippen. Die Bindehaut (tunica conjunctiva) der Augen war bei allen ebenfalls mit Blut unterlaufen. Diese Symptome der Extravasate in den Augen, des Blutausschwitzens am Zahnfleisch und an den Lippen, hatten für uns nichts Beunruhigendes, da wir aus mehrmaliger früherer Erfahrung damit bekannt waren.» Alexander von Humboldt: Ueber einen Versuch den Gipfel des Chimborazo zu ersteigen. A. a. O., S. 140.

15 Vgl. http://zeus.zeit.de/text/online/2007/16/L-Kehlmann. Der Autor dieses «Zwischenrufs» verkennt, daß der Roman nicht als historischer Text gelesen werden darf. Christoph Ransmayr verfährt in seinem Ovid-Roman *Die letzte Welt* nicht anders, wenn er Mikrophone und andere moderne Medien im antiken Rom unterbringt.

16 Neben den hier behandelten literarischen Vorbildern hat Daniel Kehlmann weitere Orientierungsgrößen angeführt: Thomas Pynchons *Mason & Dixon*, E. L. Doktorows *Ragtime*, John Barths *Der Tabakhändler*,

John Fowles' *Die Geliebte des französischen Leutnants* und andere mehr. Vgl. Daniel Kehlmann: Wo ist Carlos Montúfar? A. a. O., S. 12.

17 Vgl. dazu Daniel Kehlmann: «Humboldt vertritt das Weltbild der Klassik, aber eben ohne jenes durchheiternde spielerische Element der Befreiung durch Kunst, um dessentwillen man ihr dann doch die Striktheit und Humorlosigkeit gerne verzeiht.» (Diese sehr ernsten Scherze. A. a. O., S. 40)

18 Daniel Kehlmann: Wo ist Carlos Montúfar? A. a. O., S. 23.

19 Die Romanepisode bezieht sich auf Humboldts Besichtigung der Grabhöhle von Ataruipe, der er zum «größten Aergerniß» der indianischen Führer einige Schädel und ein vollständiges Skelett entnahm. Vgl. Alexander von Humboldt: Reise in die Äquinoktial-Gegenden des Neuen Kontinents. Hrsg. von Ottmar Ette. 2 Bände. Frankfurt, Leipzig 1991, S. 948–996. Wolf Lepenies beschreibt anhand dieses Beispiels die Grenzen von Humboldts bemerkenswerter Empathie mit den Indianern. Vgl. Wolf Lepenies: Alexander von Humboldt – Vergangenes und Gegenwärtiges. In: Alexander von Humboldt – Aufbruch in die Moderne. Hrsg. von Ottmar Ette, Ute Hermanns, Bernd M. Scherer, Christian Suckow. Berlin 2001, S. 3–15, hier: S. 13. Zu Humboldts Wissenschaftsverständnis vgl. auch die Aufsätze von Hartmut Böhme (S. 17–32) und Ottmar Ette (S. 33–55) im selben Band sowie den «Versuch über Humboldt» von Ottmar Ette und Oliver Lubrich in: Alexander von Humboldt: Ueber einen Versuch den Gipfel des Chimborazo zu ersteigen. Hrsg. und mit einem Essay versehen von Oliver Lubrich und Ottmar Ette. Berlin 2006, S. 7–76 und: Ansichten Amerikas. Neuere Studien zu Alexander von Humboldt. Hrsg. von Ottmar Ette und Walther L. Bernecker. Lateinamerika-Studien 43 (2001).

20 Mit dieser «Spielregel» distanziert sich Daniel Kehlmann zugleich von postmodernen Verfahren der Annäherung an historische Figuren. Vgl. Daniel Kehlmann: Diese sehr ernsten Scherze. A. a. O., S. 32.

21 Vgl. dazu Daniel Kehlmann: Diese sehr ernsten Scherze. A. a. O., S. 34.

Ulrich Fröschle

«Wurst und Sterne». Das Altern der Hochbegabten in «Die Vermessung der Welt»

«Die Komödie der Genialität, ja das ist schön.» Daniel Kehlmann stimmt einer solchen Lesart seines jüngsten Romans *Die Vermessung der Welt* zu, die ihm Sebastian Kleinschmidt in einem erhellenden Gespräch nahelegt: Sein Ansatz sei «im Grundzug ironisch», doch, so schränkt der Autor ein, erzähle er insbesondere die Geschichte des genialen Mathematikers Carl Friedrich Gauß durchaus auch «in leicht melancholischem Duktus». Im Kapitel *Die Steppe* habe er gar dezidiert versucht, «den Ton ins Ernste, ins Melancholische wechseln zu lassen. Hier, am Beispiel des greisen Humboldt, wird das Buch zu einem Roman über das Alter, darüber, wie es ist, wenn ein Mensch – und gerade einer, der Großes vollbracht hat – irgendwann feststellt, daß seine Aufgabe erfüllt, die Arbeit getan ist, er aber immer noch da ist. Das hat etwas Tragisches.»[1] Damit sind zum einen die beiden Tongeschlechter dieses Romans mit gattungstypischen Begriffen aus der Dramatik deutlich benannt. Zum anderen aber lenkt jenes Gespräch den Blick auf zwei Schwerpunktthemen, die nicht nur Kehlmanns Versuch grundieren, eine deutsche Mentalitätsgeschichte zu erzählen, sondern die sein gesamtes bisheriges Werk durchziehen: Wie kaum einen anderen Autor der deutschsprachigen Gegenwartsliteratur beschäftigt ihn die Problematik der Hochbegabung, meist eng verschränkt mit dem Schicksal des Alterns und Sterbens, der Vergänglichkeit. Auffällig viele seiner literarischen Figuren sind interessanterweise mathematisch außergewöhnlich begabt, und es wird viel gestorben in Kehlmanns Romanen.

Hochbegabung als Stoff hat es in sich, hängt die Frage nach Begabungen und deren Förderung ja eng mit dem Begriff der

‹Elite› zusammen, der lange Jahrzehnte in Deutschland umstritten war und allenfalls abfällig benutzt wurde. In den letzten Jahren allerdings ist wieder oft davon die Rede: von Eliteuniversitäten, Exzellenz-Clustern, Eliteschulen und dergleichen mehr, und es geht meist darum, wie herausragende Leistungen angeregt und der Zuwachs an begabtem Nachwuchs in der Gesellschaft verstetigt werden könnten. Stark vereinfachend kann von zwei idealtypischen Richtungen gesprochen werden, die bis heute die allgemeine Debatte um die Gestaltung des Bildungswesens prägen und mit dem Begabungsproblem verbunden sind: Vertritt die eine Richtung die Ansicht, es gebe grundsätzlich unterschiedlich begabte Kinder – ob nun aufgrund besserer sozialer Ausgangsbedingungen oder genetischer Ausstattung –, die entsprechend ihren Möglichkeiten zu fördern seien, ist die andere Richtung überzeugt, gegebene Unterschiede durch geeignete Erziehung auf einem hohen Leistungsniveau einander weitgehend angleichen zu können. Glaubt man indes dem nicht unbegabten Schriftsteller Gottfried Benn, steht man hier grundsätzlich vor einer paradoxen Situation: Seine Vorstellung von Hochbegabung stellt sich jeder gezielten Steuerung von Elitennachwuchs quer, denn, so Benn 1934, die «Reihe der Paralytiker unter den Genies» sei enorm, «die der Schizophrenen trägt die größten Namen, und das alles nicht beiläufig», also gleichsam statistisch unerheblich, «sondern als Geschick, Wesen, Blut und Boden des Schöpferischen, Tränke des Geistes, Prägung und Verflechtung in die gezeichnete Gestalt». Fazit: Die Produkte Hochbegabter seien nichts anderes als «Steigerungskunst von Psychopathen, von Alkoholikern, Abnormen, Vagabunden, Armenhäuslern, Neurotikern, Degenerierten, Henkelohren, Hustern».[2] Was Gottfried Benn in prekärer Lage polemisch gegen «Anekdotenschnurrer, Balladenbarden, notorische Nachspieler, stigmatisierte zweite Besetzung, Chargenkomiker für Gartenlokale», also minderbegabte Zeitgenossen formulierte, zielte damals auf einen Konkurrenten, der ihn öffentlich zu denunzieren versucht hatte – es richtete sich aber auch generell gegen die Züchtungsideologie der Nationalsozialisten, die das alte Ideal ‹mens sana in corpore sano› im Stile von Pferdezüchtern auf scheinbar wissenschaftlicher Grundlage rigoros umsetzen wollten. Benns Bild vom ‹Genie› entspricht dabei einerseits der weitverbreiteten Unterstellung, daß Hochbegabte generell problematische Existenzen seien, die gern verkannt und zu sogenannten Underachievern, also ‹Minderleistern› würden, was oft einherginge mit ‹Verhaltensauffälligkeiten›. Andererseits spielt Benns Polemik auf ein psychologisches Erklärungsmodell für außergewöhnliche Begabungsleistungen an: Seine Aufzählung operiert mit der Interpretation, Genialität bilde eine Art Kompensation oder Sublimation für Abweichungen von menschlicher ‹Normalität›.[3] Die Frage nach Eliten, nach angeborener Begabung und deren Förderung schien seit jener Zeit kontaminiert durch die Rassenkonzepte und die eugenische Praxis der Nationalsozialisten, doch blieb sie selbstverständlich in den Bildungsdebatten und der erzieherischen Praxis in Westdeutschland präsent, wenn sie auch selten explizit und positiv verhandelt wurde. Auch in der DDR, deren Staatsideologie biologische Grundlagen menschlicher Kulturleistungen und damit angeborene Begabungen eigentlich nicht anerkennen konnte, betrieb man ganz pragmatisch Begabtenauslese, in der Sportförderung ebenso wie durch Mathematikolympiaden, durch Einrichtung mathematisch-naturwissenschaftlicher Spezialklassen und spezielle Schulen. In den letzten beiden Jahrzehnten hat sich in Deutschland indessen auch jenseits bildungspolitischer Marketingsprüche eine offene Debatte um die Förderung Hochbegabter entwickelt, nicht zuletzt durch empirische Langzeituntersuchungen wie das ‹Marburger Hochbegabtenprojekt›.[4]

In diese Debatten fügt sich Daniel Kehlmanns Roman *Die Vermessung der Welt* thematisch ein, denn er entwickelt im literarischen Spiel mit historisch-biographischem Material die beiden

Hauptfiguren zu zwei idealtypischen Hochbegabungen, in denen sich die bereits grob skizzierten grundsätzlichen Positionen widerspiegeln. Der Mathematiker Carl Friedrich Gauß verkörpert die aus dem einfachen Volk emporsteigende Naturbegabung, die in der Volksschule früh entdeckt und gefördert wird. Alexander von Humboldt dagegen entstammt dem Adel, einer sozial privilegierten Schicht, wächst in eine ehrgeizige, leistungsorientierte Umgebung hinein und wird von Anfang an entsprechend systematisch erzogen.[5] Erscheint Gauß bei Kehlmann als anarchisch grantelndes ‹Naturgenie›, das sich nur scheinbar bändigen läßt, zeichnet er Humboldt als einen typischen ‹Hochleister›, dessen Begabung sich nicht zuletzt in der anerzogenen Fähigkeit zu enormer Selbstdisziplinierung äußert. Ein Urbild solcher Konditionierung liefert der historische Goethe, der in *Dichtung und Wahrheit* rückblickend schildert, wie er selbst jenen Habitus einübt, den Kehlmanns Alexander von Humboldt als Typus in zugespitzter Form repräsentiert. Um seine Schwindelgefühle zu bekämpfen, schrieb Goethe, sei er immer wieder auf den Turm des Straßburger Münsters geklettert, um sich großer Höhe auszusetzen: «Dergleichen Angst und Qual wiederholte ich so oft, bis der Eindruck mir ganz gleichgültig ward, und ich habe nachher bei Bergreisen und geologischen Studien, bei großen Bauten, wo ich mit den Zimmerleuten um die Wette über die freiliegenden Balken und über die Gesimse des Gebäudes herlief, ja in Rom, wo man eben dergleichen Wagstücke ausüben muß, um bedeutende Kunstwerke näher zu sehen, von jenen Vorübungen großen Vorteil gezogen.»[6] Diesem Goethe, bei dem sich Humboldts Mutter am Anfang der *Vermessung der Welt* erkundigt, «wie sie ihre Söhne ausbilden solle»,[7] offenbart der junge Humboldt in Weimar seinen Plan, in die ‹Neue Welt› zu reisen. Daraufhin sagt ihm Kehlmanns Goethe, er «solle nie vergessen, von wem er komme. Humboldt verstand nicht. Er solle bedenken, wer ihn geschickt habe. Goethe machte eine Handbewegung in Richtung der bunten Zimmer, der Gipsabgüsse römischer Statuen, der Männer, die sich im Salon mit gedämpften Stimmen unterhielten. Humboldts älterer Bruder sprach über die Vorteile des Blankverses, Wieland nickte aufmerksam, auf dem Sofa saß Schiller und gähnte verstohlen. Von uns kommen Sie, sagte Goethe, von hier. Unser Botschafter bleiben Sie auch überm Meer.»[8] Was Kehlmann hier respektlos prägnant umreißt, bildet den Kern seiner Konzeption der Figur Humboldts: Anders als Gauß, dem unverkennbar die Sympathie des Autors gilt, steht Humboldt als ein Genie aus Bildung, Haltung und Selbstdisziplin für die Weimarer Klassik, und der Autor belädt sie, in ideologiekritischer Absicht, mit der ganzen Last der späteren Geschichte.[9]

Für beide Fälle aber bildet ein gesellschaftliches Klima den geschichtlichen Hintergrund, das nachgerade auf Hochbegabungen fixiert war. Auch die Ausbildung von Gauß repräsentiert eine bestimmte Praxis der Begabtenförderung, die im damaligen Deutschland schon eine längere Tradition hatte. Johann Gottlieb Fichte etwa, Sohn eines Bandwebers und ein zentraler Philosoph des deutschen Idealismus, wurde in dem sächsischen Ort Rammenau als Knabe «entdeckt» und erhielt dann im schulgeldfreien Internat Schulpforta seine weiterführende Schulbildung. Dies war eine von drei sächsischen Landes- und Fürstenschulen, die seit dem 16. Jahrhundert, den Zeiten des protestantischen Kurfürsten Moritz von Sachsen, Nachwuchs für kirchliche und weltliche Leitungsfunktionen heranzuziehen hatten, und zwar ohne Einschränkung im Hinblick auf Herkunft, sozialen Rang und Stand.[10] Mit dem literarischen ‹Sturm und Drang› im späten 18. Jahrhundert hatte sich überdies ein Kult des ‹Originalgenies› etabliert, das sich – naturwüchsig, eigenständig und innovativ – seinen Weg zu bahnen hatte, gegen alle Widerstände und stets in Gefahr zu scheitern. Die Verbindung von Innovationsanspruch und Originalität als Ausweis des Genialen hat von dort aus ihren – letztlich bis heute anhaltenden – Siegeszug angetreten. Kehlmanns Roman übernimmt mit dem historisch-biographischen Stoff diesen Entwurf eines geistigen Klimas als Zeithintergrund.

Auch deswegen ist *Die Vermessung der Welt* keine Geschichte der schnöden Verkennung oder gar des tragischen Scheiterns genialer Menschen, sondern die Darstellung zweier äußerst erfolgreicher Karrieren. Auch heute sind, wie neuere Forschungen entgegen landläufiger Vorurteile indizieren, Hochbegabte in den meisten Fällen sozial gut integrierte ‹Hochleister›, und nur ein überschaubarer Prozentsatz zeigt signifikant schlechte Schulleistungen oder wird gar ‹verhaltensauffällig›.[11] Zwar bietet Kehlmann eine ähnliche Deutung gerade für Humboldts Lebensleistung an, wie sie Benn seinen ‹Genies› unterlegte: Die Figur Alexanders von Humboldt psychologisiert er insofern, als er ihm fast zu plakativ Angst vor Frauen und eine päderastische Triebstruktur zuschreibt. Damit legt er die Lesart nahe, jene enorme Selbstdisziplin und das scheinbar rastlose Reisen des Naturforschers als Sublimierung einer sexuellen Defizienzerfahrung zu deuten. Doch kann im Roman von einem tiefen Leiden an der Hochbegabung selbst weder bei Humboldt noch bei Gauß die Rede sein. Dieser Topos – das Leiden am Genie – wird vor allem in anderen Texten Kehlmanns verarbeitet. *Der fernste Ort* etwa führt den Bruder des Protagonisten en passant als mathematische Hochbegabung ein: Paul wird zwar ebenfalls gefördert, verhält sich jedoch so, als wäre ihm seine Begabung eine Last, denn er scheint nichts aus ihr machen zu wollen. Er nimmt nach seinem Schulabschluß einen Job als Programmierer von Computerspielen an und bekennt: «[...] ich wollte nichts sein.»[12] *Mahlers Zeit* erzählt zunächst die Geschichte einer glückenden Sozialisierung des hochbegabten David Mahler;[13] als Schüler ist er nicht nur ein exzellenter Mathematiker, sondern auch ein guter Fußballtorwart und daher integriert. Als Assistent an einem Lehrstuhl für Physik an der Universität meint er, einen theoretischen Durchbruch im Hinblick auf den zweiten Hauptsatz der Thermodynamik erzielt zu haben, der diesen außer Kraft setzen könnte. In diesem Roman arbeitet Kehlmann geschickt mit einer Unschärfe, der Frage nämlich, ob die Begabung seines Protagonisten allmählich in einen Wahnsinn hinübergleitet, die neugefundenen Formeln also nur Hirngespinste sind, oder ob die theoretische Entdeckung so umstürzend ist, daß dies den eigentlichen Grund für die physische und psychische Zerrüttung des Physikers bildet. Nach einem ähnlichen Muster gestrickt ist die innere Entwicklung des Magiers Beerholm – auch er eine mathematische Begabung –, dessen eigentliche Genialität als Illusionist, als ‹Magier›, zu kippen scheint in die Vorstellung, tatsächlich ‹zaubern› zu können. Am Ende entpuppt sich der ganze Roman als eine vom Protagonisten selbst vor seinem geplanten Freitod niedergeschriebene Fallgeschichte zwischen genialer Hybris und geistiger Verwirrung, die ihn in eine persönliche Krise führt, den Leser aber hinsichtlich der ‹Wirklichkeit› der fiktionalen Ereignisse unschlüssig zurückläßt.

Ein solches ‹Drama der Hochbegabung› ist *Die Vermessung der Welt* nicht.[14] Wenn nun dennoch von einer ‹tragischen› Komponente des Romans zu sprechen ist, geht es nicht um einen – potentiellen – Umschlag von Genialität in Wahnsinn oder ein Leiden am Genie selbst. Das ‹tragische› Element entfaltet sich vielmehr in einer temperierten, dennoch aber schmerzhaften Art und Weise als Erfahrung der Vergänglichkeit, deren Intensität durch große Intelligenz besonders gesteigert erscheint. Sebastian Kleinschmidt weist in seinem Gespräch mit Kehlmann explizit auf diesen Konnex hin: «Wer schneller denkt als andere, läuft auch schneller vor zum Tod und hat so auch eher ein Gefühl von Vergänglichkeit.»[15] Kehlmann faßt das Altern als einen Prozeß der Entropie auf: «Das Alter ist das zunehmende Chaos im Leben», heißt es in einem Interview mit dem Autor. «Man sammelt mehr Dinge an, mehr Beziehungen, mehr offene Rechnungen – es wird alles immer komplizierter, und es wird alles immer schwerer zu vereinfachen, und es braucht dazu immer größere Gewaltakte.»[16] Exemplarisch ist diesem Verhältnis der Roman *Ich und Kaminski* gewidmet, in dem ein ehrgeiziger Journalist versucht, einen erblindeten alten Maler für seine Karriere als Biograph des Künstlers auszubeuten. Er durchstöbert in dessen Haus und Leben die Relikte einer genialen Malerexistenz.[17] Der Tod bildet dabei nur eine weitere Stufe der entropischen Desorganisation im Prozeß des Alterns. Kehlmanns Roman *Mahlers Zeit* erzählt so gesehen auch die Geschichte eines Versuchs, mit der Aufhebung des zweiten Hauptsatzes der Thermodynamik die Zeit und damit letztlich die lineare Abfolge bis hin zum Tod zu negieren; schließlich erscheint dem Physiker Mahler seine früh durch ein Unglück ums Leben gekommene und offensichtlich schmerzlich vermißte Schwester immer wieder im Traum – der Schluß, es handle sich um eine traumatische Verlusterfahrung, aus der heraus sich seine gegen die Entropie gerichtete Obsession entwickelt, drängt sich nachgerade auf.

Wo es nun in der *Vermessung der Welt* um Altern und Tod geht, geschieht dies, dem ironischen Grundzug des Romans entgegen, keineswegs «in einem durchweg komödiantischen Ton»:[18] Sterben muß dort nicht nur die verehrte erste Frau von Gauß; Kehlmann gestaltet die erste Konfrontation seiner Protagonisten mit der Vergänglichkeit im Tod ihrer Mütter, ihrer ersten Bezugspersonen, als Schockerfahrung. «Sie verging vor seinen Augen, und er konnte nichts dagegen machen», lesen wir über die geliebte Mutter von Gauß, und die Sterbeszene von Humboldts Mutter ist von drastischer Realistik. Die scheinbare Gefühlskälte, die Kehlmann seinem Humboldt dabei zuschreibt – ihm «kam es unbegreiflich vor, daß sie sich so ungesittet benehmen konnte»[19] –, ist der Konzeption dieser Figur geschuldet. Den jungen Gauß – Kehlmann führt ihn einmal bis an die Schwelle zum Selbstmord – läßt der Autor im Angesicht seines Förderers Bartels über die eigene Melancholie nachsinnen: «Warum er traurig war? Vielleicht, weil er sah, wie seine Mutter starb. Weil die Welt sich so enttäuschend ausnahm, sobald man erkannte, wie dünn ihr Gewebe war, wie grob gestrickt die Illusion [...]. Weil man es ohne Schlaf, der einen täglich aus der Wirklichkeit riß, nicht aushielt. Nicht Wegsehenkönnen war Traurigkeit. Wachsein war Traurigkeit. Erkennen, armer Bartels, war Verzweiflung. Warum, Bartels? Weil die Zeit immer verging.»[20]

Vor diesem Hintergrund ist etwa Humboldts zähe Forschertätigkeit auch im Roman als Bemühen angelegt, die eigene Bedeutung gegen das Vergehen der Zeit als Ruhm über den Tod hinaus zu fixieren: «Er habe, sagte Humboldt, viel über die Regeln des Ruhmes nachgedacht»; zu dieser Aussage kommt es, als er mit seinem Begleiter Bonpland die Frage erörtert, ob es statthaft sei, der Nachwelt im Tagebuch auch zu überliefern, «daß unter seinen Zehennägeln Flöhe gelebt hätten».[21] Kehlmann setzt immer wieder deutliche Markierungen, die dem Leser und den Helden selbst das Schicksal des Alterns nicht ohne Grausamkeit vor Augen stellen. Schon am Anfang des Romans entwirft er eine Präfiguration der Verfallsgeschichte fast aller ‹großen Männer› seines Buches. In der Figur des «großen Bougainville», den Humboldt am Beginn seiner Karriere aufsucht, um mit ihm in die Südsee zu reisen, trifft er nur noch auf den dementen Rest vormaliger Bedeutung: «Bougainville war alt wie ein Felsen, völlig taub, saß in einem Thronsessel, murmelte vor sich hin und machte Dirigierbewegungen, von denen keiner wußte, wem sie galten.»[22] Gauß wird im Roman mit dem Verfall des Genies im Alter konfrontiert, als er – in einer von Kehlmann erfundenen Begegnung – dem greisen Philosophen Immanuel Kant in Königsberg seine Entdeckung der nichteuklidischen Geometrie vortragen will: «Der Lampe soll Wurst kaufen, sagte Kant. Wurst und Sterne. [...] Ganz hat mich die Zivilität nicht verlassen, sagte Kant. Meine Herren! Ein Tropfen Speichel rann über sein Kinn.»[23]

Diese Passagen des Romans verraten keine krampfhafte Bemühung, einmal mehr ‹große Männer› in der Kammerdienerperspektive zu ‹entzaubern› und zu ‹vermenschlichen›, sondern sie zielen tatsächlich auf das Altern als etwas Schicksalhaftes, das der Tragik fähig ist. Besonders eindrucksvoll wird dies an der Figur Humboldts gezeigt, der in seiner das Buch abschließenden Reise nach Sibirien versucht, ein lange gehegtes Forschungsprojekt im alten Stil zu verwirklichen. Kehlmann zeichnet Humboldt auch hier als einen Mann, dessen Streben vom Regelsystem seiner Umwelt geleitet wird: Vor Reiseantritt ernennt ihn der preußische König zum «Wirklichen Geheimen Rat, der von nun an mit Exzellenz anzusprechen sei. Humboldt mußte sich abwenden, so stark war seine Bewegung».[24] Doch wird er auf dem vermeintlichen Höhepunkt seiner Bedeutung, seines Ruhmes, durch die vom König bestallten Begleiter auf der Expedition zur Staffage degradiert: Man läßt ihn mit seinen alten Verfahren zum Schein noch einmal forschen, während man selbst längst mit moderneren Verfahren präzisere Ergebnisse erzielt hat. Gauß wiederum sieht sich am Ende noch von jenem Martin Bartels, der ihn einst als weit Unterlegener förderte, «doch nach all den Jahren überflügelt».[25] Das Fazit seines Alterns richtet sich nur scheinbar gegen den hier geäußerten Befund: «Wieso war er so alt geworden? Man ging nicht mehr gut, man sah nicht mehr richtig, und man dachte so langsam. Altern, das war nichts Tragisches. Es war lächerlich.»[26] Was uns aber Kehlmann nachdrücklich in seinem Roman vorführt, ist die durchaus tragische Einsicht, daß auch Hochbegabung nicht vor der Entropie des Alters schützt und selbst überragende Geister zu sabbernden Greisen werden können: Am Ende sind den Genies «Wurst und Sterne» einerlei, wenn auch ihre Schriften ohne die Flöhe unter den Zehennägeln weiterleben.

1 Sebastian Kleinschmidt: Gespräch mit Daniel Kehlmann. In: Sinn und Form. Jg. 58 (2006), Nr. 6, S. 786–799, hier S. 786 und S. 788.
2 Gottfried Benn: Lebensweg eines Intellektualisten. In: Ders., Sämtliche Werke, Bd. 4: Prosa 2, in Verbindung mit Ilse Benn hrsg. von Gerhard Schuster. Stuttgart 1989, S. 154–197, hier: S. 183 f., das folgende S. 190.
3 Vgl. etwa Alfred Adlers individualpsychologischen Ansatz mit seiner *Studie über Minderwertigkeit von Organen* (1907). Zum Begriff der Normalität vgl. Jürgen Link: Versuch über den Normalismus. Wie Normalität produziert wird. Opladen, 2. aktualisierte und erw. Aufl. 1998.
4 Vgl. Detlef H. Rost (Hrsg.): Lebensumweltanalyse hochbegabter Kinder. Das Marburger Hochbegabtenprojekt. Göttingen 1993.
5 Zu den historischen Figuren Gauß und Humboldt vgl. die Beiträge von Hubert Mania und Manfred Geier in diesem Band. Im folgenden geht es um die literarischen Figuren.
6 Johann Wolfgang von Goethe: Aus meinem Leben. Dichtung und Wahrheit. Hrsg. von Peter Sprengel. München 1985 (Münchner Ausgabe, Bd. 16), S. 404.
7 Daniel Kehlmann: Die Vermessung der Welt. Roman. Reinbek bei Hamburg 2005, S. 19.
8 Ebd., S. 37.
9 Vgl. das Interview Marius Mellers mit Kehlmann: Hamlet trifft Pythagoras. In: Der Tagesspiegel (Berlin) vom 15. März 2006: Der Roman sei «auch ein Buch über die deutsche Klassik in ihrer Größe und Komik: Kant tritt gerade noch auf, aber schon als seniler Greis. Und kurz danach führt schon der Turnvater Jahn, als Perversion des deutschen Philosophen und erster deutscher Populist, das große Wort. Es ist also ein Roman, der eine Zeit betrachtet, in der plötzlich etwas Schlimmes begonnen hat, plötzlich etwas falsch gelaufen ist.»
10 Zu Schulpforta vgl. u.a. Hans Heumann: Schulpforta. Tradition und Wandel einer Eliteschule. Erfurt 1994. Ähnliche Institute gab es auch in anderen deutschen Ländern, in Württemberg z. B. die (protestantischen) Klosterschulen.
11 Vgl. Inez Freund-Braier: Persönlichkeitsmerkmale. In: Detlef H. Rost (Hrsg.): Hochbegabte und hochleistende Jugendliche. Neue Ergebnis-

se aus dem Marburger Hochbegabtenprojekt. Münster 2000, S. 161–210, bes. S. 204.

12 Daniel Kehlmann: Der fernste Ort. Frankfurt am Main 2001, S. 47 f., 57, das Zitat S. 103.

13 Daniel Kehlmann: Mahlers Zeit. Roman. Frankfurt am Main 2001 [zuerst 1999].

14 In Anlehnung an den populären Titel von Jürgen vom Scheidt: Das Drama der Hochbegabten. Zwischen Genie und Leistungsverweigerung. München 2004.

15 Sebastian Kleinschmidt: Gespräch mit Daniel Kehlmann. A. a. O., S. 787.

16 «Ich wollte schreiben wie ein verrückt gewordener Historiker» [Gespräch von Felicitas von Lovenberg mit Daniel Kehlmann], in diesem Band S. 26–35, hier: S. 35.

17 Daniel Kehlmann: Ich und Kaminski. Roman. Franfurt am Main 2003.

18 Sebastian Kleinschmidt: Gespräch mit Daniel Kehlmann. A. a. O., S. 787.

19 Daniel Kehlmann: Die Vermessung der Welt. A. a. O., S. 54 und S. 35.

20 Ebd., S. 59.

21 Ebd., S. 112.

22 Ebd., S. 39.

23 Ebd., S. 97.

24 Ebd., S. 265.

25 Ebd., S. 290.

26 Ebd., S. 245.

Stephanie Catani

Formen und Funktionen des Witzes, der Satire und der Ironie in «Die Vermessung der Welt»

«Daniel Kehlmann hat den komischsten Roman dieses Jahres geschrieben»,[1] stellte der Literaturkritiker Ijoma Mangold in der *Süddeutschen Zeitung* fest und pointierte damit das Urteil des deutschsprachigen Feuilletons. Der Komik des Romans, das belegt der außergewöhnliche Publikumserfolg, konnten sich nur wenige Leser und auch kaum ein Kritiker entziehen: Da ist die Rede von der «sanften Ironie» des Erzählers,[2] von einem «humorvollen Ernst»,[3] einer «komischen Surrealisierung von Menschen und Tieren, Dingen und Ideen»[4] und von dem Autor Daniel Kehlmann, der ein «großer Humorist»[5] sein müsse.

Nun ist es gewiß ein Leichtes, die Komik des Romans zu erkennen – sie zu erklären hingegen fällt ungleich schwerer: Das Komische, hier möchte man Robert Gernhardt zustimmen, eignet sich nur bedingt für eine theoretische Auseinandersetzung, die im schlimmsten Fall ihr eigenes Sujet, das Lachen nämlich, zu ersticken droht: «Nichts ist komischer als eine Theorie des Komischen – wer zu diesen Worten auch nur andeutungsweise mit dem Kopf genickt hat, ist bereits gerichtet. Natürlich ist selbst ein schlechter Witz komischer als eine solche Theorie, und ein guter ist dies sowieso [...].»[6]

Gleichwohl sollen die komischen Elemente, vor allem Aspekte des Witzes, der Satire und der Ironie, in *Die Vermessung der Welt* im folgenden einer Analyse unterzogen werden – und dies nicht, weil sie so unübersehbar deutlich zur Wirkungskraft und zum Erfolg des Romans beitragen. Das durch *Die Vermessung der Welt* erzeugte Lachen geht in seiner Funktion weit über einen bloßen

Unterhaltungswert hinaus: Vielmehr legt es die selbstreflexiven und kritischen Momente offen, die das enorme Deutungspotential des Textes erst begründen und die in ihm ausgestellten poetologischen Reflexionen sichtbar werden lassen.

Zur «Komödie der Genialität»

Der in und durch *Die Vermessung der Welt* etablierte Witz meint nicht die pointenfokussierte literarische Kleinstgattung «Witz»,[7] sondern eine subtilere Art der Komik, die auf jene Bedeutung von Witz verweist, die das 18. und beginnende 19. Jahrhundert noch dominiert.[8] Hier wird weniger ein sprachliches Gebilde fester Formprägung als eine geistige Veranlagung bestimmt, die Friedrich Schlegel als «gesellige[n] Geist oder fragmentarische Genialität»[9] bezeichnet und die Jean Paul mit Scharfsinn und Tiefsinn vergleicht.[10] Charakteristisch für jede Form von Witz und verantwortlich für das Lachen, das er auslöst, ist dabei eine «Inkongruenz zwischen der konkreten sprachlichen Äußerung und den Normen der Sprache bzw. der Logik».[11]

Auch in Kehlmanns Roman entsteht der Witz durch ein Lachen, das Folge einer nicht erfüllten Erwartungshaltung des Lesers ist oder sich eindeutig gegen die Lesererwartung richtet, wenn die Figuren, allen voran Gauß, durch ihr im Kontext der jeweiligen Situation häufig überraschendes Benehmen Komik provozieren. So irritiert bereits der erste Auftritt Gauß': «Im Wohnzimmer wartete sein Sohn Eugen mit gepackter Reisetasche. Als Gauß ihn sah, bekam er einen Wutanfall: Er zerbrach einen auf dem Fensterbrett stehenden Krug, stampfte mit dem Fuß und schlug um sich.» (S. 7)[12] Der Eindruck der Unangemessenheit dieser Reaktion verstärkt sich, als in den Folgesätzen keinerlei Erklärung für das sonderliche Verhalten geboten wird, die Erzählinstanz nicht kommentierend eingreift und die Hintergründe des Wutanfalls erläutert. Im Hinblick auf die Figur Gauß' entwickelt sich dieses mit den Regeln der Logik vermeintlich brechende Auftreten zum charakteristischen Figurenmerkmal. Etwa wenn er Kritik an der Lieblingslektüre seines Sohnes, der *Deutschen Turnkunst* von Friedrich Jahn, zu äußern sucht: «Der Kerl sei von Sinnen, sagte Gauß, öffnete das Fenster und warf das Buch hinaus.» (S. 9) Oder wenn Gauß und Eugen in das Visier der preußischen Polizei geraten und einen Moment der Ablenkung zur Flucht nutzen wollen: «Eugen schlug vor, sofort weiterzufahren. Gauß nickte und aß schweigend den Rest der Suppe.» (S. 1) Hinter dem Witz, den Gauß' Reaktionen hervorrufen, offenbart sich eine Verständnislosigkeit, die der Leser mit den Figuren teilt, denen Gauß auf der Romanebene begegnet. Die dadurch ausgelöste Komik ist damit der Definition verpflichtet, mit deren Hilfe Kant das Lachen zu bestimmen sucht: «Es muß in allem, was ein lebhaftes erschütterndes Lachen erregen soll, etwas Widersinniges sein (woran also der Verstand an sich kein Wohlgefallen finden kann). Das Lachen ist ein Affekt aus der plötzlichen Verwandlung einer gespannten Erwartung in nichts. Eben diese Verwandlung, die für den Verstand gewiß nicht erfreulich ist, erfreut doch indirekt auf einen Augenblick sehr lebhaft.»[13]

Durch die Figurenzeichnung Gauß', die Widersinniges zur Normalität erklärt, wird nicht einfach die Skurrilität des Mathematikers ausgestellt, sondern auf die besondere Logik einer «genialen Figur» vorbereitet, eine Logik, die dem Leser ebenso wie anderen Romanfiguren fremd bleibt. Das gilt erst recht für den jugendlichen Gauß: Wenn der 14jährige während einer Ballonfahrt Primzahlen zählt, weil er das immer mache, «wenn er nervös sei» (S. 65), dann wirkt dies komisch auf den Leser, in dessen Erfahrungshorizont das Zählen von Primzahlen durchaus nicht als adäquates Mittel gegen die Nervosität verankert ist. Das hier provozierte Lachen greift die Figur Gauß' nicht an, sondern macht auf ein Genie aufmerksam, das – weil für andere nicht mehr nachvollziehbar – witzig anmutet. Es ist das Lachen, das Wilhelm Genazino als Eingeständnis der eigenen Beschränktheit, als Korrektur vermeintlich etablierter Sinnverhältnisse begreift: «Die komische Empfindung entsteht, wenn wir ausdrücken wollen, daß sich etwas, worin wir einmal Sinn vermutet haben, als nicht sinnvoll erwiesen hat.»[14]

Über die Vater-Sohn-Beziehung, in der Genie und Beschränktheit aufeinandertreffen, wird eine Komik erzeugt, die das Verhältnis von Gauß zu seinem Umfeld grundsätzlich kennzeichnet. Zur komischen Figur wird der Wissenschaftler dabei gerade in seinem Bemühen, das eigene Denken und Handeln einer ihm intellektuell stets unterlegenen Umgebung anzupassen: «Von allen Menschen, die er je getroffen hatte, waren seine Studenten die dümmsten. Er sprach so langsam, daß er den Beginn des Satzes vergessen hatte, bevor er am Schluß war. Es nützte nichts. [...] Er fragte sich, ob die Beschränkten ein spezielles Idiom hatten, das man lernen konnte wie eine Fremdsprache. Er gestikulierte mit beiden Händen, zeigte auf seinen Mund und formte die Laute überdeutlich, als hätte er es mit einem Taubstummen zu tun.» (S. 154)

Das durch solche Szenen hervorgerufene Lachen vergegenwärtigt keineswegs eine Überlegenheit der Figur gegenüber: Helmuth Plessner hat den Witz, der diesem Lachen zugrunde liegt, ausführlich analysiert und erkannt, daß er «Überraschungen und Grenzlagen unserer Weltorientierung» bedeutet, die wir, solange sie keine Gefahr darstellen, komisch finden.[15] Damit aber impliziert das Lachen immer auch die Grenzen der eigenen Wahrnehmung, ist, «wie alles Lachen, im Grunde Ausdruck von Verlegenheit».[16] Mit Bezug auf Plessner versteht Wolfgang Iser das Lachen als «Krisenantwort des Körpers, die dort notwendig wird, wo die kognitiven bzw. emotiven Vermögen in der Bemeisterung der Situation versagen».[17] Dem Lachen über Gauß ist das Versagen, zumindest die unbewußte Einsicht in die mögliche

Beschränktheit der eigenen Logik eingeschrieben – es ist das Lachen des Unterlegenen.

Diese Deutung des Lachens als Geste der Ver- und Unterlegenheit stützt der Roman selbst: Nur in einer Szene spricht auch Gauß über das Lachen, lächelt, ja lacht sogar auf (S. 181–189). Nicht zufällig wird dieses Lachen ausgelöst durch die Begegnung mit dem Grafen Hinrich von der Ohe zur Ohe, einer Figur, die Kehlmann als «die einzige Person im Roman» bezeichnet, die Gauß «intellektuell überlegen» sei und die als allwissende, ins Metaphysische gerückte Instanz den Wissenschaftler gleichsam zur Audienz lädt. Gauß jedoch, gefangen in seiner misanthropischen Arroganz anderen gegenüber, erkennt nicht, daß der Graf möglicherweise «der ist, an den Gauß so lange schon einige Fragen richten wollte»,[18] reagiert statt dessen mit ignoranter Verständnislosigkeit («Er hatte keine Ahnung, wovon dieser Mann sprach.») und – mit einem Lachen: «Gauß lachte auf. Doch doch, sagte der Graf, er meine es ernst.» (S. 189)

Dieses seltene Lachen Gauß' und das andauernde Lachen des Lesers über den Witz, der aus einer ins Absurde verkehrten Erwartungshaltung resultiert, begründet die «Komödie der Genialität»,[19] die im Grunde tragisch verläuft: Aus ihr resultieren Gauß' Einsamkeit ebenso wie seine sozialen Defizite, die im Gegensatz zu seinem Genie durchaus belächelt werden.

Über «Größe und Komik» der Weimarer Klassik

Über die Humboldt-Figur wird eine andere Art von Humor transportiert: Gewiß ist sie die komischere von beiden, «trägt als Figur die Komik und die satirische Seite des Buches viel mehr.»[20] Spricht das Feuilleton noch ein wenig vorsichtig von «ein paar köstlichen Satiren»,[21] die der Roman enthalte, erkennt Kehlmann selbst in seinem Roman eine «recht aggressive Satire über das

Deutschsein».[22] Tatsächlich legt der Roman satirische Momente offen, die auf die Schillersche Definition der «scherzhaften Satire» verweisen, auf ein Mittel, die Wirklichkeit «als Mangel dem Ideal als der höchsten Realität» gegenüberzustellen: «Satirisch ist der Dichter, wenn er die Entfernung von der Natur und den Widerspruch der Wirklichkeit mit dem Ideale (in der Wirkung auf das Gemüt kommt beides auf eins hinaus) zu seinem Gegenstande macht. Dies kann er aber sowohl ernsthaft und mit Affekt als scherzhaft und mit Heiterkeit ausführen: [...] Jenes geschieht durch die strafende oder pathetische, dieses durch die scherzhafte Satire.»[23]

Bei dem im Roman ausgestellten und durch die Figur Humboldts repräsentierten Ideal handelt es sich um das Weltbild der Weimarer Klassik, das sich über Werte wie Humanität, Toleranz, Aufgeklärtheit und Weltoffenheit definiert. Goethe selbst ist es, der im Roman Humboldt als Gesandten dieser Weltanschauung auf die Reise schickt: «Von uns kommen Sie, sagte Goethe, von hier. Unser Botschafter bleiben Sie auch überm Meer.» (S. 37) Daß es sich bei Humboldt um einen eher zweifelhaften Repräsentanten des klassischen Weltbildes handelt, einen «Klassiker aus schierer Willensanstrengung»,[24] wird bereits vor seinem Reiseantritt deutlich: Humboldt eilt, als seine Mutter stirbt, nach Hause, «wie es sich gehörte», auf dem «schnellsten Pferd, das zu bekommen war». Nicht tief empfundene Trauer, sondern das Bemühen, den gesellschaftlichen Erwartungen gerecht zu werden, steuern das Verhalten des jungen Wissenschaftlers: «Unrasiert und schmutzig traf er ein, und weil er wußte, was sich in solchen Fällen schickte, tat er, als wäre er außer Atem.» (S. 35) Das hier provozierte Lachen begleitet das durch den Text generierte Bild der Klassik und ihres Botschafters Humboldt programmatisch und entspringt der Dialektik von Größe und Komik, die Kehlmann als Grundelement dieser Epoche zu erkennen glaubt: «Auch das ist Weimarer Klassik: Entscheidung zur Freundschaft, zur Menschenliebe und zum Humanismus, nicht als tiefstes Gefühl, sondern als Entscheidung. Das hat Komik, aber es hat auch eine ungeheure Größe.»[25]

Ihre satirischen Züge legt diese Komik durch die Begegnung des klassischen Weltbildes mit der vermeintlichen Unzivilisiertheit der «Neuen Welt» offen, einer Begegnung, die Kehlmann in einem Interview mit der prägnanten Formel «Weimarer Klassik goes Macondo» erfaßt hat.[26] Zur komischen Figur wird Humboldt, wenn er im fremden Land, dem er in kolonialer Arroganz das Fehlen jeglicher «Freiheit und Vernunft» (S. 121) attestiert, seine Rolle als Botschafter Weimars ernst zu nehmen sucht, etwa inmitten des dichten Urwalds, in dem man sich gerade zu verirren droht, emphatisch ausruft: «Licht, [...], das sei nicht Helligkeit, sondern Wissen!» (S. 73) Dem sich streng auferlegten Weltbild verpflichtet und dabei das kulturelle Selbstverständnis des Reiselandes konsequent ignorierend, muß Humboldt an seiner Rolle als Botschafter der Klassik scheitern: Sein demonstrativ ausgestelltes, nur vordergründig aufgeklärtes Toleranzdenken ruft in der Fremde keineswegs die erwarteten Reaktionen hervor, sondern löst eine anhaltende Fassungslosigkeit auf der Romanebene und eine komische Wirkung beim Leser aus, etwa wenn drei Sklaven freigekauft werden: «Sie seien jetzt frei, ließ Humboldt dolmetschen, sie könnten gehen. Sie stierten ihn an. Frei! Einer fragte, wohin sie sollten. [...] Einer setzte sich auf den Boden, schloß die Augen und rührte sich nicht mehr.» (S. 70 f.)

Satirisch überzeichnet wird hier weniger das Ideal der Weimarer Klassik als vielmehr ein Umgang damit, der für die Grenzen der Ideologie blind bleibt. Die Parallelität von bornierter Weltfremde und einem eurozentristischen Überlegenheitsgefühl bewirkt dabei mitunter kein unbeschwertes Lachen, sondern eines, das im Halse stecken bleibt, etwa wenn Bonpland sich betroffen um ein ohnmächtiges, augenscheinlich vergewaltigtes junges Mädchen kümmert, während Humboldt zur Fassungslosigkeit seines Begleiters diagnostiziert: «Vermutlich die Hitze, [...] Kinder verliefen sich und würden ohnmächtig.» (S. 105)

Im Verlauf der Südamerika-Expedition zeigt sich, daß Humboldt durchaus in der Lage ist, vom streng humanistisch geprägten Weltbild Abstand zu nehmen – dann nämlich, wenn es den wissenschaftlichen Erfolg der Reise zu bedrohen scheint. Vor die Entscheidung gestellt, siegt in Humboldt der Wissenschaftler über den Vertreter der Weimarer Klassik, wird ein Opportunismus sichtbar, der, wenn es um die wissenschaftliche Erkenntnis geht, das humanistische Wertesystem außer Kraft setzt. So mangelt es ihm an Verständnis für das Entsetzen der indigenen Einwohner, als er drei Leichen ihrer Verstorbenen zu Forschungszwecken mitnimmt (S. 120), oder läßt Humboldt sich mit der eher hilflos anmutenden Begründung, «sie müßten doch weiter» (S. 118), von zwei gewaltsam dazu gezwungenen, in Fesseln gelegten Einwohnern durch die Stromschnellen des Orinoko lenken. (S. 113) Stets konkurriert in Humboldts Figur ein nach potenzierter Erkenntnis lechzender Forschungsdrang mit der Selbstverpflichtung zu Toleranz, Humanismus und Freiheitsdenken. Großmütig verhindert er, daß ein Jaguar erschossen wird, denn auch der «Jaguar habe ihn gehen lassen» (S. 108), oder er sucht ganze neun Stunden lang den Urwald nach seinem verlorengegangenen Hund ab, ohne sich von Bonpland («Der Hund sei verdammt noch einmal tot!», S. 130) aufhalten zu lassen. Kurz darauf aber sperrt er zwei Krokodile mit einem Rudel Hunde zusammen, «um ihr Jagdverhalten zu studieren» – ein Experiment, dessen Grausamkeit anschließend an den blutverschmierten Wänden abzulesen ist (S. 165). Diese zwischen Komik und Befremden changierenden Szenen legen insgesamt eine Wissenschaftskritik offen, welche die Dialektik der Aufklärung nicht nur sichtbar macht, sondern, wie Marius Meller erkannt hat, durch das Element des Komischen gleichzeitig entpathetisiert,[27] ohne sie dadurch jedoch ihrer deutlichen Kritik zu berauben.

Die satirischen Elemente des Romans kontrastieren das Ideal eines klassischen Humanismus nicht nur mit dem mitunter wenig human anmutenden Forscherdrang Humboldts, sondern darüber hinaus mit einem Persönlichkeitsprofil, das als «typisch preußisches» satirisch überzeichnet wird. Wie bereits der durch die Gauß-Figur ausgelöste Witz sind auch die in der Humboldt-Figur angelegten satirischen Aspekte nicht einfach darauf angelegt, die «Geschichte zweier Käuze»[28] zu erzählen; vielmehr läßt sich die Figurenzeichnung als «satirische Ideologiekritik» begreifen, die Kehlmann national codiert: «Diese ungewollte Komik ist aber keineswegs die Komik eines Kauzes. Es geht darum, daß solche Begebenheiten sehr viel darüber aussagen, was es heißt, deutsch zu sein.»[29]

Die satirische Überzeichnung der deutschen Herkunft Humboldts verdankt sich vor allem seinem Gegenüber, dem Franzosen Bonpland, der als Korrektiv und Kontrastfolie Humboldts fungiert, etwa wenn er Humboldt dabei zusieht, wie dieser die lang ersehnte Sonnenfinsternis im Sextanten fixiert, ohne nur einmal zu dem seltenen Naturschauspiel aufzuschauen: «Müsse man immer so deutsch sein?» (S. 81) Die Unterschiede zwischen dem leidenschaftlichen, gefühlsbetonten Franzosen und dem förmlichen Verstandesmenschen aus Weimar werden ironisch aufgedeckt, wenn Humboldt von der «Gefühlsbildung» seiner Kindheit schwärmt, die sich als «einsame Streifzüge durch die Wälder» sowie eine gelegentliche Teilnahme am Salon der Henriette Herz entpuppt, woraufhin Bonpland lakonisch kontert: «Seine Gefühlsbildung [...] habe mit einem Bauernmädchen aus der Nachbarschaft stattgefunden. Die habe fast alles zugelassen.» (S. 168)

Die in der Paarung dieser beiden Figuren angelegte Komik gelangt zu einem Höhepunkt in der gemeinsamen Besteigung des Chimborazo. Die Höhenkrankheit, deren Symptome im Verlauf der Besteigung zunehmen und die Wahrnehmung Bonplands und Humboldts massiv beeinträchtigen, führt zu einer insbesondere auf Seiten Bonplands wachsenden Aggression, die Humboldt höflich zu ignorieren versucht: «Humboldt bat um Entschuldigung. Er habe leider nichts verstanden. Der Wind.» (S. 181) Eine mögliche Aussprache wird umgangen durch sinnentleerte Dialoge über den verlorengegangenen Hund, der, so glaubt der halluzinierende Humboldt, wieder aufgetaucht sei: «Verzeihung, sagte Humboldt. Ihm falle es schwer, sich zu sammeln. Ob bitte irgendwer den Hund an die Leine nehmen könne! Den Hund, sagte Bonpland, habe er nie leiden können. Sofort schämte er sich, weil er das schon gesagt hatte. Es war ihm so peinlich, daß ihm schlecht wurde.» (S. 177)

Auch die physische Grenzerfahrung der gemeinsamen Höhenwanderung vermag Humboldts emotionale Schwächen nicht auszuschalten, sondern vergegenwärtigt sie nur noch deutlicher: «Alter Freund, sagte Humboldt. Er wolle nicht sentimental werden, aber nach dem langen Weg hinter ihnen, in diesem großen Moment, müsse er doch einmal folgendes sagen. Bonpland lauschte. Aber nichts kam mehr. Humboldt schien es schon wieder vergessen zu haben.» (S. 171)

Die Befremdlichkeit, die Humboldts am Ideal der Klassik orientiertes und gleichzeitig einem kompromißlosen Vermessungszwang unterworfenes Verhalten in Südamerika auslöst, wird in einer ironischen Umkehrung konterkariert durch Humboldts Begegnung mit dem kalmückischen Lama während seiner Rußland-Expedition. Damit liest sich diese Szene parallel zu Gauß' Begegnung mit dem Grafen: Im Dialog mit dem Lama, einem Dialog, der gewiß zu den komischsten Szenen des gesamten Romans gehört, werden die Kommunikationsprobleme und Mißverständnisse, die Humboldts Reisen begleiten, zu einem absurden Höhepunkt geführt – mit dem Unterschied, daß sich Fassungslosigkeit und Befremden nun bei Humboldt einstellen: «Er verstehe, sagte der Lama, was der kluge Mann ihm damit sagen wolle. Er wolle gar nichts sagen, rief Humboldt, er könne es einfach nicht! [...] Er verstehe, sagte der Lama, auch diese Botschaft. Es gebe keine Botschaft, rief Humboldt. Er verstehe, sagte der Lama.» (S. 287)

Der moderne Roman als «Medium der Ironie»

Nicht mit einer Ironie des Tones, sondern «einer der Haltung» setzt Daniel Kehlmann das eigene Erzählen in seinen Poetikvorlesungen gleich.[30] Damit greift er die ambivalente Bedeutung der Ironie auf, die den Begriff seit der Romantik prägt. Bis zum Ende des 18. Jahrhunderts unterliegt sie dem Zuständigkeitsbereich der Rhetorik und bezeichnet dort «eine fest umrissene Form des Redens oder des schriftstellerischen Ausdrucks, die auf die einfache Formel gebracht werden kann: eine Redefigur, bei der man das Gegenteil von dem zu verstehen gibt, was man sagt.»[31] Im Anschluß daran entsteht ein neues Ironiekonzept, das durch Friedrich Schlegel als «romantische Ironie» in Ästhetik und Literaturtheorie eingeführt wird. Dieser weniger rhetorisch als philosophisch begründete Ironiebegriff charakterisiert keine spezifische Redefigur, sondern sucht das Verhältnis zwischen Autor und Leser neu zu definieren, «wobei der Autor die Rolle der Verstellung übernimmt, ironische Wendungen äußert und sich darüber hinaus in einer spielerischen, subjektiven, scheinbar unverpflichteten, schwebenden und skeptischen Pose gefällt.»[32]

Mit Blick auf das problematische Verhältnis von Literaturtheorie und Autorschaft in der Moderne läßt sich diese Definition nur noch begrenzt auf die Literatur der Gegenwart übertragen. Kehlmann selbst geht darauf im Rahmen seiner eigenen poetologischen Standortbestimmung ein und unterstreicht, daß das romantische Ironiekonzept, das seit dem «Tod des Autors»[33] seinen zentralen Bezugspunkt eingebüßt hat, gegenwärtig neu zu definieren sei: «Zwar haben manche Schriftsteller der sogenannten Postmoderne es mit vielfacher ironischer Brechung wieder gewagt, sich in ihr eigenes Erzählen kommentierend und relativierend einzumischen; doch auch sie kreieren im Grunde einen weiteren, diesmal als Autor maskierten Charakter und sind in der hochraffinierten Bewußtheit solcher Effekte weiter denn je von der ungebrochenen Direktheit entfernt, mit der die Schriftsteller des achtzehnten Jahrhunderts dem Leser dreinreden konnten, wann immer sie Lust dazu hatten.»[34]

Dennoch liegt auch der *Vermessung der Welt* ein ambivalenter Ironiebegriff zugrunde, der nur vordergründig die ironischen Wendungen in der Figurenrede meint. Diese existieren durchaus – etwa wenn Gauß, der Eugen eben zum wiederholten Mal als «Versager» (S. 8f.) beschimpft und «mit aller Kraft nach seinem Fuß» gestoßen hat, dem Sohn vorhält: «Er habe einen harten, abweisenden Vater gehabt, Eugen könne sich glücklich schätzen.» (S. 12) Oder wenn Gauß auf der eigenen Hochzeit das Eheglück mit einem Rechenfehler vergleicht und Johanna auf sein Nachfragen, «ob er etwas Falsches gesagt habe» (S. 148), entgegnet: «Aber woher denn. [...] Genau diese Rede habe sie sich immer für ihre Hochzeit erträumt.» Diese ironischen Spitzen vergegenwärtigen die Ambivalenz der Figuren, fangen gerade in bezug auf Gauß dessen geniales Außenseitertum ebenso wie die daraus resultierende Misanthropie noch einmal ein.

Insgesamt aber überwiegt eine «ironische Grundhaltung», die nicht der Handlungsebene entspringt oder die Figurenrede kennzeichnet, sondern eine spezifische Erzählhaltung beschreibt. Nach Kehlmann findet sich diese Ironie gerade nicht in der Anwesenheit des Autors oder des Erzählers, sondern in einer Distanz zu den Figuren sowie in dem bewußten Verzicht, das Erzählte zu kommentieren und zu werten: «Und das ist wohl das Entscheidende. Was entsteht denn, wenn man einander zuwiderlaufende An- und Absichten, Wünsche, Bestrebungen,

Weltvorstellungen mit gleicher Sympathie und gleicher Distanz schildert, so daß jede von ihnen ganz von selbst, allein durch das Gegenüberstellen, bis in ihr Innerstes relativiert wird. Ironie. Der moderne Roman ist das Medium des Privaten, aber er ist noch mehr das Medium der Ironie [...].»[35]

Mit dieser Neubestimmung der literarischen Ironie liefert Kehlmann das poetologische Programm, welches das ironische Potential der *Vermessung der Welt* bereits theoretisch reflektiert. Die durchgängige Distanz zwischen Erzähler und Figuren verdankt sich dem konsequenten Gebrauch der indirekten Rede, die nicht nur wesentlich an der Komik beteiligt, sondern darüber hinaus Mittel ist, um jenen «Zusammenprall einer Form mit einem ihr völlig heterogenen Inhalt»[36] auszulösen, den Kehlmann als Voraussetzung der Ironie bestimmt.

Zugleich läßt sich die von Kehlmann skizzierte ironische Gegenüberstellung einander zuwiderlaufender Weltvorstellungen leicht als Strukturprinzip seines Romans ausmachen, dessen Figurenkonstellation sich ausschließlich über ihre dualistische Anordnung erschließt: Zum einen die Humboldt-Bonpland-Paarung, die das Weltbild des förmlichen, leidenschaftslosen Deutschen durch sein Gegenbild, den emotional und sozial deutlich stärkeren Franzosen ironisch unterläuft. Zum anderen der geniale Mathematiker Gauß, dessen intellektuelle Überlegenheit nicht nur zu geistiger Einsamkeit, sondern einer misanthropischen Arroganz führt, die vor allem im Umgang mit seiner Gegenfigur, dem eigenen Sohn, offengelegt wird. Die ironische Wendung, die das durch Gauß' Sicht beschriebene Vater-Sohn-Verhältnis neu bewertet, ereignet sich hier im letzten Kapitel des Romans, das allein Eugen, dem vom Vater konsequent gedemütigten und für dumm befundenen Sohn, gehört. Wenn Eugen sich abschließend wundert, «warum die Leute immer so lange brauchten, um zu antworten. Es war doch keine schwere Frage» (S. 299), dann erweist er sich wider Erwarten als unverkennbarer

Erbe des Vaters, der sich bereits als Kind nicht an das Denken anderer, das «so langsam, so schwer und mühevoll» (S. 54) aussah, anpassen konnte, ja der ebenfalls fassungslos feststellen mußte: «Niemand konnte so langsam denken!» (S. 83)

Kehlmanns Roman läßt sich in seiner Komik erzeugenden Inszenierung von Paarfigurationen als literarische Umsetzung des «Kipp-Phänomens» begreifen, mit dem Wolfgang Iser das Komische zu bestimmen sucht. So kann man mit Iser auch im Hinblick auf Kehlmanns Figuren davon ausgehen, «daß die im Komischen zusammengeschlossenen Positionen sich wechselseitig negieren, zumindest aber in Frage stellen [...]. Jede Position läßt die andere kippen.»[37] Hier ist die den Roman ausmachenden Parallelisierung der Figuren Humboldts und Gauß' exakt bezeichnet – die Erkenntnis, daß jede der Positionen die andere zu kippen vermag, motiviert sowohl den Spannungsbogen als auch die Komik des Textes.

«Diese sehr ernsten Scherze»

Vorwürfe, Kehlmann liefere seine Charaktere der Lächerlichkeit aus, karikiere und parodiere die historischen Figuren Gauß' und Humboldts, ignorieren, daß der Text eine ausschließlich literarische Wirklichkeit erschafft, die sich keineswegs an einer historischen Vorlage orientiert.[38] Er stellt die Unzuverlässigkeit des Erzählten bewußt dar und nimmt sich damit von der Ironie, der die Figurendarstellung unterliegt, nicht aus. In dieser Selbstreflexivität des Romans liegt die abschließende humoristische und dezidiert ironische Leistung begründet, die den Erzähler auf eine Stufe mit den Figuren stellt und verhindert, daß diese von einem olympischen Standpunkt aus gerichtet werden. Im Gegenteil: Die Distanz zwischen Erzählinstanz und Figuren wird von der Distanz der Figuren zum Medium des Erzählens noch übertroffen, denn die Protagonisten des Romans eint eine ausdrückliche Erzählfeindlichkeit. Während Gauß sich beklagt, daß sein Sohn «Gedichte und dummes Zeug» (S. 222) schreibe, und den Dichterfürsten Goethe auf einen «Esel [...], der sich anmaße, Newtons Theorie des Lichts zu korrigieren» reduziert, (S. 158) gesteht Humboldt: «Ihm selbst habe Literatur ja nie viel gesagt. Bücher ohne Zahlen beunruhigten ihn. Im Theater habe er sich stets gelangweilt.» (S. 221) Richtet sich das Mißtrauen hier noch gegen das Medium der Literatur schlechthin, findet sich bereits zu Beginn der *Vermessung der Welt* ein ironischer Verweis auf den Roman selbst, wenn Gauß die komischen Verzerrungen prophezeit, denen die eigene Person zukünftig ausgeliefert sei: «Sogar ein Verstand wie der seine, sagte Gauß, hätte in frühen Menschheitsaltern oder an den Ufern des Orinoko nichts zu leisten vermocht, wohingegen jeder Dummkopf in zweihundert Jahren sich über ihn lustig machen und absurden Unsinn über seine Person erfinden könne.» (S. 9)

Hier wird der Text von seiner eigenen Figur angegriffen – deutlicher läßt sich die Souveränität des Erzählers ironisch nicht unterlaufen. Das Lachen, das der Roman auslöst und das Figuren und Erzählinstanz zugleich gilt, zielt keineswegs auf die historischen Figuren, sondern fungiert als Brücke zur Gegenwart, denn «Humor ist nie historisch, sondern stets gegenwartsunmittelbar».[39] Komik, so lautet die poetologische Botschaft des Textes, unterläuft die Historisierung literarischen Wissens und richtet ihre «sehr ernsten Scherze», nach denen Kehlmann nicht zufällig seine Poetikvorlesungen benennt, an eine Gegenwart, der die im Roman aufgeworfenen Fragen nach der Relevanz einer Wissenschafts- und Aufklärungskritik und dem Umgang mit dem klassischen sowie nationalen Erbe noch einmal gestellt werden.

1 Ijoma Mangold: Da lacht der Preuße, und der Franzose staunt. In: Süddeutsche Zeitung, 24. September 2005.
2 Martin Lüdke: Doppelleben, einmal anders. In: Frankfurter Rundschau, 28. September 2005.
3 Oliver Ruf: Der Weltvermesser. Über Daniel Kehlmann. In: Die Politische Meinung 439 (6/2006), S. 61–64, hier S. 61.
4 Sebastian Kleinschmidt: Gespräch mit Daniel Kehlmann. In: Sinn und Form. Jg. 58 (2006), H. 6, S. 786–799, hier: S. 792.
5 Hubert Spiegel: Der Schrecken der Welt läßt sich messen, aber nicht bannen. In: Frankfurter Allgemeine Zeitung, 22. Oktober 2005.
6 Robert Gernhardt: Was gibt's denn da zu lachen? Kritik der Komiker, Kritik der Kritiker, Kritik der Komik. Zürich 1988, S. 449.
7 Vgl. dazu auch die Rezension von Martin Lüdke (a.a.O.): «Dabei hütet sich Kehlmann, zu deuten. Er erzählt. Er kann das. Er zielt nie auf die Pointe, doch behält er stets den Blick für die Komik einer Situation.»
8 Zur Wort- und Bedeutungsgeschichte des Witzes vgl. Otto F. Best: Der Witz als Erkenntniskraft und Formprinzip. Darmstadt 1989 (= Erträge der Forschung, Bd. 264).
9 Friedrich Schlegel: Kritische Fragmente, Nr. 9, In: Ernst Behler u.a.: Kritische Friedrich-Schlegel-Ausgabe, Bd. 2, Paderborn 1967, S. 147–163.
10 Jean Paul: Vorschule der Ästhetik. In: Ders.: Werke. Hrsg. von Norbert Miller. München 1963, Bd. 5, S. 7–456, hier S. 169–173.
11 András Horn: Das Komische im Spiegel der Literatur. Versuch einer systematischen Einführung. Würzburg 1988, S. 251.
12 Daniel Kehlmann: Die Vermessung der Welt. Roman. Reinbek bei Hamburg 2005 (danach im folgenden die Seitenangaben im Text).
13 Immanuel Kant: Kritik der Urteilskraft. Band 10 der Werkausgabe, hrsg. von Wilhelm Weischedel. Frankfurt am Main 1974, S. 273.
14 Wilhelm Genazino: Über das Komische. Der außengeleitete Humor. Paderborn 1998 (= Paderborner Universitätsreden 63), S. 12.
15 Helmuth Plessner: Lachen und Weinen. Eine Untersuchung nach den Grenzen menschlichen Verstandes. In: Ders.: Gesammelte Schriften. Hrsg. von Günter Dux u.a. Frankfurt am Main 1982, Bd. 7, S. 201–387, hier: S. 304.
16 Otto F. Best: Der Witz als Erkenntniskraft und Formprinzip. A.a.O., S. 135.

17 Wolfgang Iser: Das Komische – ein Kipp-Phänomen. In: Wolfgang Preisendanz/Rainer Warning (Hrsg.): Das Komische. München 1976, S. 398–402, hier: S. 401.
18 Daniel Kehlmann: Diese sehr ernsten Scherze. Poetikvorlesungen. Göttingen 2007 (= Göttinger Sudelblätter), S. 34.
19 Sebastian Kleinschmidt: Gespräch mit Daniel Kehlmann. A. a. O., S. 786.
20 «Ich wollte schreiben wie ein verrückt gewordener Historiker.» Felicitas von Lovenberg im Gespräch mit Daniel Kehlmann. In diesem Band, S. 26–35.
21 Helmut Gollner: Auf Besuch beim deutschen Geist. Zu Daniel Kehlmanns neuem Roman «Die Vermessung der Welt». In: Literatur und Kritik, Nr. 397/398 (2005), S. 79–81, hier S. 79.
22 Ebd., S. 79.
23 Friedrich Schiller: Über Naive und Sentimentalische Dichtung. In: Ders.: Sämtliche Werke, Bd. 5: Erzählungen und theoretische Schriften. Hrsg. von Wolfgang Riedel. München 2004, S. 694–780, hier: S. 721.
24 Daniel Kehlmann: Wo ist Carlos Montúfar? In: Ders.: Wo ist Carlos Montúfar? Über Bücher. Reinbek 2005, S. 9–27, hier: S. 23.
25 «Ich wollte schreiben wie ein verrückt gewordener Historiker.» A. a. O.
26 Daniel Kehlmann/Michael Lentz: «Die Fremdheit ist ungeheuer». Gespräch über historische Stoffe in der Gegenwartsliteratur. In: Neue Rundschau, Jg. 118 (2007), H. 1, S. 33–47, hier: S. 46.
27 Marius Meller: Die Krawatte im Geiste, in: Merkur 61, Heft 695 (März 2007), S. 248–252. In diesem Band S. 127–135
28 Darauf glaubte Kehlmann seinen Roman zu Beginn der literaturkritischen Rezeption reduziert – was sich im Hinblick auf Bandbreite der Deutungen bis zum gegenwärtigen Zeitpunkt nicht bestätigt hat, vgl.: «Mein Thema ist das Chaos». Spiegel-Gespräch mit Daniel Kehlmann. In diesem Band, S. 36–46, hier: S. 43.
29 «Ich wollte schreiben wie ein verrückt gewordener Historiker.» A. a. O.
30 Daniel Kehlmann: Diese sehr ernsten Scherze. A. a. O., S. 22.
31 Ernst Behler: Klassische Ironie – Romantische Ironie – Tragische Ironie. Zum Ursprung dieser Begriffe. Darmstadt 1972, S. 9. Behler zitiert hier die Ironie-Definition aus der französischen Enzyklopädie von 1765.
32 Ebd., S. 16.
33 Vgl. stellvertretend Roland Barthes: Der Tod des Autors, in: Fotis Jannidis/Gerhard Lauer/Matias Martinez/Sabine Winko (Hrsg.): Texte zur Theorie der Autorschaft. Stuttgart 2000, S. 185–193.

34 Daniel Kehlmann: Ironie und Strenge. In: Ders.: Wo ist Carlos Montúfar? Reinbek bei Hamburg 2005, S. 133–143, hier: S. 137.

35 Ebd., S. 139.

36 Daniel Kehlmann/Michael Lentz: «Die Fremdheit ist ungeheuer». A. a. O., S. 40.

37 Wolfgang Iser: Das Komische – ein Kipp-Phänomen. A. a. O., S. 399.

38 Vgl. dazu den Beitrag von Friedhelm Marx im vorliegenden Band, S. 169–185, außerdem Kehlmann selbst in: Diese sehr ernsten Scherze. A. a. O., S. 27–29.

39 Sebastian Kleinschmidt: Gespräch mit Daniel Kehlmann. A. a. O., S. 791.

Bibliographie und Quellenverzeichnis

Literatur von Daniel Kehlmann

a) Bücher

Beerholms Vorstellung. Roman. Wien: Deuticke 1997. Neuausgabe: Frankfurt am Main: Suhrkamp 2000. Überarbeitete Neuausgabe: Reinbek bei Hamburg: Rowohlt 2007.

Unter der Sonne. Erzählungen. Wien: Deuticke 1998. Um die Erzählungen *Kritik* und *Fastenzeit* erweiterte Neuausgabe: Frankfurt am Main: Suhrkamp 2000. Überarbeitete Neuausgabe: Reinbek bei Hamburg: Rowohlt 2008.

Mahlers Zeit. Roman. Frankfurt am Main: Suhrkamp 1999.

Der fernste Ort. [Novelle] Frankfurt am Main: Suhrkamp 2001.

Ich und Kaminski. Roman. Frankfurt am Main: Suhrkamp 2004.

Wo ist Carlos Montúfar? Über Bücher. Reinbek bei Hamburg: Rowohlt 2005.

Diese sehr ernsten Scherze. Poetikvorlesungen. Göttingen: Wallstein 2007.

b) Aufsätze und Reden aus dem Umfeld der «Vermessung der Welt»

Borges oder Die Angst vor Spiegeln. In: Jürgen Jakob Becker/Ulrich Janetzki: Helden wie Ihr. Junge Schriftsteller über ihre literarischen Vorbilder. Berlin 2000, S. 115–120.

Masochist. In: Süddeutsche Zeitung vom 5. Oktober 2004.

Gott begrüßt seine Opfer. Über Glauben muß gelacht werden können. So mancher, der Respekt fordert, meint Macht. [Dankrede zur Verleihung des Candide-Preises der Stadt Minden.] In: Süddeutsche Zeitung vom 28. Mai 2005.

Kants Schönheit. In: Akzente. Zeitschrift für Literatur (München), H. 3/2005, S. 269–272.

Humboldt Retro. In: Kursbuch (Reinbek bei Hamburg), H. 160/2005 (Die neuen Rituale), S. 43–46.

Die Finken und die Wilden. In: Charles Darwin: Die Fahrt der Beagle. Tagebuch mit Erforschungen der Naturgeschichte und Geologie der Länder, die auf der Fahrt von HMS Beagle unter dem Kommando von Kapitän Robert Fitzroy, RN, besucht wurden. Hamburg 2006, S. 13–16.

Seid vermessen! Was Weimar mich gelehrt hat. [Dankrede zur Verleihung des Literaturpreises der Konrad-Adenauer-Stiftung.] In: Frankfurter Allgemeine Zeitung vom 20. Juni 2006.

Ein Buch, an das ich jeden Tag denke. Dankrede zum Doderer-Preis. In: Sinn und Form (Berlin), Jg. 58, 2006, H. 6, S. 782–785.

Kleist, der Dichter unseres Zwangs. Rede zur Verleihung des Kleist-Preises 2006. In: Frankfurter Allgemeine Zeitung vom 25. November 2006; erneut in: Kleist-Jahrbuch 2007, S. 17–22.

Autoren sind Ablehner. In: Olaf Kutzmutz/Stephan Porombka (Hrsg.): Erst lesen. Dann schreiben. München 2007, S. 178–182.

Die Katastrophe des Glücks. Dankrede zur Verleihung des Literaturpreises der Tageszeitung Die Welt. In: Die literarische Welt vom 10. November 2007.

c) Gespräche und Interviews

[Brigitte Felderer:] «Eine wunderbar tragfähige Metapher für Kunst.» Ein Gespräch mit Daniel Kehlmann über Zauberkunst und seinen Roman «Beerholms Vorstellung». In: Brigitte Felderer/Ernst Strouhal (Hrsg.): Rare Künste. Zur Kultur- und Mediengeschichte der Zauberkunst. Wien, New York 2006, S. 251–253.

Helmut Gollner: Gespräch mit Daniel Kehlmann. In: Ders. (Hrsg.): Die Wahrheit lügen. Die Renaissance des Erzählens in der jungen österreichischen Literatur. Innsbruck, Wien, Bozen 2005.

Walter Grond: «Wie ein verrückter Historiker». Gespräch mit Daniel Kehlmann. In: Volltext. Zeitung für Literatur (Wien), Nr. 4 / 2005, S. 12 f.

Olga Olivia Kasaty: Gespräch mit Daniel Kehlmann. In: Olga Olivia Kasaty: Entgrenzung. Vierzehn Autorengespräche. München 2007, S. 169–195.

Sebastian Kleinschmidt: Gespräch mit Daniel Kehlmann. In: Sinn und Form (Berlin), Jg. 58, 2006, H. 6, S. 786–799.

Marius Meller: Hamlet trifft Pythagoras. Interview mit Daniel Kehlmann. In: Der Tagesspiegel (Berlin) vom 15. März 2006.

Klaus Nüchtern/Klaus Taschwer: «Ich kann nicht rechnen». Interview mit Daniel Kehlmann. In: Falter (Wien), Nr. 38 vom 23. September 2005.

Wolfgang Paterno: «Am liebsten würde ich das Buch in die Ecke schmeißen». Interview mit Daniel Kehlmann. In: profil (Wien) vom 2. Juni 2006, S. 135–138.

Oliver Vogel (Mod.): «Die Fremdheit ist ungeheuer». Daniel Kehlmann und Michael Lentz im Gespräch über historische Stoffe in der Gegenwartsliteratur. In: Neue Rundschau (Frankfurt am Main), Jg. 118, 2007, H. 1, S. 33–47.

Klaus Zeyringer/Stefan Gmünder (Mod.): Gespräch zwischen Helmut Krausser und Daniel Kehlmann über das Verhältnis von Ästhetik und Moral, die Ironie bei Céline und den Rang der Gegenwartsliteratur. In: Volltext. Zeitung für Literatur (Wien), Nr. 1/2006, S. 3 f.

Literatur über Daniel Kehlmann

Heinz Ludwig Arnold (Hrsg.): Text + Kritik. Zeitschrift für Literatur, Nr. 177 (H. 1 / 2008): Daniel Kehlmann (mit Beiträgen von Thorsten Ahrend, Mark M. Anderson, Markus Gasser, Helmut Krausser, Martin Lüdke, Friederike Mayröcker, Robert Menasse, Heinz-Peter Preußer, Klaus Zeyringer und einer Bibliographie von Henning Bobzin).

Mark M. Anderson: Humboldt's Gift. In: The Nation (New York) vom 30. April 2007.

Roland Z. Bulirsch: Weltfahrt als Dichtung. Laudatio auf Daniel Kehlmann [zur Verleihung des Literaturpreises der Konrad-Adenauer-Stiftung 2006]. In: Sinn und Form (Berlin), Jg. 58 (2006), H. 6, S. 846–852.

Anna Echterhölter: Schöner berichten. Alexander von Humboldt, Hubert Fichte und Daniel Kehlmann in Venezuela. In: Kultur & Gespenster (Hamburg), Jg. 1 (2006), H. 1, S. 72–83.

Alexander Honold: Ankunft in der Weltliteratur. Abenteuerliche Geschichtsreisen mit Ilija Trojanow und Daniel Kehlmann. In: Neue Rundschau (Frankfurt am Main), H. 1 / 2007, S. 82–104.

Philip Oltermann: Irony and Genius. In: Prospect (London), H. 3/2007, S. 77–79.

Manfred Schneider: Vermessene Meßlust. In: Literaturen, Oktober 2005, S. 53–55.

Quellenverzeichnis

Daniel Kehlmann: Wo ist Carlos Montúfar? Aus: Ders.: Wo ist Carlos Montúfar? Über Bücher. Reinbek bei Hamburg 2005, S. 9–27. – Interview mit Felicitas von Lovenberg. Aus: Frankfurter Allgemeine Zeitung vom 9. Februar 2006. – Interview mit Matthias Matussek, Mathias Schreiber und Olaf Stampf. Aus: Der Spiegel vom 5. Dezember 2005. – Uwe Wittstock: Die Realität und ihre Risse. Aus: Kleist-Jahrbuch 2007, S. 9–16. – Marius Meller: Die Krawatte im Geiste. Aus: Merkur. Zeitschrift für europäisches Denken, März 2007, S. 248–252.

Die Laudatio von Ijoma Mangold wird hier erstmals gedruckt. Bei den Texten von Stephanie Catani, Ulrich Fröschle, Manfred Geier, Hubert Mania, Friedhelm Marx, Gunther Nickel, Julia Stein und Klaus Zeyringer handelt es sich um Originalbeiträge.

Autorinnen und Autoren dieses Bandes

Stephanie Catani ist Wissenschaftliche Mitarbeiterin am Lehrstuhl für Neuere deutsche Literaturwissenschaft an der Universität Bamberg.

Ulrich Fröschle ist Wissenschaftlicher Mitarbeiter am Lehrstuhl für Neuere deutsche Literaturgeschichte der Technischen Universität Dresden.

Manfred Geier war Professor für Sprach- und Literaturwissenschaft in Hannover und lebt heute als freier wissenschaftlicher Publizist in Hamburg.

Felicitas von Lovenberg ist Feuilletonredakteurin der *Frankfurter Allgemeinen Zeitung.*

Ijoma Mangold ist Literaturredakteur der *Süddeutschen Zeitung.*

Hubert Mania lebt als Autor und Übersetzer in Braunschweig.

Friedhelm Marx ist Professor für Neuere deutsche Literaturwissenschaft an der Universität Bamberg.

Matthias Matussek leitete das Kulturressort der Wochenzeitschrift *Der Spiegel.*

Marius Meller lebt als freier Literaturkritiker in Berlin.

Gunther Nickel ist Lektor des Deutschen Literaturfonds in Darmstadt und Privatdozent für Neuere deutsche Literaturgeschichte an der Johannes-Gutenberg-Universität Mainz.

Mathias Schreiber ist Kulturredakteur der Wochenzeitschrift *Der Spiegel.*

Olaf Stampf ist Redakteur für Kultur und Technik der Wochenzeitschrift *Der Spiegel.*

Julia Stein arbeitet als Lektorin an der Universidad de Montevideo (Uruguay).

Uwe Wittstock ist Kulturkorrespondent der Tageszeitung *Die Welt* in Frankfurt am Main.

Klaus Zeyringer ist Professor für Germanistik an der Université Catholique de l'Ouest in Angers (Frankreich).